JN059223

The World

A Brief Introduction

［ザ・ワールド］

世界のしくみ

リチャード・ハース
Richard Haass

上原裕美子 訳
Yumiko Uehara

日本経済新聞出版

The World
by Richard Haass
Copyright © 2020 by Richard Haass

All rights reserved.
Japanese edition published by arrangement with
The Wylie Agency(UK)LTD

Illustrations by Michael Bricknell, Joyce Chen, Will Merrow, and
Katherine Vidal © Council on Foreign Relations

スーザン、サム、フランチェスカへ

目次

第2部

世界の地域

第3部　グローバル時代

第4部

秩序と無秩序

The World ［ザ・ワールド］
世界のしくみ

カナダ
アメリカ合衆国
大西洋
キューバ
メキシコ
ベネズエラ
太平洋
コロンビア
ブラジル
アルゼンチン

ロシア
イギリス
ドイツ
クリミア
ウクライナ
フランス
カザフスタン
イタリア
トルコ
北朝鮮
カシミール
韓国
チュニジア
イスラエル
シリア
アフガニスタン
中国
イラク
イラン
日本
アルジェリア
リビア
エジプト
パキスタン
台湾
サウジアラビア
インド
香港
マリ
スーダン
南シナ海
バングラデシュ
フィリピン
ナイジェリア
ベトナム
南スーダン
ソマリア
コンゴ民主共和国
インドネシア
インド洋
大西洋
ジンバブエ
オーストラリア
南アフリカ

まえがき

どんな本でも、著者が時間と労力を投じてこれを執筆しようと思うに至ったエピソードがあるものだ。本書の場合は、10年以上前、ある夏の日に、友人とマサチューセッツ州のナンタケット島で釣りをしたときのことだった。ボートには友人の甥も同乗した。大学はどこに行っているのか、と私が尋ねると、彼は「スタンフォードです」と答えた。専攻はコンピューターサイエンスで、まもなく4年次が始まるところだという。私はさらに、プログラミングのほかには何を学んでいるか、と質問を重ねた。経済学では何の科目をとったのか。歴史学は？　政治学は？　すると、この青年は専攻以外の科目は最低限しか履修しておらず、かろうじて履修した科目でさえ、基礎をほとんど押さえていないことがわかった。優秀な若者が、国内最高峰の大学に入ったというのに、自分の国と世界についての基本的なことすら学んでいないのだ。しかも、第二次世界大戦と大戦直後の数年よりあとで見る限り、過去に例のないほど強くアメリカと世界の運命が密接に結びつき、国の見通しもひどく流動的となっている時代に、そんな状態で社会に出ようとしている。

腑に落ちない話だった。高等教育機関の卒業要件について調べてみたところ、コミュニティカレッジからアイビー・リーグに至るまで、アメリカの2年制・4年制大学はほぼ例外なく、世界に対する初歩的な理解すらなくても卒業できてしまうことがわかった。[1]最近の研究によると、アメリカの単科大学および総合大学1100校以上のうち、アメリカの政府や歴史について学ぶ科目の履修を義務づけているのはわずか17%、経済学の履修を義務づけているのはたった3%だったという。勘違いされないよう言い添えておくと、事実上すべての単科大学と総合大学が国際関係やアメリカの外交政策に関する科目を設けているし、その多くは網羅すべき内容をきちんと包括的に教えている。だが、学生が専攻として選ばない限り、それらは卒業するための必修科目とはならない――関連分野の専攻を選んでいても、必須ではないことが多い。ある調査によれば、アメリカ史またはアメリカの政府に関する科目をただの一つもとらなくても、歴史を専攻したとして卒業できてしまう大学は、国内一流の単科・総合大学の中で3分の2以上[2]にのぼる！　学生全員に履修が義務づけられる必修科目は、もはや絶滅危惧種なのだ。ほとんどの教育機関では、自然科学、社会科学、芸術など、指定された多彩な分野の中から、何科目かの履修を義務づけているにすぎない。大型の教育機関となれば、各分野に100種類もの科目がある。そのため、アメリカ独立戦争や南北戦争について学ばないままアメリカ史を修了することも可能であり、第二次世界大戦や冷戦について理解せず、さらには、なぜ世界が重要なのか、どのように世界は動いているか、そういった根幹的な知識を取得しないまま、世界史の修了要件を満たすことも可能というわけだ。外国語学習も大切だが、それだけで代用にはならない。

高校の状況はさらに深刻だ。多くの高校には国際関係や国際問題に関する基礎課程すらない。

こうなった理由を解明するのが本書の目的ではないが、リソースの制約や、科学と技術と工学と数学、いわゆるＳＴＥＭ教育の必修内容を満たすことへのプレッシャーから、高校教育における公民や社会科の扱いが軽くなっているのだろう。そもそも何を教えるべきかという点で、意見の一致を見るのが難しいせいだとも考えられる。

高等教育機関が、そこを卒業していく学生にぜひ身につけてほしい内容の履修を強制しないのは、むしろ不幸な展開だ。大学は学生に履修を義務づけ、学生のほうは自分の関心や目的に一番合った卒業要件を課す大学を選ぶという制度のほうが、はるかによいはずではないか。

さらに言えば、高校を卒業したアメリカ人のうちおよそ３分の１[3]は大学に進学せず、進学した場合でも学位取得に至るのはわずか40%[4]程度だ。だが、この点を論じるのは別の機会にとっておこう。ここで考えたいのは、アメリカでも、それ以外の国でも、これから踏み出そうとする世界に関する知識が基本的にはほとんどない若者が増えている点だ。

とはいえ、本書は若者に限らず、あらゆる年代の人々に向けて書いている。こうした問題に関心をもたずに大学を出て、社会で年齢を重ねてしまった大人は少なくない。学んだけれど大半を忘れたという場合もあるだろう。何より、私と同世代の人たちが数十年前に学んだ知識は、今ではかなり不十分または不適当なものになっている。歴史はここ数年で大幅に解明が進んだ。私が育った１９５０年代から１９６０年代には、冷戦は永続的なものだと認識され、実際に第二次世界大戦後の40年間を冷戦が成り立たせてきた。しかしその関係は終わり、ソ連も崩壊した。かわって世界の大国となったのが中国だ。そしてインターネットから人工知能、気候変動に至るまで、かつては存在しなかった新しいテクノロジーと新しい問題が生まれている。教育は若いうちに受けて、20代前半から半ばあたりで学び終え、その後の50年間を生きていく……という考え方は捨てるべき時代が来ているのだ。高速道路のような人生を進まねばならない現代の私たちは、知識の水槽につねに水を注ぎ足していく必要がある。

本書を書く私の狙いは、世界について知っておきたい基本知識を提供し、読者にグローバル・リテラシーを高めてもらうことだ。ここで言うグローバル・リテラシーとは、世界人口における識字率のことではない（関心のある読者のために付け加えておくと、全世界の成人のうち字が読めるのはおよそ85%。[5] 悪くない数字に思えるが、今も7億5000万人の男女が字を読むことができないという意味だ）。私がグローバル・リテラシーという言葉で提起したいのは、世界についてどれだけ知識があり、どれだけ理解しているか（もしくは、どれだけ理解していないか）という問題だ。現代では、外国で起きることが自国に大きな影響をもたらす。そんな時代に生きている私たちにとってグローバル・リテラシーは必携だ。国境を絶対に越えられないものなど何もない。アメリカは二つの大洋に囲まれているが、その海は城を守る堀ではない。良くも悪くも、いわゆる「ベガス・ルール」――ラスベガスで起きることはラスベガスの中だけのこと――は、現代のグローバルな世界には通用しないのである。

ニュースの見出しに翻弄されず、洪水のように押し寄せる情報を巧みにより分けていけるよう、本書は読者の地盤固めをしていきたい。グローバル・リテラシー獲得を求める理由の一つは、党が掲げるアジェンダありきで語る政治家や、専門家ではないのに専門家だと主張する者たちの声に、やすやすとミスリードされない力を身につけてほしいからだ。私たち一人ひとり――有権者として、学生として、教師、保護者、友人、消費者、投資家として――の意思決定や意見表明が、世界と自国との関係性を形成していく(それはすなわち、自分自身と世界との関係性のことでもある)。世界に対する理解、そしてこの先に待ち受ける課題についての理解を深めていれば、より知識をもった市民として、選んだ政治家に公約を守らせ、党に左右されない健全な判断をさせていくことができる。

考えてみてほしい。ニュースの見出しを読むだけでも、さまざまな疑問が浮かぶだろう。自由貿易とは支持すべきものなのか、反対するべきものなのか。関税をかけるのはよい案なのか。核開発プログラムを有する北朝鮮やイランに対し、アメリカは攻撃すべきなのか、交渉すべきなのか。民主主義や人権を推進し、大量虐殺を防ぐために、アメリカも、その他の国も、どの程度の努力を、どの程度のコストを背負って行うべきなのか。気候変動はどの程度まで差し迫った問題なのか、どんな対処が必要なのか。国を守るために自分がすべきことは、国軍に志願して入ることなのか、それとも国際機関や非政府系組織(NGO)に入ることなのか。たとえ値段が高くても、あるいは品質が悪くても、輸入品ではなく国産品を購入することが国のためになる行動なのか。感染症のパンデミック、あるいはテロ行為に対して、どんな予防措置をとるべきか。入国を望む難民などに対しては、どのような責任があるのか。米中が敵対し、かつての冷戦中の米ソと同様の関係となっていくのは、避けられないことなのか。

世界に関する疑問は尽きない。その疑問にどう答えを出すか、それが私たち自身の生活に大きな影響をおよぼしうる。私たちが生きる今現在にも、歴史は作られ続けているのだ。過去を基準に現在を語る表現——たとえば「今は『冷戦後の世界』である」など——は、人類がこれまでたどってきた道を語っているのであって、これから行く先を語ってはいない。国際関係の地殻はつねに動いている。ソ連崩壊で歴史が終わったわけではないのだ。世界で今まさに何が起きているのか、どうしてそうなっているのか、私たちの生活にどう影響してくるのか、今こそ積極的に学んでいかなければならない。

グローバル・リテラシーをもつべき二つめの理由として、どの国でも、そして役割と責任の大きさに鑑みればアメリカではなおのこと、世界に目を向けることのできる市民、国境を越えた活動ができる市民が求められている。文字どおりの歩兵としてその力が必要になるかもしれないし、外交、諜報、法執行、対外支援、国土安全という分野にかかわる人材としても必要だ。政府組織に限らない。ジャーナリスト、学者、ビジネスパーソン、そして教育や医療や開発にかかわるさまざまなNGOで働く人々にも、そうした力が必要だ。

三つめの理由として、グローバル・リテラシーは経済的利益にもかかわってくる。たとえばアメリカ人は、世界人口の20人に1人[6]を占めるにすぎない。世界の経済生産高におけるアメリカのシェアは、それよりもかなり割合が大きい（25%程度）[7]が、それも縮小傾向にある。ほかの国は、世界の経済生産高に対する割合がアメリカよりも小さく、中国とインドを除いて、いずれも世界人口に対して占める割合も小さい。このように多数の小さなプレイヤーがひしめき合う中で、競争優位を維持するためには、外国市場に対する理解が必要だ。どんなビジネスも、どんな投資判断も、他国の状況に対する理解なしでは行うことができない。

特にアメリカ国民にはもう一つ、グローバル・リテラシーをもつべき理由があると言えるだろう。アメリカは過去3四半世紀にわたって世界の牽引役を果たしてきた。世界の代表建築士であり、総合建設請負業者でもある。その国が未来においてどんな行動を選ぶか（選ばないか）、それが他国と世界全体に多大な影響をもたらし、そこからさらにアメリカ国内の状況にも大きな影響がもたらされることになる。

ただし、アメリカ人は世界について知識を深めるべきと主張しつつも、本書はその他の国の人々にとっても等しく関連あるものとして執筆したつもりだ。アメリカの外交政策はアメリカ独自のものだが、その外交政策が形成しようとする世界は、アメリカだけのものではないからだ。

本書は、世界の基本的理解に欠かせない思想、問題、制度に焦点を当てる。また、世界の各地域と、主な大国、グローバル化に伴う課題、そしてごく最近の歴史にも光を当てた。簡略とは感じられないかもしれないが、事実上すべての章、そして章の中に含まれる多くの論点は、いずれも独立した1冊の本を書ける内容だ。その分野の初級の教科書で、たいていメインとして語られる理論のうち、ごくわずかな内容だけを本書に収めた。学術研究の中心となる理論は、かなり抽象的で、一般の読者にはあまりピンと来ないものも多いからだ。

本書が提示する学びは言語の習得に近いと考えている。この本を読んだだけで、国際関係に「流暢」になるわけではない。だが、会話はできるようになるだろう。世界の進展について把握し、どうしていくべきか意見を言えるようになる。日々進行する物事の細部が変化していくことは避けられないが、各章で論じる物事の大半は、当面は時事性を失わないと考えられる。ゆえに、歴史が新たな方向へ展開していこうとも――そうなっていくことは間違いない――本書は引き続き有用な存在として、価値を保つと想定している。

本書は4部構成となっている。第1部では、これまでの歴史に主眼を置き、グローバルな視野で解説する。第一次世界大戦までの数百年間、第一次世界大戦から第二次世界大戦の終わりまでの30年間、冷戦の時代と呼ばれた40年強、そして現在について、それぞれ知るべき基本的な事柄を解説する。作家のマーク・トウェインが言ったとされる言葉によれば、歴史がそのまま繰り返すことはないが、同じリズムの繰り返しは起きる。過去を踏まえて、未来がもっとよいものとなる確率を高めるために、私たちは歴史の教訓を学ぶ必要がある。

第2部では、世界全体に関する導入を皮切りとして、世界の主な6地域について各章で考察する。ヨーロッパ、東アジア太平洋地域、南アジア、中東、サブサハラ・アフリカ、アメリカ大陸である。それぞれの地域の重要性を説明し、主な歴史とそのダイナミクスを解説したい。

第3部は、本書で最も多くのページを割いて、さまざまな世界的課題について論じる。気候変動、テロ、サイバーセキュリティ、大量破壊兵器の拡散、貿易など。こうした課題は、適切に制御するかどうかで、混乱の源にもなれば安定の源にもなる。それぞれの領域における世界的な統治のあり方を検証しなければならない。はっきりさせておきたいのだが、「世界的な統治（グローバルガバナンス）」を「世界政府（グローバルガバメント）」と混同してはならない。前者はシンプルに言えば国際協調のことであり、後者は、単一の国際機関や権力者などが各国政府よりも大きなパワーをもつことを意味する。そのような権威は存在していないし、今後もおそらくは登場しない。

最後の第4部では、国際関係の最も根幹的な概念である世界秩序について考察し、何が世界秩序を実現し、何がおびやかすのかを探究していく。主権、抑止、勢力均衡、同盟および非公式的な連立、そして国際機関や民主主義や貿易や国際法の役割など、安定をもたらす主な要因に注目し、さらには世界の無秩序についても論じる。最後に、現代の国際化時代にこうしたことがどのような意味をもつか、考えていきたい。

巻末には詳細な注を付した。本書に使用した資料を紹介するだけでなく、参考資料としてぜひ読んでほしい文献も紹介している。また、「さらなる学びのために」と題した短い考察も掲載した。関心をもった読者が本書の知識をさらに掘り下げ、世界の出来事に対応していくための方法を多々紹介する。

本書は始めから終わりへと読み通してもいいし、途中から拾って読んでもかまわない。最後の世界秩序に関するセクションから読み始め、さかのぼって進んでいきたい読者もいることだろう。どのような道をたどるにせよ、私たちが生きる世界の成り立ち、しくみ、それが重要である理由について、理解を深めていただけると期待している。

第 1 部
身につけておきたい
歴史知識

私たちは人として、社会として、あるいは国としてどんな存在なのか、世界のどこに位置して、どのようにここにたどりついたのか、歴史はそうした疑問の答えを求める糸口になる。また、他者や他国についての知識を得て、背景や視点を認識し、理解を深めていく後押しになる。

歴史には実用的な面もある。今後に活用しうる教訓になるからだ。細かいことまで完全に同一の状況など起きないが、パターンというものはある。19世紀後半から20世紀前半を生きた哲学者ジョージ・サンタヤーナは、「過去を忘れる者は、過去を繰り返す運命だ」と言い切った。

想像はつくと思うが、世界について理解を深めようとするならば、探究すべき歴史の量はほぼ無限だ。有用かつ手に負える範囲で学んでもらうために、ここでは現代の国際化時代を構成したと広く認識されている時代、具体的には17世紀以降の歴史を扱うことにしたい。

皮切りとなる出来事も具体的に見定めている。三十年戦争[1]だ。ヨーロッパの大半を巻き込んだ紛争で、政治戦争であると同時に宗教戦争でもあり、1648年にウェストファリア条約[2]の締結をもって終結した。この和平合意が近代の国際体制の萌芽になったと広く理解されている。主権国家が互いの独立を承認し、領土を尊重するというシステムが生まれたのである。

この経緯にヨーロッパ側のバイアスがかかっていることは否定できない。しかし、そうなる根拠はあった。当時はヨーロッパが世界全体に対して桁外れに大きな役割と影響力をもっていたからだ。だからこそ、ウェストファリア条約で具現化された規範が、今も世界全体の国際関係の基盤となっている。とはいえ、現在最も「ウェストファリア的」で、主権について最も従来型の認識をもつ国は、もっぱらヨーロッパ以外にあるように見える（思い浮かぶのは中国だ）。

第1部の歴史は四つの時期に分けて解説する。第一に、最も長い時期として、17世紀初頭から1914年の第一次世界大戦勃発までのおよそ300年間を論じていく。現代の国際国家制度の始まりがあっただけでなく、この300年間には植民地時代があり、複数の帝国の崩壊があり、日本の開国とドイツの誕生があり、アメリカの南北戦争と、それに続いて大国としてのアメリカ合衆国の台頭があり、さらには製造、運輸、軍事力の革命を起こすテクノロジーの出現が起きた。

第二の時期は、1914年から1945年にかけての約30年間を考えていく。人類史の中でも最も破滅的な時代だった。始まりにも終わりにも、長期にわたり莫大な代償を伴った世界大戦があり、20世紀前半のほとんどが戦争に明け暮れた。国際連盟の設立とその後の崩壊、世界恐慌、ナショナリズムとファシズムの台頭が起きた時期でもあった。外交政策と外交に数多くの過ちがあり、そのせいで1世紀のあいだに二度めの世界大戦が起きてしまった。

第三の時期は、冷戦と呼ばれた時代だ。第二次世界大戦以降、米ソの競争に振り回された40年間である。冷戦が起きた理由、なぜ「冷たい」ままだったのか、そして冷戦が終結した理由と経緯に注目する。

最後の第四の時期として、冷戦後の時代を考察する。1989年から30年後、私たちが知る時代がここに入ってくる。いずれかの時点を境に、それ以降は「冷戦後」ではなく、別の名前で定義したほうがいいのだろう。多くのことが混乱し、不透明であるため、この先どうなっていくか、未来の歴史家から見てどう映るのかは判断しがたい。だが、今の私たちの立場を把握するにあたって、この時期が現時点までどう展開してきたか知っておくことは、やはり必要不可欠である。

三十年戦争から第一次世界大戦勃発まで（1618年－1914年）

近代的な国際体制のルーツは17世紀のヨーロッパにある。当時はヨーロッパ大陸が世界の中心だった。品物と穀物の生産、運輸、出版、それから戦争行為に必須となる新しい技術を発展させていた。潮目を変えた要因は、類に違わず、紛争である。

決定的だった出来事が三十年戦争だ。1618年に始まり、政治的側面と宗教的側面をはらみながら、当時のヨーロッパ列強の多くにおいて国内と国家間の双方で繰り広げられた。それまでのヨーロッパは複数の帝国と小さな王国がパッチワークのように並んで構成されていた。宗教的権威者と政治的権威者がテリトリーとパワーをめぐって頻繁に対立していた。国境、すなわち領土は尊重されていなかった。戦争と、戦争というほどではないレベル（低強度）の干渉が、途切れなく続いていた。

三十年戦争の争乱が落ち着いた時点で、各国が選んだのは、帝国でもなく公国でもない形で栄

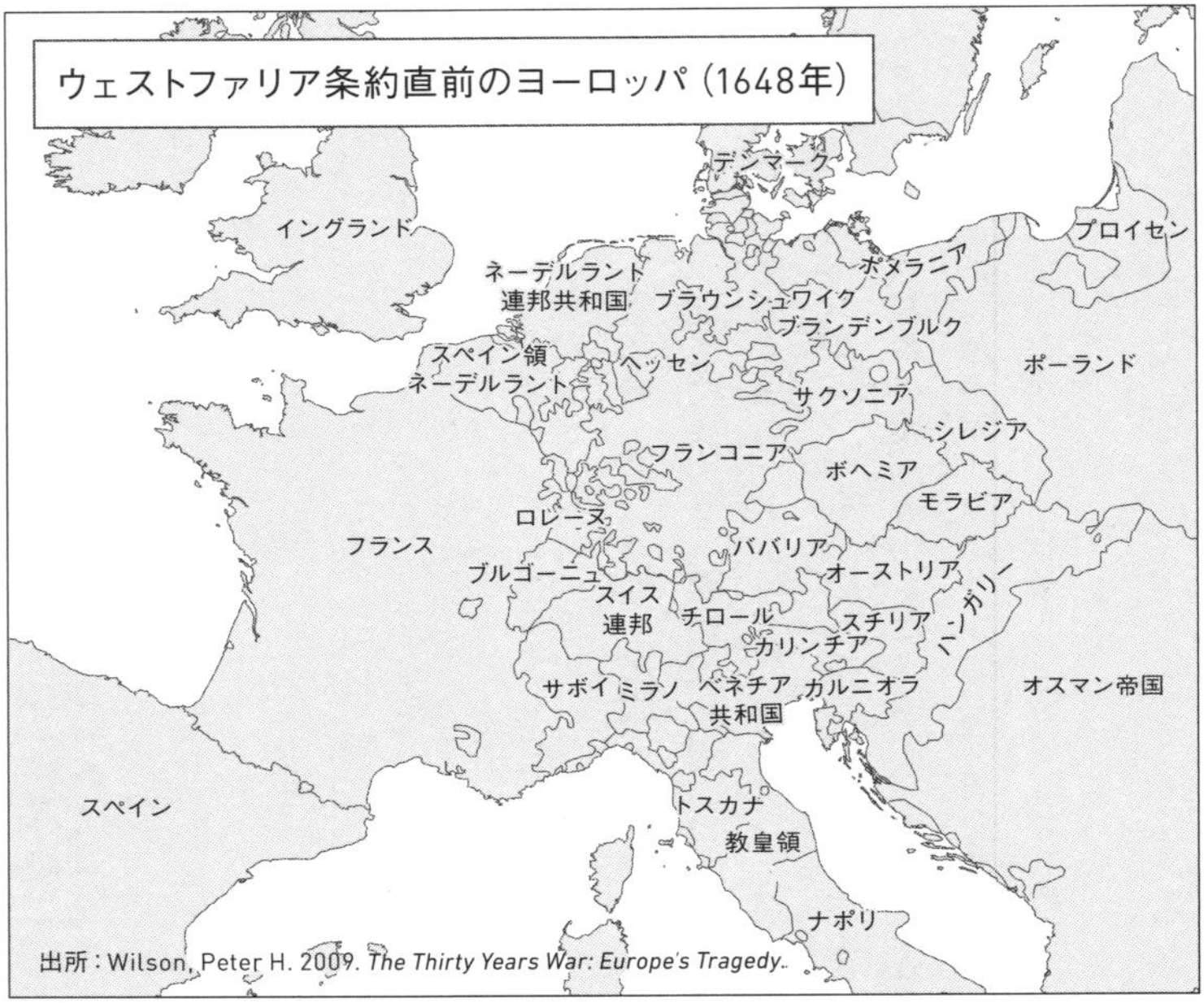

ウェストファリア条約直前のヨーロッパ（1648年）

出所：Wilson, Peter H. 2009. *The Thirty Years War: Europe's Tragedy*.

えていく道だった。帝国はたいてい遠方から支配することになるので、市民に忠誠心は生まれないし、巨大であるせいで統治も非効率的だ。一方で、外国の市場と競うにも、戦争を有利に運ぶリソースを蓄えるにも、それなりの規模が必要なのだが、小さな公国には規模がない。当時の人々は、そのどちらでもない、自分たちのものと思える政府を求めたのである。互いの独立を尊重する独立国で構成される世界の誕生は、結果的には実に大きなイノベーションだった。これが多大な安定と平和を実現したのだが、同時に、過去にないレベルで戦争が起きる可能性も生じることとなったのだった。

世界は独立した国々によって構成

される。この新しい理解を成文化したのが、1648年に三十年戦争の終結をもたらしたウェストファリア条約だ。国家と主権原理によって支配される近代的国際体制は、多くの意味で、この条約のもとで確立した。主権という概念には3つの基本的な特徴がある。第一に、国は他国の領域を認め、武力行使によって国境線の変更を目論んではならない。第二に、国は他国内で起きる出来事に干渉してはならない。第三に、各国の領域内においては、その国の政府が自由な裁量をもつ。特別なことを謳っているようには思えないかもしれないが、実際には大きな前進を意味していた。この思想を順守すれば、世界各地で常態になりつつあった不安定さと暴力は劇的に減少するはずだった。

ところが、ヨーロッパ各国は頻繁に近隣国の主権を侵犯した。ヨーロッパ大陸の歴史がこれほど暴力と破壊に満ちているのは、全面的にではないにせよ、ここに理由がある。それでも、ウェストファリア条約が比較的平和な時期をもたらしたことは確かだ。ナポレオン・ボナパルトの台頭まで、ヨーロッパに新たな大戦は起きなかった。より正確に言うならば、新たな一連の戦争が始まることはなかった。そこに、頭脳明晰かつ野心あふれるフランスの将軍が登場し、政治家から皇帝となっていく。フランス革命がもたらした暴走と無秩序――革命というものはたいてい最終的にそうなるものだ――を踏み台に、ナポレオンは権力を握った。数々の動乱を軍事的に制圧することでヨーロッパの大半に対する支配力を得たナポレオンは、しだいに手を広げすぎていき、あまりにも多くの戦線であまりにも多くの敵と戦うことを選び、最終的にはオーストリア、プロイセン、ロシア、イギリスが加わる連合軍に敗れる。このときの勝者と敗者（ただしナポレオンは除く）は1814年から1815年にウィーンで会議を開き、ヨーロッパ各国に対するフランスの侵犯行為を阻止するとともに、選挙によらず成り立っていた当時の政府が革命運動で転覆される事態が起きにくくなるよう、そのように意図した体制を作り上げた。もしも、このウィーン会議[3]がフランスに制裁を与えて追放していたならば、いつの日かフランスが蜂起し秩序の転覆を試みる可能性のタネをまくことになっただろう。しかし、ウィーン会議はその道を選ばず、敗戦国フランスを新しい秩序に統合するという賢い選択をしたのだった。

　ウィーン会議は、のちにヨーロッパ協調[4]と呼ばれるものを生み出した。ヨーロッパ協調（コンサート・オブ・ヨーロッパ）という呼称は、音楽家たちが集まって一緒に演奏するオーケストラの外交版という意味を示している。ヨーロッパに主眼を置いたシステムではあるが、19世紀の初めにはヨーロッパおよびヨーロッパ人が世界における支配的な立場だったのだから、実質的に当時の国際秩序の大半を定めるシステムでもあった。実際のところ、19世紀半ばまで、西欧が全世界の経済生産高のおよそ3分の1を占めていたのだ。中国とインドを上回り、アメリカにも大幅な差をつけていた。このヨーロッパ協調は、ウェストファリア条約の中心にあった認識、特に加盟国に対する侵攻や、協調関係にある他国の内政問題に対する許可なき干渉は禁じるという方針を実践に移すものだった。保守的なバイアスがあったことは否定できない。既存権力による支配の継続を望み、革命を望む気運をつぶす意図があった。しかし、支配者にとって得だったからこそ、この取り決めは長く維持されることとなるのだが、それと同時に、主権原理を守らない国は必然的に不利になるという、ヨーロッパにおける勢力均衡を成立させたことが、協調の原則を維持する力となった。

ヨーロッパ協調は厳密に言えば第一次世界大戦前夜まで続いたが、その数十年前から、重みのある役割は果たせなくなっていく。事実上の終わりを迎えたのがいつだったか、見解は割れるが、私は19世紀半ばだったと考える。[5] 列強の大半がクリミアをめぐってロシアと対立関係になった時期だ。当初は、衰退するオスマン帝国の一部だったクリミアを、どの国が新たに支配するのか、という紛争だった。その後に、プロイセン（現代のドイツの主たる前身）と、オーストリアおよびフランスとの戦いに発展した。このあとで論じていくが、ドイツの台頭の前で、かろうじて続いていたヨーロッパ協調の生き残りは叶わなかった。プロイセン首相オットー・フォン・ビスマルク[6]によって１８７１年にドイツ統一が行われ、彼の後継者たちのもとでヨーロッパの安定が崩壊していくこととなる。

ヨーロッパ以外

18世紀・19世紀において、最も強いパワーと影響力をもつ存在が見られた地域がヨーロッパ大陸だったからといって、この時代の歴史を語るにあたりヨーロッパだけに目を向けるのは間違っている。世界の大部分——中東の大半、南アジア、アフリカ、アメリカ大陸、東アジアの一部——を植民地化していたのは、もっぱらヨーロッパ各国（筆頭はイギリス、フランス、ポルトガル、スペイン、そして範囲は狭いがドイツとイタリア）だったが、一部には日本やアメリカによって植民地化された地域もあった。植民地化の主たる動機は経済だ。ただし国家の威信、そして栄光の追求も、決して小さくない動機だった。

中国にとっての19世紀は良好な滑り出しだった。イギリスをはじめとする諸国と実入りのよい貿易をしていたことが一因で、経済が比較的潤っていたからだ。しかし、結果的に輝かしい時代だったとは言いがたい。19世紀の中国は硬直化した王朝支配、中央権力に歯向かう国内の反乱、そして外国からの攻撃に見舞われる。たとえばイギリスが中国とのアヘン貿易を強行し、国民に対する薬物の影響を危惧した中国が拒絶したことで、アヘン戦争が勃発した。こうしたさまざまな紛争に続いて、イギリス、フランス、ドイツ、日本、ロシアによる中国侵略もあったのだが、中国から経済的利権を得ようとするこれらの国々のあいだでも衝突が起きた。当時の中国は、経済・行政・軍事のいずれにおいても、ヨーロッパ列強に敵う存在ではなかった。20世紀後半まで、その現実は変わらなかった。

アヘン戦争から、毛沢東による1949年の中華人民共和国建国宣言までの時期は、中国人にとっては「百年国恥」として知られ、今も彼らの世界観を形成している。中国国内が混乱していれば外国勢力の侵略を呼び込むことになってしまう、強大な中央政府だけが中国を団結させるのだ、というのが現政権の考えだ。中国共産党はこの主張によって一党支配体制に正当性をもたせている。

日本にとっての19世紀の始まりは、17世紀・18世紀の始まりや終わりと同じだった。外の世界をほぼ全面的に遮断した状態だ。1853年になって、アメリカ（新たな市場を探していた太平洋国家）が主導して日本を開国させ、他国との貿易を受け入れさせた。招かれざるアメリカの軍艦が現れ、日本市場へのアクセスを要求してきたとき、軍事力で立ち向かうすべをもたなかった日本は、それに従った。中国と同じく、外国人に対して屈辱的な経済および法的な譲歩を強いられた。こうした譲歩は日本国内では広く不評で、支配者であった「将軍」（諸大名の上に立つ司令官のこと）に対する政治的反発が起き、幕府転覆に成功した。そして１８６８年に明治天皇のもとで天皇制が復活した。

明治天皇（「啓かれた統治者〈the enlightened ruler〉」という意味）は、１９１２年まで、ほぼ50年にわたって君主の座にあった。「明治維新」[8]と呼ばれるこの時期に、近代日本国家が確立した。中国と違って、日本は欧米と同じ方向に進んでいく。国全体を統括する近代的な官僚制と行政機構を東京に打ち立てた。そして産業政策を導入し、近代的軍事力を構築した。さらに19世紀最後の20年間には、ヨーロッパの帝国主義に追随している。イギリス、フランス、ドイツなどの国々が中東の大半、アフリカ、そしてアジアの一部を占領または支配していた一方で、日本は韓国、台湾、中国の一部に対する支配を確立した。１９０４－１９０５年の日露戦争では首尾よくロシアを退け、近代において初めてアジア勢力がヨーロッパ勢力に対して勝利を収めている。そして当時のヨーロッパ列強と同じく、国家主義的な威信追求の波に呑まれていった。

「新世界」と呼ばれたアメリカ大陸には、北米側にいくつものイギリス植民地があった。そこに住む人々は、イギリス政府に税金を徴収され、自分たちの運命の主導権をほとんどもてないことに対し、18世紀半ば頃には大きな不満をつのらせていた。１７７５年に始まった戦争は、独立戦争（アメリカ革命戦争、独立革命）と名づけられることとなるが、実のところ、最初は宗主国への抵抗運動だったのだ。しかし、イギリスとヨーロッパ各地の出身で、イギリスによる監督に反発する多くの者が、その戦いを広げていった。反発は成功し（少なからぬ敗北を経たあとで）、アメリカ合衆国という新しい国が１７７６年に独立を宣言した。

アメリカの歴史をざっくりとなぞるだけでも——南北戦争、その後の再建期、金ぴか時代、進歩主義時代を通して、新しい民主主義が政治的に進化していく歴史だ——この本には収まりきらない。しかし、本書の目的に沿って指摘しておきたい点として、この国は農業、工業、貿易、金融、そして軍事面での大国に進化していった。アメリカの判断や行動（もしくは不作為）が世界に大きなインパクトを与えるようになっていく。事実、20世紀はしばしば「アメリカの世紀」とも呼ばれる。的を射た呼称ではあるが、世界に対するアメリカの著しい関与が常態化したのは、第二次世界大戦が始まってからのことだった。

戦争への道

18世紀半ばに始まり、ヨーロッパ史を代表する事象となった変化と言えば、イギリスがグローバルな支配的優位（プライマシー）を握る立場へと台頭したことだ。強力な経済と、貿易のつながりと、植民地を通じた原料および市場へのアクセス、そして世界に広がる海軍をもった結果として、支配的優位を確保していた。この立場は19世紀半ばから後半まで続いたとされているが、その頃から帝国および戦争のコストが増大し、ドイツが深刻なライバルとして浮上してくる。[9] 19世紀後半から20世紀初頭には、ヨーロッパは強者と弱者が混在する地になっていた。強者はドイツとイギリス、そして程度は比較的低いがフランスだ。ただし、ドイツが群を抜いてパワフルで、盛況かつ工業化の進む経済と、イギリスやフランスよりもはるかに多い人口を誇っていた。フランスは、1870年のプロイセン・フランス戦争（普仏戦争）で喫した敗北から完全には復活できておらず、国内の政治および社会構造にも足を引っ張られていた。イギリスは経済力の面でも人口の面でも勢いを増していたが、ドイツのペースには追いつけていなかったし、軍の力も海軍だけが強かった。そして弱者のほうに含まれていたのが、衰退しつつあった帝国だ。ロシア帝国、オスマン帝国（トルコ）、オーストリア＝ハンガリー帝国である。ある意味で、第一次世界大戦の勃発は、隆盛する国と衰退する国の相互作用、そして来たる時代の支配的優位をめぐって隆盛国家間に生じていた競争の結果ということができるだろう。

　第一次世界大戦が始まった正確な理由[10]と、責められるべき対象については、優れた歴史家の多くが数十年をかけて探究しても答えが出ていない。起きる必要のなかった戦争だった。ある有力な歴史書の記述[11]では、ヨーロッパは1914年に「夢遊病者の足取りで」戦争に踏み込んでいったとされる――私は以前の著書のタイトルに「選択された戦争」という言葉を使ってこの戦争を表現したが、「不注意の戦争」と表現するほうが適しているのかもしれない。

　単純な原因もなければ単純な説明もつかない。戦争というのは、根底にあった理由と直接の理由、その両方によって起きることが多い。第一次世界大戦も例外ではなかった。この大戦を語る軍事史家の第一人者、リデル・ハートは「ヨーロッパは50年かけて爆発への道のりを歩んでいったが、いざ爆発するのにかかった日数は5日だった」[12]と書いている。そう考えれば、1914年6月にボスニア・ヘルツェゴビナの首都サラエボにおいて、オーストリア＝ハンガリー帝国の帝位継承者フランツ・フェルディナント大公が、ロシアとつながりがあったセルビアがバックアップする暗殺者に殺されたことで戦争が起きたと述べるだけでは、十分な説明とは言えないだろう。それ以前にも似たような要人暗殺は起きていたが、紛争の引き金とはならなかった。だが、バルカン半島でロシアとオーストリア＝ハンガリー帝国が繰り広げていた、ほぼ止むことのない小競り合いが、戦争になだれこむ流れを作っていた。他国の軍事動員を見た各国の指導者が、自国が不利にならないよう対抗せねばならないというプレッシャーを感じたことも、戦争への気運を後押しした。外交によって関係を保つ道は見つからなかった。

お粗末な国政術も、同盟を組む意味を十分に考慮しない同盟関係（ドイツとオーストリア＝ハンガリー帝国や、フランスとロシア）が組まれる後押しになった。他国とのあいだに育ててきた相互にうまみのある貿易関係を、国家があえて破壊するはずはない、という認識も、結果的には当を得ていなかった。おおむね勢力均衡が成り立っていた事実も、戦争を阻止するに十分ではなかった。戦争は不可避である、しかし迅速かつ比較的痛みもなく勝利するに決まっている、だから恐れることはない……そんな尊大な空気を生み出すナショナリズムが広がっていて、同盟や貿易や勢力均衡に関する合理的判断力がそれらを抑えることはできなかったのだ。さらにもう一つ忘れてはならないのが、ドイツの台頭である。これが第一次世界大戦勃発の最大の要因であったことは間違いない。かつては文字どおり数百の王国や公国で織りなされていた地域から、プロイセン首相オットー・フォン・ビスマルクが19世紀後半にまとめ上げた近代国家は、その力と野心を広げ、ビスマルクの後を継いだ者たちの思慮深いとは言えない手によって、リスクと武力行使を厭わぬ方向へと傾いていったのである。

第一次世界大戦から第二次世界大戦まで

（1914年—1945年）

大戦は1914年夏に始まった。[1]自国を戦争へと踏み込ませた各国指導者は短期決戦[2]を想定していた——兵士たちに、クリスマスには家に帰れると言っていたことが知られている——が、戦争は1918年秋までもつれこんだ。戦線の片側にいたのは三国協商（連合国）、イギリス、フランス、ロシアである。遅れて日本も加わった。ロシアは、1917年にロシア革命が始まり、大戦から離脱した。そして戦線の他方にいたのが三国同盟、ドイツ、オーストリア＝ハンガリー、イタリアである。ただし、イタリアは1914年には中立を保ち、その後、三国協商のほうに加わる判断をした。

アメリカは、イギリスおよびフランスと強い紐帯があったにもかかわらず、この戦争に加わらない道を選ぼうとした。国外に対する意図的な干渉、とりわけ、アメリカから見れば旧世界の面倒な紛争に巻き込まれるのは避けようとする長年の姿勢の表れだ。この伝統の始まりは、おそら

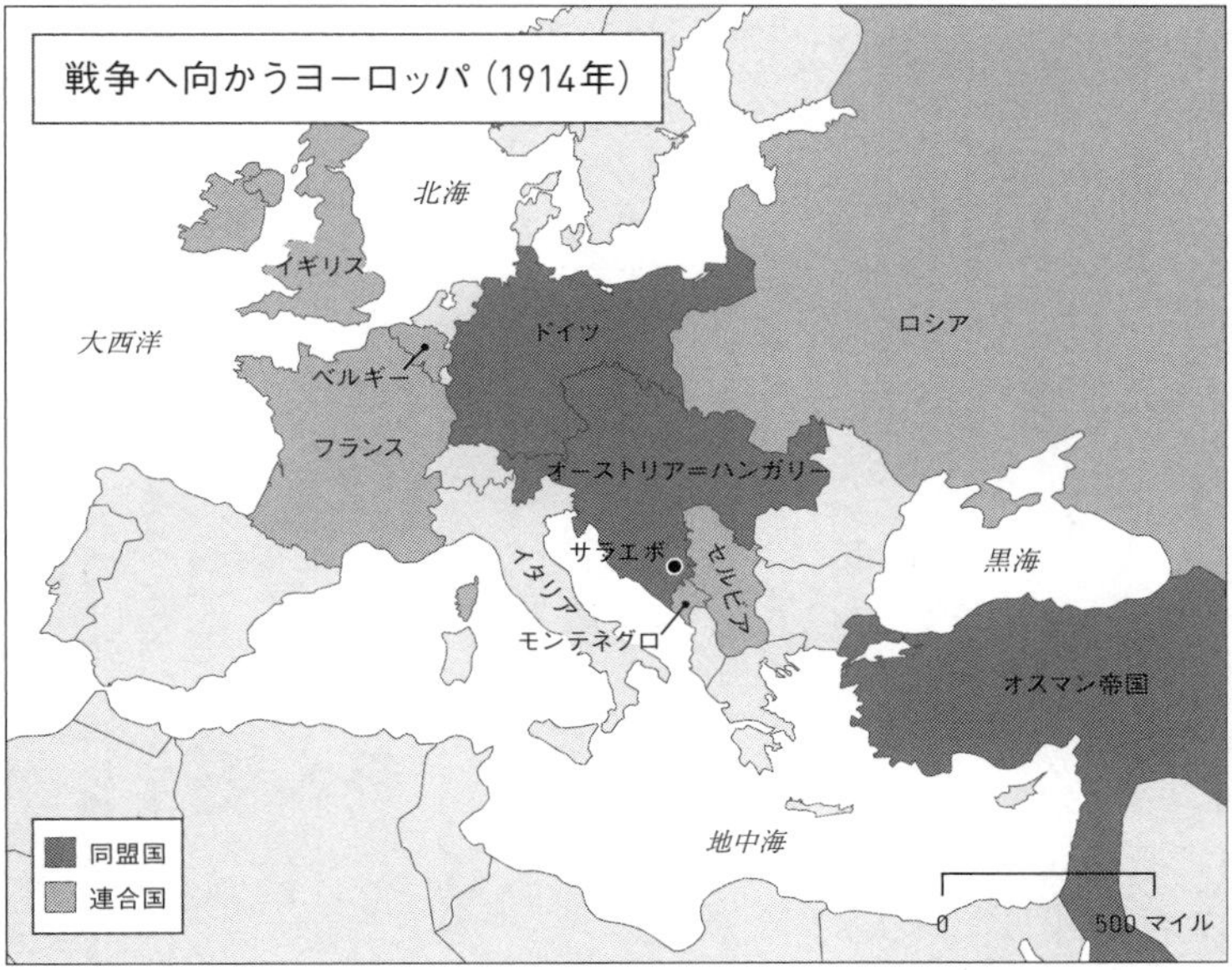

く初代大統領ジョージ・ワシントンにまでさかのぼる。ワシントンは１７９６年の辞任挨拶で、[3]わずらわしい同盟関係を結ばないこと、他国の出来事に距離を置いていくことを提言した。第６代大統領ジョン・クインシー・アダムズも、国務長官を務めていた１８２１年に、アメリカは「倒すべき怪物を探し求めて海外に出るようなことはしない」と述べた。「この国はすべての人々の自由と独立を深く願う。そしてアメリカのためだけに戦い、アメリカだけを守る[4]」

そのアメリカが１９１７年４月に大戦に加わる決意をしたのは、[5]ドイツが無制限潜水艦作戦を実施したことが理由だ。ドイツの潜水艦が、イギリスやフランスに物資を運ばせないために、アメリカの船舶を攻撃したのである。乗船していたアメリカ人が実際に命を落としたことから、アメリカ国内で強い抗議の声が起きた。また、1917年の年明けに送られた1本の外交機密文書（いわゆる「ツィンメルマン電報」[6]）が公になったことが、参戦の一因だったとも考えられる。ドイツがメキシコに加勢を求め、見返りにテキサス州を含む数州をメキシコに与えると約束する内容だったため、アメリカは反ドイツ側で戦争に加わったというわけだ。いずれにせよ、人口は1億人、経済と軍事力も増大しつつあり、まさに大国になる入り口にいたアメリカの参戦は、大きな意味をもっていた。この関与により、反ドイツ勢力の規模が決定的に大きくなり、アメリカが傍観者にとどまった場合に想定されるよりも早期の終戦に結びつくこととなった。

近代的な鉄道網、電報、大々的な徴兵制、より強力な長距離兵器、そして航空戦力の行使など、さまざまなイノベーションがそろっていたことで、大戦そのものは過去に例のないほど破壊的で代償の大きい紛争となった。莫大な費用がかかったことも特徴的だが、しだいに攻撃よりも防衛が中心となっていったことも特徴の一つだ。一度めの世界大戦の象徴と言えるものがあるとするならば、塹壕がそれに該当するだろう。多くの人々が塹壕で戦い、塹壕で死んだ。イギリスを含む協商国軍がオスマン帝国からガリポリ半島を奪おうとして失敗したときには、そのたった1回の作戦で、20万のイギリス兵が死亡[7]もしくは負傷している（この作戦の失敗で、ウィンストン・チャーチルという名の若き大臣が、政治生命を失いかけた）。化学兵器の使用も、戦争の人的損失を増しただけだった。戦争がもたらすとされていたものへの浅はかな、楽観的ですらあった期待と、その恐ろしい現実とのギャップは、当時においても、そして今から見ても衝撃的だ。

詩人ウィルフレッド・オーエンによる描写――「兵士たちは夢遊病のように歩く。多くは靴も履かず／足を引きずり、血を流しながら。誰ひとりとして無傷ではなく、その目には何も映らない／疲労に溺れ、耳にも入らない、／ひょろひょろと向こうに落ちたガス弾の音さえも」[8]――が、どの歴史書にも劣らず、期待と現実の落差をありありと表現している。

この大戦の代償は莫大かつ悲惨だった。およそ900万の兵士が命を落とし[9]、2100万の兵士が負傷した[10]。民間人の死者数は数百万[11]、戦争が被害拡大を後押しした感染症による死者まで含めれば数千万人にのぼった。世界人口が現在のおよそ5分の1、15億人程度だった時期に、これほどの死者が出たのだ。それぞれの数字を5倍してみれば、同様の規模の出来事が今日に起きた場合の代償が見えてくる。

つまりは、戦闘員も民間人も等しく大きな犠牲を強いられた戦いだった。さらに悪いことに、ほとんど何も解決しない戦争だった。第一次世界大戦と、その後の対応が、同世紀内のわずか20年後に起きる二度めの大戦の火種を数多く作り出したのである。「最大の戦争」あるいは「すべての戦争を終わらせる戦争」とも呼ばれた一度めの世界大戦が、結果的に、より激しい二度めの大戦の序章にすぎなかったというのは、歴史を代表する皮肉であり悲劇であると言えるだろう。

終戦とその直後の経緯

興味深いことに、第一次世界大戦では、開戦直後からかなりの楽観的空気があった。まだ戦いが進行しているうちから、戦後の世界を形成するための外交努力が始まっていた。第28代アメリカ大統領ウッドロウ・ウィルソンは、独立した国際機関があれば、国同士が戦争に至る原因を排除し、これほどの戦争を二度と起こさないことができると信じて、その設立に尽力した（これが「国際連盟」となる）。ウィルソンが1918年1月に連邦議会での演説で初めて提示した「14カ条の平和原則」のうち、最後に掲げた原則で示していたのが、[12]国際機関の設立だった。

ウィルソンの14カ条は、大半において、寛大かつ理想主義的なものだった。まず、すべての外交協定を公にするだけでなく、可能な限り公に協議していくことを望んでいる。さらに公海航行はつねに自由であるべきとした。貿易障壁は撤廃する。軍備は、現在の私たちが軍備管理と呼ぶ体制を通じて、全体的に少なくしていく。植民地においては、支配される側の主張が植民地政府の主張と同等に扱われるよう、協定を修正する（被支配側の発言権を高めるという、この原則が、民族自決権として知られるものになった）。そしてヨーロッパ各地の国境と領土は、その国の実態を反映し、過去の侵略行為を解消したものとなるよう調整する。

国際連盟はドイツによる未来の侵略を——ほかのいかなる国の侵略も——防ぐ最善の手立てである、というウィルソン大統領の信念は、広い賛同を得られなかった。特に、ジョルジュ・クレマンソー首相の指揮のもと、第一次世界大戦に正式な終結をもたらしたパリ講和会議の主催国となるフランスは、ふたたび戦争を仕掛けられないようドイツを十分に弱体化させる必要があると確信していた。とりわけ、フランスを未来に対して不安にさせていたのはロシアの存在だ。プロイセン、のちのドイツと反目する立場として、従来はフランスと同盟だったロシアは、内戦に手を焼き、第一次世界大戦から離脱した。それを踏まえると、もはやフランスにとってロシアは頼りにはならないかもしれない、もしくは頼りにできないかもしれないという懸念があったのだ（ロシアとドイツは1918年に単独講和条約を結んでいる。ドイツ側にとって好ましい内容だった）。

ロシアで革命が起き、その後にウラジーミル・レーニン率いる闘争的な多数派ボリシェビキと、より穏健な少数派メンシェビキが衝突する内戦が起きたのは、大戦がもたらす経済的負担と、ロシア自身が抱えていた経済的、政治的、社会的欠陥がきっかけだった。内戦は数年も続き、最終的にボリシェビキが勝利を収める。そして、1922年末にソビエト社会主義共和国連邦（USSR）、いわゆるソ連の樹立につながる。この国を束ねるのは名目上は政府だったが、実質的に支配していたのは共産党だ。このソ連という国が、20世紀における二つの甚大な戦争、具体的に言えば、第二次世界大戦と冷戦において中心的な役割を果たすこととなるのだった。

ドイツが1918年の春季攻勢に失敗し、平和への意思を示し休戦協定を結んだことから、第一次世界大戦は1918年11月に終結した。2カ月後、全参戦国（ドイツとロシアを除く）の代表者がフランスで会合し、1919年6月末にベルサイユ条約が調印された。ドイツは戦争責任を認め、ドイツが攻撃した各国政府に対し賠償として高額な金銭的ペナルティを支払うことに合意した。また、半世紀前のプロイセン・フランス戦争後からドイツに併合していたアルザス・ロレーヌ地方を、フランスに返還した。それよりも面積は小さいながら、ベルギーとポーランドにも領土を譲渡した。海外の植民地も放棄し、陸軍および海軍の大幅な規模縮小を受け入れ、限定的なフランス軍の占領に合意し、ザール地方の炭鉱に対する経済的支配権を15年にわたりフランスに譲渡することとした。一方で主要国は国際連盟設立に合意したが、この機関は、パワーの存在を念頭に置くだけでも国の行動は変わってくるという現実主義的な意義というより、むしろ理想主義的な意義を託したものだった[13]（ここで言う「現実主義」とは、ある国の国内の状況の改善ではなく、あくまでその国の外交行動を左右することを目指そうとする、外交政策の指向性としての「現実主義」とは、まったく異なる）。国際連盟の根底にあったのは、主に集団安全保障の理念だ。主要国のすべてが現状維持を守り、協力して試練を退け、力の強い国が実力行使で自国に有利な修正を図ることはない、という状態にするという意味だった。

ベルサイユ条約とは別の条約で、オスマン帝国の少なからぬ領土がギリシャ、イタリア、フランス、イギリスに分割された。チェコスロバキア、ポーランド、ルーマニア、ユーゴスラビアを含む多数の独立国が東欧で成立した。第一次世界大戦が終わったあとにオスマン帝国が滅亡したとき、地域安定の基盤を敷くことよりも獲物を分配することに関心をもったイギリスとフランスの高官によって一帯の地図が描き直されたことで、現在の中東を構成する国々の大半がこのとき誕生している。ウィルソン大統領が掲げた民族自決は主にヨーロッパに限定されていて、中東、アジア、アフリカの民族はほとんど含まれていなかった。植民地支配の維持を望む主要国に、新しい国際連盟という機関を支持させるため、ウィルソンが呑んだ代償だった。

第一次世界大戦で4つの帝国が転覆し、ウィルソン大統領が民族自決主義を推進したことも相まって、世界中でナショナリズムが広がっていった。最も基本的な形式としてのナショナリズムとは、共通の歴史、言語、宗教、民族、あるいは一連の政治的信念の結果として生じた特定のアイデンティティ共有を自認する、特定の地域に集まった人々が抱く意識のことだ。自分たちが他者とみなす存在によって支配を受けているときには、ナショナリズムが勢いを増しやすい[14]。被支配者あるいは植民地という立場に甘んじていることへの不満がつのり、自治や独立を望み、宗教的自由や母語の使用、そして自らの運命を自分たちで作っていくことを希求するようになる。

パリ講和会議に参加していたウィルソン大統領は、1919年半ばにフランスからアメリカに帰国する。そして国内を精力的に回って、国際連盟に対する政治的支持を取りつけ、上院議員過半数の賛成票を確保しようと試みたのだが、手ごたえを得ることはできなかった。いかなるレベルであってもアメリカを世界に関与させたくない孤立主義派と、アメリカが自由裁量を維持することを望み、国際連盟に対する責任によって制約を受けたくないと考える単独行動主義派が、いずれも足を引っ張ったからだ。疲弊してワシントンに戻ったウィルソン大統領は脳梗塞で倒れる。数週間後の1919年11月、アメリカが設立メンバーとして加わるはずだった国際機関を定めるベルサイユ条約の批准を、上院議会は否決した。

国家間に生じる不和を平和裡に解決するというのが設立理由の一つだったというのに、アメリカを加盟させられなかったというつまずきから、この機関は結局立ち直ることはできなかった。国際連盟として集団行動を起こすには全加盟国の合意が必要だったことも、国際連盟としての決定を強制執行する力がなかったことも、不利に働いた。だが真実を言えば、国際連盟が破綻した[15]のは構造的欠陥のせいというよりも、イギリスとフランスを筆頭とする中心メンバーの国々に、国際連盟の原則にのっとって行動しようとする意思も手段もなかったせいだ。この時点におけるアメリカ、イギリス、フランスは平和主義を掲げることに意識が向いていて、国際秩序の構築と維持に臨もうという姿勢ではなかった。ヨーロッパ各国は第一次世界大戦で消耗していたし、アメリカはヨーロッパの紛争に巻き込まれることは絶対に避けたいと考えていた。

戦争への道（ふたたび）

この時代の空虚な理想主義を何よりもはっきりと表しているのが、アメリカ人からもヨーロッパ人からも等しく賛美されたケロッグ・ブリアン条約[16]である〔訳注：「パリ条約」「パリ不戦条約」ともいう〕。1928年に15カ国によって調印されたこの条約には、のちに62カ国が加わった。この条約は、締結国間の紛争を解決する際に戦争に訴えないことを誓うものだったが、これは真面目な外交政策というより、その代用品のようなもので、中身のない高尚な宣言をしたにすぎなかった。興味深いことに、10年後に第二次世界大戦の直接的な引き金を引く3カ国、ドイツと日本とイタリアも、原署名国の中に含まれていた。

その一方で、主な国々では急速に内部からの崩壊が進行していた。ドイツでは第一次世界大戦の余波の中で議会制民主主義（ワイマール共和政として知られる）が発足した。だが、民主主義の経験不足と、賠償金と、通貨価値を急激に下落させ中間層の暮らしを破壊したハイパーインフレという負担が、そうした努力に重くのしかかった。国内の安定は崩れ始めていた。

1929年に世界恐慌が始まると、各国の政治にもれなく影響がおよんだ。堅実な規制の欠如と、見境のない投機、その二つが組み合わさって、アメリカで株式市場の暴落が起きたのである。この株価暴落により、多くの個人と企業は債務支払いが不可能になった。アメリカのGDP（国内総生産）は急落し、失業率が急上昇し、銀行も次々と破綻した。連邦準備制度の対応は不十分で、国内の景気を刺激する有効な策をとることはできなかった。それに加えて、議会が1930年に制定したスムート・ホーリー関税法が、世界各地の不況を深刻化させたと見る識者も少なくない。[17] アメリカが輸入抑制のため、この法律によって関税をかけたので、諸外国は報復としてアメリカ製品に高い関税をかけた。これがさらにアメリカ経済を弱体化させ、国際貿易を減らすこととなった。経済面での強い結びつきが国家間にあれば、戦争は破壊的すぎる、つまり経済的代償が大きすぎるので、それゆえに戦争を行うという判断にはならないという、経済相互依存と呼ばれる考え方がある。[18] 裏を返すと保護貿易政策は、そうした経済的結びつきを弱めることによって、戦争に踏み込むことのコストを目減りさせた、つまり戦争の可能性を高めていたと言うことができる。

ドイツでは、世界恐慌がワイマール共和政にとどめを刺した。賠償金を支払わなければならない身だというのに、世界恐慌の打撃を受けて、財政は完全に枯渇した。さらに、賠償支払いのための資金を捻り出そうという絶望的な試みとして、政府が紙幣増刷を行ったため、ハイパーインフレが進行した。ワイマール共和政の崩壊は、民主主義と資本主義が破綻したときに起きる状況の教科書的な例のようだ。怒りと絶望をつのらせた国民は、秩序と繁栄が回復するならばという期待から、最も基本的な市民的自由の一時的剝奪に賛同するようになった。政治と経済活動の事実上すべてを政府がコントロールすることを求めるという、過激なナショナリズムに駆り立てられた思想、すなわちファシズムを支持する政党や政治家が、こうしてドイツ、そしてイタリア、オーストリア、日本で勢いを得ていったのである。1932年にはナチ党がドイツ議会で最大の政党となった。1年後には、アドルフ・ヒトラーが首相となった。ヒトラーはすみやかに権力を掌握し、民主的な国民保護をやめ、ユダヤ人などに対する激しい差別を制度化し、ドイツの再軍備を始めた。ベルサイユ条約が定めた軍事制限を破ったのである。これにフランスやイギリスの反応がなかったことで、ヒトラーは、自身が考えるドイツの権利を恐れることなく主張してよいという、危険な教訓を学んでしまった。

一方、1920年代後半から1930年代初期にかけてのソ連は、共産主義国家への道を突き進んだ。中央集権化された政府が、従来の独裁体制よりもさらに強いパワーをもつようになった。人々の生活のほぼすべての側面をコントロールし、経済のほぼすべての側面を統制していた。ヨシフ・スターリンはレーニンの後を継いで第2代ソビエト連邦最高指導者となり、国家を変容させる一連の5カ年計画を打ち出した。自由市場を廃止し、農民を徴用し労働させた。無慈悲な政策の強要により、数百万人が飢餓で命を落とし、数百万人が投獄され、その多くが、スターリンが政治的支配力を強めようとするもとで処刑された。

歴史はヨーロッパと同じくアジアでも進んでいた。中国では、国の近代化もできず、中国の主権に対する外国の侵害行為をはねのけることもできない清朝への抗議運動が大きく広がり、

1912年の清朝転覆につながった。こうして2000年ほど続いた王朝制が終わりを迎え、その後に中国国民党（権威主義体制の傾向をもった、反共主義の政党）が、中国の主な領域で支配権を握るようになる。だが1930年代前半に、極右の国家主義的政権に率いられていた日本が中国に攻撃を仕掛け、領土の一部を支配する。満州に親日的な傀儡国家を作り、さらに1937年には上海を制圧した。

世界恐慌に伴う国内問題で頭がいっぱいだった各国指導者は、国際的な課題に取り組む余裕がなかった。1935年にはイタリアのファシストのリーダー、ベニート・ムッソリーニがアビシニア（エチオピアのこと）に侵略。アビシニアの皇帝は国際連盟に援護を求めたが、十分な支援がなく、イタリアはやすやすと征服を果たした。無能さを露呈した国際連盟は、イタリアにわずかな経済制裁を発動したが、1年もたたずに無効化してしまった。侵略行為をしても代償をかぶることはない、あるとしてもわずかだ、と他の国々にも知らしめることになってしまった。

最初は中国とエチオピアで、続いてヨーロッパで行われた侵略行為を世界が容認した風潮は、宥和政策と言われる。[19] 野心的で好戦的な国家の欲求が満たされ、攻撃性が鎮まることを期待して、そうした国家に譲歩する政策を呑んだという理解が一番正しいだろう。その後、一連のイギリス政権をはじめとして、国際連盟加盟国の大半が、ドイツに対してこの方針を採用した。ヒトラーの気質、そしてヒトラーがヨーロッパにつきつける脅威を、完全に見誤っていたのである。

1930年代後半のヨーロッパでは、この宥和政策が最高潮に（「最底辺に」と言うほうが正しいかもしれないが）達していた。ヒトラーに言わせれば、ヨーロッパ人、すなわちインド・ヨーロッパ語族の子孫である「アーリア人」たるドイツ人は、「劣等人種」に対する「君主」だ。そのアーリア人のための居住地（「レーベンスラウム」）をできるだけ広く確保するべく、ドイツは邁進していた。ベルサイユ条約が科した制約を破り、1933年に国際連盟を脱退して、1935年にザール地方を奪い返し、1936年には非武装地帯だったラインラントに軍を進駐させた（1936年には、日本およびイタリアと、それぞれ協定を結んでいる）。そして1938年初めにオーストリアを併合した。同年9月にミュンヘンで開催された外交会議では、ヒトラーが、ズデーデン地方をドイツに帰属させるべきだと主張している。ズデーデンはチェコスロバキアの一部だが、ドイツ系住民の多い土地だったからだ。イギリスとフランスの首相は宥和政策を実行し、ズデーデン以外のチェコスロバキアの独立を尊重するという誓約と引き換えに、ドイツの要求を呑んだ。1年後、ヒトラーはその空虚な誓約を反故にして、チェコスロバキアに侵攻した。イギリスとフランスは、ポーランドを含む、まだ独立が保たれていたヨーロッパ国家との軍事同盟を強化した。しかし1939年9月1日にヒトラーがポーランドに侵攻し、第二次世界大戦となる戦いの火ぶたが切って落とされることとなった。

当然ながらこうした出来事で、宥和政策をとっていた国々は、相手国への信頼を失った。イギリスでは1940年5月に、ウィンストン・チャーチルによって、ドイツとの戦争を念頭に置いた新しい政府が発足している。チャーチルが首相となった同日、ドイツはベルギーとオランダとフランスに侵攻した。6月にはフランスを制圧。さらにイギリスに空爆作戦を仕掛けたが、イギリス軍の抵抗が強力だったため、最終的にはこの作戦を中止した。

アメリカはヨーロッパとアジアで繰り広げられる戦いから距離を置いていたが、しだいに反ドイツの連合国側に傾いていった。１９４０年後半には、連合国に軍需物資を供給する「レンドリース法（武器貸与法）[20]」を成立させている。このときのアメリカ大統領フランクリン・デラノ・ルーズベルトは、戦時下にあるイギリスを支えること、ドイツの侵略を防ぐこと、それと同時にヨーロッパの紛争に対する関与は避けられる、避けるべきだと主張する国内の孤立主義派から多大な反発を受けないことを目指して、中道を行こうとした。その一方で、日本に軍事力増強の必要物資を与えないようにするために、日本に対する選択的な禁輸措置を導入した。

ロシアはロシアで独自の道を邁進していた。１９３９年8月にはソ連とドイツで不可侵条約を結んでいる。この条約では、ソ連にポーランドおよびバルト諸国の一部を与えるなどの取り決めが交わされたが、ヒトラーとの戦争は避けられないと見ていたスターリンにとっては、軍備増強の時間を稼ぐための協定でもあった。ヒトラーにとっては二面戦争になることを心配せず、ヨーロッパの広い領土の征服に力を集中させたいという狙いがあった。そのため、西側の征服をほとんど済ませたと見るや、ソ連へと向き直り[21]、１９４１年6月に侵略を行った。だが、ナポレオンが1世紀半前に身に染みていたように、ソ連ほどの規模をもつ国との戦いは、始めるのはたやすくても、勝つのは難しい。実際、ヒトラーのこの戦略的判断のせいでドイツは著しく弱体化し、それが実質的に第二次世界大戦の最終結果に影響していくこととなった。

第二次世界大戦

この章の最初のほうで、一度めの大戦は起きる必要がなかったと書いた。歴史家バーバラ・タックマンの言葉を借りれば、単なる愚行[22]だった。第二次世界大戦はそれとはまったく性質が異なる。ドイツと日本は、既存の秩序の中では達成されない理念と目的を抱いていた。どちらも、権力の行使に対するチェック&バランスが基本的に働かない政治体制（システム）に縛られていた。いくらでも手を広げられる状態にあり、実際にそうして手を広げていた。戦争の手段を整えるため大々的に投資をして、その手段を行使することをためらわないという姿勢を見せつけていた。

第二次世界大戦が最初から不可避だったわけではない。いつの時点からか、不可避になってしまったのだ。第一次世界大戦を正式に終結させたパリ講和会議に、イギリス代表の一人として参加した著名な経済学者ジョン・メイナード・ケインズは、1919年に出版した論文[23]で、戦勝国の集団的な近視眼的姿勢を厳しく批判している。一度めの大戦を終わらせるベルサイユ条約が二度めの大戦を生み出すきっかけになりうることをケインズは指摘していた。何より、きちんと管理された形でドイツの再建を助けようとせず、ドイツに制裁を科すことで懲罰的な和平を成り立たせるのは、新たな戦争を招くことになるという指摘だった。

ドイツ人は条約の条件を恨んだ。第一次世界大戦の責任をドイツにかぶせる内容[24]にも怒りをつのらせた。ドイツ人にとって、それは正さねばならない侮辱だった。過酷な賠償金支払いを背負わされ、ドイツにとっては自国のものである領土を剝奪され、再軍備についても厳しい制限を呑まされたことで、彼らの憤懣はナショナリズムの感情を激化させた。アドルフ・ヒトラーは、この過剰なナショナリズムを巧みに活用することで、権力を掌握していったのである。

それでも、第二次世界大戦となる戦争を阻止する機会はたくさんあったのだ。アメリカにも責任がある。新設された国際連盟への加盟を議会が拒否したことがきっかけで、アメリカ国内では孤立主義が深まり、[25]第一次世界大戦と第二次世界大戦のあいだ、20年間にわたってこれが外交を方向づけることになってしまった。なお悪かったのは、孤立主義と同時に保護貿易主義が支持されていたことだ。保護貿易のせいで世界全体の経済と民主主義が弱体化し、アメリカの軍事的な備えも薄くなった。[26]1933年から、1945年の第二次世界大戦終結間際までアメリカ大統領を務めたフランクリン・デラノ・ルーズベルトは、ドイツの脅威に直面した連合国を援助しようとしたが、政治的抵抗に遭っている。アメリカ人の多くは、手助けすることでアメリカがヨーロッパの戦いに引きずり込まれるのを恐れていたからだ（孤立主義の運動は「アメリカ・ファースト」という名称で通っていた。運動の代表者の一人が、チャールズ・リンドバーグだ。大西洋単独無着陸飛行を成功させた彼は、世間のヒーローだった）。ルーズベルトに対するこうした反発は、ドイツと日本の指導者に対するシグナルとなり、他国を侵略してもある程度は免責されると伝えてしまっていた。勢力を均衡させておくためには、軍事的な能力と、それを行使する政治的な意思、その両方が必要だ。1930年代のアメリカは、そのどちらも持っていなかった。アメリカの経済的安全と物理的な安全はヨーロッパとアジアで起きる出来事とつながっているということを、国民も、国民が選んだ議員たちも、認識していなかった。

ヨーロッパの連合国にも責任の一端がある。歴史においてはよくあることだが、ヨーロッパの主要諸国が何をしたかということよりも、何をしなかったかということのほうが重大だ。軍事的備えをしていなかった、象徴的だが効力のない国際協定を賛美していた、1930年代を通じてドイツの攻撃に対して宥和政策をとった――これらすべてが、第二次世界大戦のお膳立てとなっていた。

最終的に、1941年12月7日に日本がハワイ真珠湾でアメリカ軍を攻撃したのがきっかけとなって、アメリカは戦争に加わった。日本とドイツとイタリアが同盟を組んでいたので、日本に対するアメリカの宣戦布告は、すぐさま各国による相互の宣戦布告となった。この頃にはドイツがヨーロッパ大陸の大半を制圧していた。ここから終戦まで3年以上の年月がかかるのだが、その頃には大きな経済力と軍事力をもつようになっていたアメリカが――イギリス、ロシア、その他のヨーロッパ各国の側で――本格的に参戦したことが、究極的な意味では決定打となった。こうして1945年の春にはヨーロッパで連合国の勝利が決まった。

アメリカは、アジアにおける日本の進撃を撃退する勢力の先頭に立った。1945年夏にはアジアの大半はすでに解放されていたが、日本はまだ敗北していなかった。島国である日本本土を攻撃するか――きわめて困難で代償も大きくなることは目に見えていた――もしくは、日本人にさらなる抵抗は無駄だと納得させられるよう、恐ろしい威力をもった新しい武器を使うか、そのいずれかで選択が行われた。当時のアメリカを率いていたのは、1945年4月に死去したルーズベルトの後を継いで第33代大統領に就任したハリー・トルーマンだ。このトルーマン大統領のもと、アメリカは後者の選択肢を選び、日本の都市、広島と長崎に原爆を投下した。日本は数日で降伏し、こうして太平洋戦争が（第二次世界大戦も）終結した。だが、核の時代は、まさにこのとき始まったのだった。

第二次世界大戦のコストは、第一次世界大戦と同じく、きわめて高くついた。1500万以上の兵士が戦死し、[27] それよりもはるかに多くの民間人[28]が命を落とした。その中には、この時代を特徴づけ、どの時代と比べても突出した大量虐殺であるホロコーストで非業の死を遂げた600万人のユダヤ人[29]も含まれている。フランス、イギリス、イタリアは、もっぱら兵力において、それぞれ約50万人を失った。ドイツでは約700万人[30]、日本ではほぼ300万人[31]の命が失われた。ソ連では2400万人[32]が死に追いやられた。中国でも1500万人の命が失われ、その大半が民間人だった。アメリカでは約40万人の兵士が[33]帰らぬ人となった。

この局面に救いがあったとすれば、それは（第一次世界大戦とは対照的に）第二次世界大戦が明確な結果とビジョンをもって終わったと言えることだ。ドイツと日本はいずれも歴然と敗退し、敗北をはっきりと自覚した。しかし、この二国に対する扱いは、ある程度の敬意を伴ったものだった。両国とも、先を見据えた無害な占領と呼べる占領を受けたことを通じて、堅牢な民主主義へと転換していった。[34] そしていずれも、経済、政治、安全保障における地域および世界秩序の一部に組み込まれていった。

このような結果となった理由は、どの程度、第一次世界大戦の教訓を学んだおかげだったのか、どの程度、冷戦に向けて二国を味方にしておく必要性のためだったのか、議論は割れるだろう。だが、一つ確信をもって言えることがある。第一次世界大戦は第二次世界大戦のタネをまいたが、それと同じような形で第二次世界大戦が冷戦のタネをまくことはなかった。冷戦は、アメリカとソ連が根本的に異なる政治的・経済的システムと、対立するイデオロギーをもちつつ、世界に対するほとんど同じ関心と野望をもって台頭していくという、また別のダイナミクスの結果として起きた戦争だった。

冷戦
(1945年―1989年)

冷戦[1]という言葉が指すのは、第二次世界大戦後のアメリカとソ連――二大大国(グレートパワー)あるいは二大超大国(スーパーパワー)と呼ばれることが多かった――のあいだで40年にわたって続いた競争のことだ。この対立が特異なのは、ずっと「冷たい」戦争のままで、火力で直接的に戦う暴力的紛争、すなわち「熱い」戦争には発展しなかった点である。20世紀前半に、大国同士の競争が二度も恐ろしい規模での戦争に発展したこととは、際立って対照的だ。

米ソは、第二次世界大戦におけるドイツおよび日本との総力戦では味方同士だった。ところが終戦からほんの数年後には、世界における支配的優位をめぐって角を突き合わせる関係になる。そんな結果は回避できたはずかもしれないが、両国のイデオロギーが正反対だったことを考えれば、やはり避けられなかった可能性が高い。アメリカは民主主義の国であり、原則として――つねに実行しているとは限らないが――個人の権利を尊重し、自由市場に大きな役割をもたせるこ

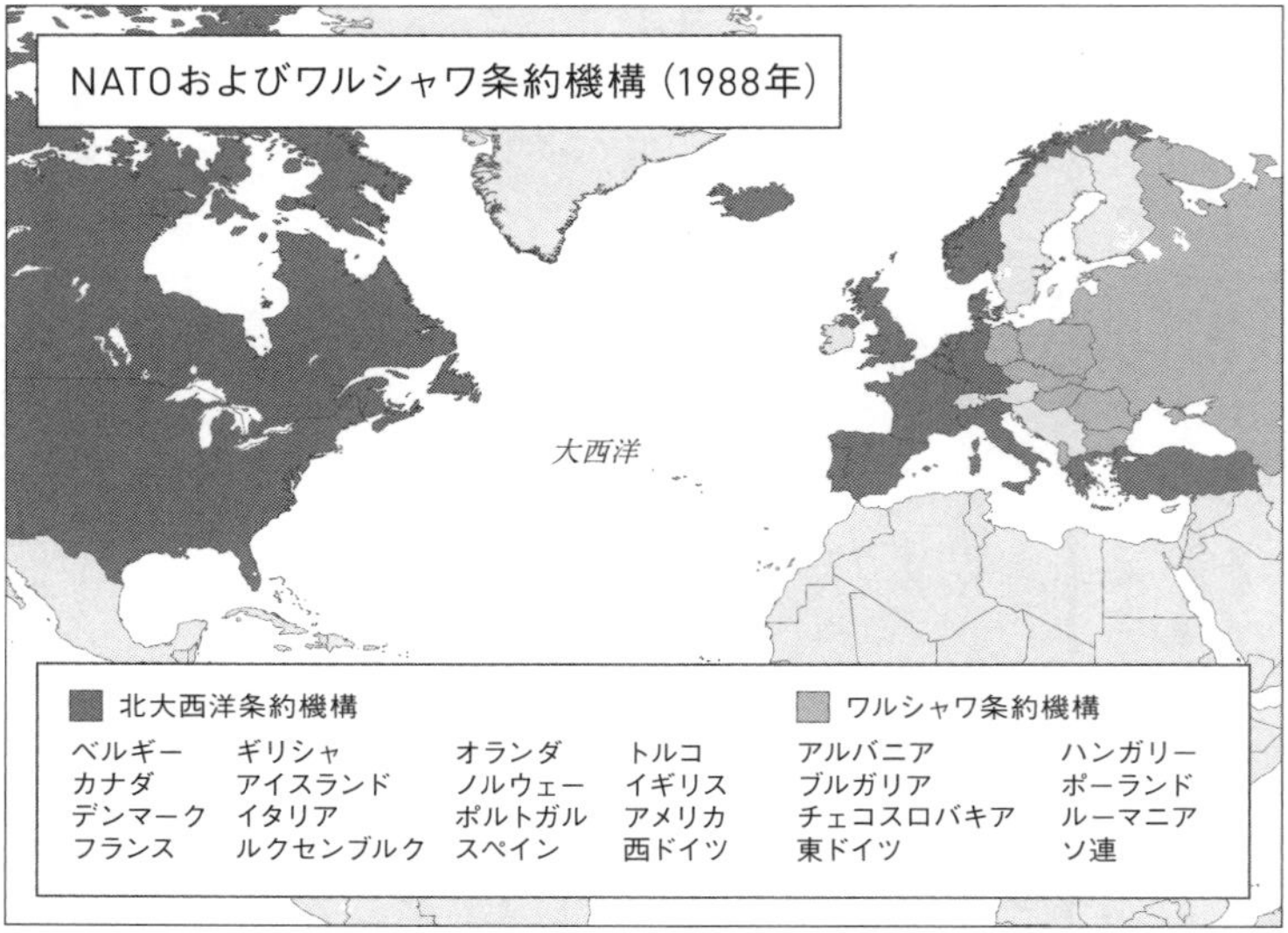

NATO およびワルシャワ条約機構（1988年）

■ 北大西洋条約機構

ベルギー	ギリシャ	オランダ	トルコ
カナダ	アイスランド	ノルウェー	イギリス
デンマーク	イタリア	ポルトガル	アメリカ
フランス	ルクセンブルク	スペイン	西ドイツ

▨ ワルシャワ条約機構

アルバニア	ハンガリー
ブルガリア	ポーランド
チェコスロバキア	ルーマニア
東ドイツ	ソ連

とを好み、私有財産の蓄積を奨励する。一方のソビエト社会主義共和国連邦は、経済において国家が大きな役割を果たす国だ。富は集団所有制で、政治において個人ではなく政府が支配的な立場となる。その政府が絶大な力をもって、共産主義を世界各国に広めようとしていた。

世界で何を目指すのかという点でも二国は異なっていた。解放されて新たに独立国となった国々に対し、ソ連の指導者は民主主義にも資本主義にも反対し、ソ連への忠誠を求めた。ヨーロッパのすべてをソ連が直接的に支配し、各地に親ソ政権を打ち立てていくことを目指していた。アメリカはソ連の野望に反発し、反ソビエト、反共産主義を掲げ、可能な限り資本主義支持の民主主義体制を広めようとした。

第二次世界大戦後のこうした摩擦を避け

ようという努力は、実のところ大戦中から始まっていた。一連の会合やサミットが開かれていたし、特に1945年初めにクリミア半島のリゾート地で開催されたヤルタ会談には、アメリカからはフランクリン・ルーズベルト、イギリスからはウィンストン・チャーチル、ソ連からはヨシフ・スターリンが参加している。ルーズベルトは、設立を目前に控えた国際連合にスターリンを引き込むことを考えていた。さらに、日本との戦いにソ連が参戦することも望んでいた。そうすればアメリカ人の死傷者を減らせるし、日本に対する第二戦線を開くことができる。ルーズベルトの目論見は両方とも実現したが、少なくとも後者はあまり意味がなかった。ソ連が太平洋戦争に参戦したのは日本が降伏する数日前だったからだ。また、同じくヤルタ会談においてスターリンは、諸国がナチの支配から解放され独立および民主的権利をもつことを尊重するとして、そのような誓約をいくつも立てたのだが、ソ連がポーランドおよび東欧全域の支配を試みたため、誓約は空疎なものとなった。ドイツを非武装化し、複数の占領地区に分割するという案については、両国とも合意した。これは当初は移行期間の措置と認識されていたのだが、結果的に、ドイツは冷戦全体を通じて分割されたままとなった。このヤルタ会談は、アメリカの歴代大統領の傾向を表す典型的な例だったと言える。たとえ相手が独裁者であろうと、そして自国の利益とみなすことに対しては絶対に譲らない人物であろうと、国の指導者同士で個人的な人間関係を築きさえすれば、厄介な問題に解決策が導かれるものだ……そう信じてしまう傾向があったのである。そんなふうにして一度は合意に至ったのに、最終的に違う結果となったことに対して不満がつのり、冷戦をもたらす流れ[2]が加速していったのだった。

ソ連の野望に対する抵抗はさまざまな形をとった。たとえば、ソ連からの外圧を受ければ負けるだろうと思われる国、もしくはソ連を後ろ盾とする国内の共産主義者による内圧で揺るがされる可能性が高いと思われる国に対して、アメリカは数十億ドルを投じた経済的および軍事的支援を行った。こんな手段をとれたのは、アメリカが第二次世界大戦を経て経済的・軍事的超大国にのしあがったというのが、大きな要因だ。多くの意味で、あの戦争があったおかげで、アメリカはようやく世界恐慌の影響を脱することができたのだった。

脅威を感じている西欧諸国に経済的・軍事的支援を行うというトルーマン大統領の政策は、「トルーマン・ドクトリン」[3]と呼ばれる。早々に支援の対象となったのはギリシャとトルコだった。さらに１９４７年６月には、トルーマン政権下の国務長官ジョージ・マーシャルの名をとって「マーシャル・プラン」[4]と呼ばれた計画が、ハーバード大学の卒業式記念講演で発表された。史上最も重大な卒業式スピーチとされる演説で、マーシャルは、ヨーロッパの同盟国の復興を経済的に支えると述べている。具体的には、４年間にわたる１３２億ドルの財政支援だ。現在のドルに換算すればおよそ１５００億ドル相当。アメリカの経済生産高に対する割合として考えると、現在ならば８０００億ドルの支援をするという意味だ。この取り組みは、長らく続いてきた孤立主義と決別し、アメリカが世界の出来事に対して積極的な関与を行っていくという姿勢を反映したものだった。公式の支援が逆効果と判断される場面は、さまざまな形で秘密の支援も行われた。ＮＡＴＯ（北大西洋条約機構）傘下の西欧およびアジア諸国にアメリカ軍を駐屯させ、同盟国に安全保障を提供した。

冷戦におけるアメリカのアプローチは、もっぱら当時の国務省高官でソビエト専門家だったジョージ・ケナンによって組み立てられたものだ。ケナンは１９４６年初めの時点で、「ロシアの拡張傾向に対して、長期にわたり辛抱強く、しかし断固とした慎重な封じ込め」[5]が必要だと述べている。これが「封じ込め政策」として知られる方針となった。ケナンの見解は、アメリカおよびその同盟国は攻撃よりも防衛を選んだほうが得である、と暗に示していた。攻撃に出るのはきわめてリスクが高く、失敗する可能性が非常に高いのは目に見えているから、というわけだ。実際に、起こったのはその通りのことだった。実のところケナンは、世界を一つの体制（システム）で支配しようとしても（ソ連が試みていたように）、度重なる挫折に耐えられず、遅かれ早かれ体制の性質や方法が変わっていくだろうと推測していた（40年後から見れば、それは的を射た見解だった）。

冷戦の始まりを示す最初の兆候は東欧で生じた。ソ連が、共産主義の親ソ政権が権力をもつことを狙って、東欧諸国に干渉（多くの場合は秘密裡に）したのである。冷戦が本格的になるにつれ、ソ連は事実上二つの帝国を形成していった。一つはソ連の外、すなわち東欧における帝国だ。そこに含まれるのは、建前上は独立国だが、実際にはソ連の政府高官が国内政策も外交政策も緊密に指揮をとる国々だった。アルバニア、ブルガリア、チェコスロバキア、東ドイツ、ハンガリー、ポーランド、ルーマニアの7カ国が、事実上のソビエト勢力圏となった。そしてもう一つはソ連内部の帝国だ。首都モスクワにいる政府高官が、ソ連全体と、エストニア、ジョージア、ウクライナを含む14の周辺共和国を支配していた。

主な試練：ベルリン、朝鮮半島、キューバ

ウィンストン・チャーチルは、首相退任後の1946年3月に訪米し、ミズーリ州の都市フルトンで私人として演説をした際に、ソ連は東欧の支配国と残りのヨーロッパとのあいだに「鉄のカーテン」[6]を作った、と表現した。その問題が最も深刻化したのは、1948年初夏にソ連が西ベルリンを封鎖したときのことだ。ソ連が占領する東ドイツに囲まれた西ベルリンは、四面楚歌の状態で孤立した（第二次世界大戦後の合意のもとで、ベルリンは当初4分割され、それぞれアメリカ、フランス、イギリス、ソ連の管理下に置かれた。米仏英の管理下となった3地域はいずれもドイツ連邦共和国、いわゆる西ドイツに含まれており、のちに統合された）。このベルリン封鎖に対するアメリカおよび西側諸国の対応がベルリン空輸だ。食糧、燃料、その他の基本的な日用品を空から供給し、都市と住民が生き延びられるようにした。1949年春にソ連が撤退し封鎖を解除するまで、空輸作戦は続けられた。

対立はあっというまにヨーロッパ以外にも広がった。アメリカは、植民地主義を野放しにしておけばソ連の影響が広がる窓口になることを懸念し、植民地主義にしばしば反対の姿勢をとった。こうして新しい国が数多く形成され、独立を獲得した。日本は韓国、それから中国および東南アジアの一部に対する支配をあきらめざるをえなくなった。疲弊していたイギリスもインドとパレスチナを手放した。アメリカ自身もフィリピンの領有を放棄した。第二次世界大戦後の15年

間で、脱植民地化の波が世界中に広がり、アジア、アフリカ、中東に40カ国弱の新しい国家が形成された。

冷戦は1950年6月を境に激化した。朝鮮民主主義人民共和国、いわゆる北朝鮮が武力による朝鮮半島再統一を試みて、北緯38度線にほぼ沿う形で引かれた境界線を越えて韓国（正式名称は大韓民国）に侵略し[7]、ソ連がこれを支援したのである。北朝鮮の動機は民族主義によるものだったが、ソ連にとっては、中国の国共内戦で1949年に共産党が勝利を収めたことから、アジアにおける競争にここでも勝てると踏んだのだろう。また、アメリカの戦略範囲内で再構成された日本がソ連の脅威となるリスクを考え、その対抗として朝鮮半島を統一させようとしたのかもしれない。1950年初めにアメリカの国務長官ディーン・アチソンが、韓国をアメリカの防衛線から外す[8]という不注意な発言をしたことを理由に、北朝鮮が攻撃してもアメリカによる直接的な反撃はないとスターリンが信じていた可能性も考えられる。どのような計算があったにせよ、ソ連の目論見は成立しなかった。アメリカが率いる大規模かつ息の長い軍事介入が国連の援助のもとで進行し、ソ連と北朝鮮の意図を阻止したからだ。アメリカの働きかけは、韓国の独立を守り、有効な境界線としての38度線を回復することには成功した。だが、人的および経済的代償は莫大だった。38度線の回復後、アメリカは朝鮮半島の武力統一を試み、それが叶わなかったことで、状況はさらに悪化した。この動向を受けて中国も参戦し、朝鮮戦争は2年も長引いた。

ベルリン、朝鮮半島に続き、米ソが大きく対立した三度めの舞台は東南アジアだ。特にベトナム[9]である。1954年、フランス領だったディエンビエンフーという村のそばでフランス軍が大敗を喫したことを受けて、外交会議が開かれ、フランス領インドシナが解体された（カンボジア、ラオス、ベトナムの3国になった）。ベトナムは共産主義の北部と、非共産主義の南部に分断され、１９５６年の選挙でその後の体制が決定されることとなった。しかし、南北の政府がどちらも権力を確立させ、戦争の準備を始めたため、総選挙は結局行われなかった。南ベトナム政権は、北ベトナムからの攻撃に苦しみ、同時に北ベトナムを後ろ盾とする国内の反体制派にも苦しむこととなった。アメリカは南ベトナムに対して資金と軍事力と軍事顧問団を提供したが、どれも功を奏さないと見ると、数百万の兵を投入して支援した。北ベトナムはソ連と中国双方から物資の支援を受けていたからだ。数代にわたるアメリカ大統領が期待していたのは、南ベトナムを保護するだけでなく、共産主義が東南アジア全体を支配するのを防ぐことだった。しかしアメリカの努力は実らず、南ベトナムは１９７５年に北ベトナムに敗れる。これがカンボジアで継続する内戦および虐殺のタネをまいた。だが、数年かけた攻防は、ベトナムの近隣諸国が政治的、経済的、軍事的に発展する時間稼ぎになり、共産主義の侵入に対して抵抗しやすくなった。

おそらく冷戦における最も危険なエピソードが起きたのは、１９６２年10月だ。ソ連がキューバに兵員を送って、ほんの数分でアメリカに届きうる核弾頭搭載ミサイルを設置していることが明らかになった。敵国に近い土地では自制するという、それまでの姿勢とは一致しない動向だ。核の抑止力が失われるという見方もあり、核戦争が現実として起きそうになっている、という認識が大きく広がった。このニュースが入ってきたとき、私は小学生だったが、友達と一緒にしゃがんで歩く練習をしたことを今も憶えている。教室の机の下にいれば、核が落ちてきても身を守れると思ったのだ。友達のアーニーが訳知り顔で、10日後には戦争が始まる、人生はもうおしまいだと話したことも、よく憶えている。

さいわい机の下にもぐる必要はなく、アーニーの予言も当たらなかった。キューバ危機と言われる13日間、[11] アメリカはソ連のミサイル撤去を断固として要求しつつも、アメリカが行う対処の呼び方（攻撃という言い方は決してせずに、キューバの海上封鎖、または海軍による「検疫」という言い方をした）においても、またアメリカ自身もトルコに設置していたソ連に到達しうる中距離弾道ミサイルの撤去にひっそり合意するという点でも、柔軟な対応をとった。ケネディ政権はキューバに侵攻しないと公約し、ソ連が体面を守ったまま撤退できるようにした。一触即発の状態から、核戦争はすんでのところで回避された。

対立の制御

冷戦はなぜ冷たいままだったのか。理由は、第一に、軍事力が均衡していたからだ。アメリカがＮＡＴＯで西欧諸国の大半と同盟関係を結び、ソ連がワルシャワ条約機構に東欧の衛星国を加盟させていた。そのためヨーロッパのどこかで戦争が起きれば代償が高くつき、しかも結果の予測がつかないことは明白で、それゆえに戦争が起きる確率は低かったのである。この均衡を成り立たせていたのは軍備だけではない。アメリカをはじめとするＮＡＴＯ加盟国が、軍事行動が必要だと判断すれば直接行動に出る意思をもっていたことも、均衡を維持する働きをしていた。北大西洋条約の第5条で明示された北大西洋条約の基本方針[12]は、NATO加盟国1カ国に対する攻撃は全体に対する攻撃とみなすというものだった。

だが、そのような軍事行動への意思があったというのは、冷戦の秩序を維持した一つの側面にすぎない。アメリカとソ連の双方において、何らかの衝突が起きれば核戦争にエスカレートするのは必至だという共通認識があったことも大きかった。核戦争にどんなメリットがありうるとしても、それを吹き飛ばすほどのコストが発生することも明白だったし、本質的な意味での勝者など生まれないということも、全員が認識していた。つまり核兵器は、これまでは通常兵器〔訳注：大量破壊兵器など以外の兵器〕によって成立させるものだった均衡を、いっそう強い力で成り立たせるものだった。どんな利害がかかわっていようと、どんな始まり方をしようと、核戦争はあまりにも割に合わないということを指導者たちが理解していたので、その競争をするわけにはいかなかったのだ。背景にあったのは、相互確証破壊（MADと呼ばれる）という、まがまがしいが天才的な戦略だった。これは、片方の国が核攻撃を仕掛けたとき、攻撃を受けた国にそれなりの規模で報復できる能力が残存していたら、結果的に両者とも破壊されることが確実なので、そもそも最初の攻撃をしない理由になる（ただし、理性が働いている、というのが前提だが）という理論である。仮に核兵器が発明されていなかったら、冷戦は冷たいままではなかったという予想も考えられる。核がなければ打算が大きく変わってくるので、歴史はまったく違う形で進んでいたかもしれない。さまざまな衝突を発端として地域単位の軍事衝突が起きる、あるいは、もっと大規模で地理的にも広範囲な出来事に発展する可能性もあっただろう。核兵器が存在せず、核がもたらした抑止力がなかったら、本書は冷戦ではなく第三次世界大戦を考察していたかもしれないと言っても、決して大袈裟ではない。

実質的には外交政策の一部だった軍備管理も、平和維持に役立った。米ソは数十年のあいだに、抑止と安定を強化する多数の協定を交渉し、調印し、導入している。戦略兵器制限交渉（SALT）と戦略兵器削減条約（START）は、双方が所有できる陸上発射ミサイル、爆撃機、核弾頭を搭載する潜水艦の数に制限を設けることで、平和維持に一役買った。1987年に成立した協定では、中距離と定義される範囲に到達する核弾頭搭載ミサイルの廃棄を決めた。これらの協定が透明性と予測可能性を高め、相手国が何をしているか、何を保有しているか互いに知るところとなったので、さらに大きな代償を伴う軍拡競争や、計算違いによって起きる戦争を防ぐのに役立った。

防衛について厳しい制限を設けたことも抑止力を高めた。1972年には弾道弾迎撃ミサイル（ABM）制限条約が調印され、冷戦期を通して効力をもち続けた。この条約のもとでは、米ソ双方が、相手方のミサイルに対する迎撃力をもつことを許されない。両国を攻撃に対して脆弱なままとすることで、抑止力を高め、核戦争勃発の確率を低下させるというものだった。

もちろん軍備管理だけが外交ではない。大使館と領事館を通じた一般的な外交も行われた。米ソそれぞれの大使は、大臣に面会するのと同じく、相手方の政府における最高位の要職にアクセスする権利があった。米ソ間の貿易、文化的交流、観光も大々的に行われていた。何より顕著だったのは、米ソのリーダーが加わる首脳会議が定期的に開催されていたことだ。端的に言うならば、アメリカとソ連は大国のライバル同士であったが、対立は限定的なものだったのである。

同じく重要だった点として、アメリカは、ソ連国内および周辺国の人々に対するソ連の扱いについて、抗議を口に出してはいたものの、実際にソ連の支配をやめさせる行動については、きわめて慎重に選択していた。これは理想主義よりも現実主義が勝っていたことの表れだ。アメリカの外交政策は、ソ連が自国内で行う行動を根本的に是正することは目指さずに、ただ国境を越えた活動を抑制することを優先したのである。[13] フルシチョフに次いでソ連最高指導者となったレオニード・ブレジネフの方針、ブレジネフ・ドクトリンでは、東欧でソビエト勢力圏にある国、いわゆる政治的衛星国において、忠実なる共産党政権に権力を維持させるために、モスクワは軍事力を行使する「権利」があると考えていた（「勢力圏」とは、ある国の国境を越えて、その国が特別な権利や決定権を主張する地域のこと）。当然ながら、この理屈をアメリカ政権が公式に認めたことはない。ところがその一方で、1953年に東ドイツで、1956年にハンガリーで、1968年にチェコスロバキアで、そして1970年と1981年にポーランドで、ソビエトの息のかかった政府に対する民衆暴動が起きたとき、解放を求める人々のためにアメリカが何らかの介入をすることは一切なかった。ベルリンの壁が築かれ、共産主義の東ベルリンに住む人々が民主主義の西ベルリンへと逃げ出すことができなくなったときにも、アメリカはこの壁の建設を阻止しなかった。これも、そうした介入をすればソ連と直接的な衝突につながりかねないという懸念があったからだ。介入していれば、ソ連はソビエト勢力圏にとって必須だと思えるものを守るため、ひいてはソ連にとって必須だとみなすものを守るため、武力を行使した可能性が高い。

とはいえ、相手の国内で起きていることを、二国がいずれも完全に無視していたわけでもない。ジミー・カーター、そして次にロナルド・レーガンが大統領を務めていたときのアメリカ政府は、ソ連における人権侵害を非難して、とりわけ反体制派の高名な政治家の自由を尊重すべきであること、また、ソビエトにいるユダヤ人には本人が望めば亡命を認めるべきであることを主張した。ソ連のほうも頻繁にアメリカ社会の欠点を指摘するのだった。だが、こうした批判はあくまで限定的なものだ。核戦争レベルの戦争を回避する、あるいは地域紛争に端を発する米ソの直接対決を避けるため、根本的な利害を脅かす行為に出ることは決してなかった。

一方、ソ連は、反アメリカの共産主義政権を西側世界各地に広められそうな行動に関しては実行に移し、キューバとニカラグアではその目的を達している。国民を守ろうとしない不人気の権威主義政権と闘う人々や運動を支援することで、ソ連にとって有利な結果を導こうとしたのだ。だが、もっぱら諜報や軍事・資金援助という形で、そうした「支援」をしていたにすぎない。ラテンアメリカに対する直接的なソ連軍の介入もほとんど行わなかった。アメリカがモンロー主義を通じて、ラテンアメリカという、基本的にアメリカ勢力圏と見ている地域の重要な利害を守るためには行動を起こす準備がある、という旨を表明していたからだ。

ほかにも冷戦の40年間に安定をもたらした要因として、当時の国際関係の構造設計も挙げられる。具体的に言えば二極化だ。多くのパワーが乱立するよりも、二カ所にパワーが集中していたほうが、世界はうまく回りやすい。真の影響力をもった個人や意思決定者の数が単純に少なくなるからだ。もちろん、イギリスやフランスなどがつねにアメリカの指示どおりにしていたわけではないし、中国がソ連に対して恨みをつのらせ、1960年代後半に袂を分かったことも事実だ。それでも冷戦中の世界は、かなりのレベルにおいて、安定した「二国寡占」の状態にあった。あくまでも、二大大国によって支配される国際体制の範囲内で、変化が起きるのだ。世界のほとんどの国家は、大国のいずれの側につくかを選んだ（ソ連に対しては、選ぶというより選ばされる場合が多かったが）。ただし一部には「非同盟主義」を選び、どちらかを支持することなく、超大国の両方から何らかの形で支援を受けていた国もある。こうした途上国ブロック（状況によっては、実に巧みに二大超大国それぞれを退けていた）は、資本主義でアメリカ主導の第一世界、共産主義でソビエト主導の第二世界と区別して、第三世界と呼ばれた。

どうすれば地政学的対立が起きてしまうか、それがわかっていたことも、安定を守る役目になった。味方の国々を支援する際に、アメリカがどの程度の改革をもたらす分にはソ連にとって許容可能なのか、ソ連が改革をもたらす場合はどこまでならアメリカが大目に見るのか、アメリカ政府もソ連政府もしだいに心得ていったのである。ソ連はベルリン封鎖と、約15年後のキューバ封鎖で、この教訓を学んだ。その点、アメリカは朝鮮半島において、痛手とともにこの教訓を学んだ。朝鮮戦争に介入したアメリカには、以前の分断された状態を回復しようという意図はなく、韓国を解放したあとに北朝鮮に圧力を加えて、武力によって朝鮮再統一を行わせようとした。ソ連も中国も、これはアメリカがでしゃばりすぎだと受け止めた。中国政府は数十万人の「志願軍」を派遣し、アメリカが率いる国連軍に抵抗した。その結果としてアメリカ側の死者数が2万人も増え、戦争が長期化し、結局もともとの境界線をほぼ維持して終わった。そして

1973年に、イスラエルとシリアおよびエジプトとのあいだに戦争が起きると、アメリカはイスラエルを、ソ連はシリアとエジプトを支援した。このときの二大超大国は、イスラエルに完全勝利はさせず、包囲されていたエジプト軍は守られるという結果を受け入れた。

このような経緯で、米ソは冷戦下にあったにもかかわらず、一種の「平和的共存」の状態へと進化した。まったく異なる政治システムと経済システム、そして対極的な世界観と目的をもちながらも、あからさまな衝突は避けることができていた。二国の対立が平和のまま続く確率が高まるよう、二国がそれぞれ時間をかけて進んでいったのである。これは「デタント（緊張緩和）」と呼ばれるようになった。矢をつがえた弓の弦をゆるめることを意味するフランス語に由来している。

冷戦の冷却

冷戦がこの日に終わったという日付は存在しないが（「熱い」戦争であれば、たいてい終結の日が特定される）、歴史家のほとんどが、東ベルリンと西ベルリンを隔てていた壁が取り払われた1989年後半か、もしくは1991年だったと認識している。1991年には、ソ連と、東欧におけるソ連帝国が、崩壊を迎えた。当時の私はホワイトハウスで働いていた。私自身は米ソ関係の責任者ではなかったが、私を含め誰も予期しなかったほど急速に事態が展開したことははっきり憶えている。

冷戦はなぜ終わり、いつ、どのように終わりを迎えたのか。まず、ソビエトの経済システムは深刻かつ構造的な欠陥があり、もろい状態だった。歴史家ポール・ケネディは1987年に出版した名著[14]で、歴史におけるさまざまな大国の栄枯盛衰を考察し、崩壊する最大の理由は帝国としての負担が往々にして繁栄の足を引っ張り、その結果として国内の安定が損なわれたことだったと主張している。ソ連の場合も、国外での役割や活動が破綻を招いたことは確かだろう。何しろ莫大な軍事予算と、頻繁に金融的支援を求める遠方の同盟国の存在と、東欧支配のコストと、失敗に終わった1979年のアフガニスタン介入のような帝国主義的活動がもたらす経済的・人的な代償がのしかかっていたのである。数十年間にわたり、経済が市場の力ではなくもっぱら政治的な力で支配されてきたため、その過酷かつ非効率的な現実が、こうしたコストをいっそう深刻化させていた。

政治的判断と外交も関係していた。ソ連は、もう一つの共産主義大国である中国とは手を結べなくなっていた。ソ連よりも格下のパートナーと位置づけられることに対して中国が反発し、また同盟国ではない第三世界の各国にどちらの共産主義モデルを模倣させるべきかという意見にも一致を見ず、ソ連と中国の国境に関しても反目するなど、さまざまな局面で両国の溝は深まっていたのである。1960年代後半には中国・ソ連のあいだで戦争も起きた。そして1970年代初めから、アメリカが中国と国交関係をもつようになり、さらにソ連の立場を厳しくさせた。

1985年からソ連の最高指導者となったミハイル・ゴルバチョフは、冷戦終結においてきわめて重要な役割を果たしている。ゴルバチョフは明らかに、ソ連が生き残り世界の舞台で競っていくためには国内の根本的改革が必要である、と確信していた。だが、経済再建の前に政治改革を行おうとする彼のアプローチは、もっぱら国内および東欧の動向に対するコントロールの喪失につながった。ソ連国内でも東欧の衛星国でも、より大きな独立を求める声が高まっていたが、ソ連はこの要求をつぶすことができなくなっていた。軍事的制圧もできず、最終的には経済的競争も政治的適応もできなかった。

ハリー・トルーマン以降、数代のアメリカ大統領に冷戦終結の功績の一端があったことも確かだ。より幅広く言えば、アメリカおよびその同盟国がヨーロッパとアジアで40年にわたって維持してきた取り組みが、功を奏したと言うこともできる。ドイツ人の抗議運動によってベルリンの壁が崩壊した１９８９年11月当時、第41代アメリカ大統領を務めていたジョージ・Ｈ・Ｗ・ブッシュも、冷戦の最終章の扱い方という点で称賛に値する。ベルリンの壁崩壊のような展開を、もっと数多く起こすべきだった、という観点から、Ｈ・Ｗ・ブッシュに対する批判[15]もあるが、彼は共産主義の指導者たちの顔をつぶさず、彼らにプレッシャーを与えて劇的な行動に走らせたり、権力掌握を望む者に権力が渡ったりするリスクが起きないよう、慎重を期していた。

冷戦が平和裡に終結し、ソ連が解体し、ドイツが統一され、さらに統一ドイツがＮＡＴＯに加盟したという事実は、驚異的と言わざるをえない。歴史は重大な出来事で生じた摩擦によって進んでしまうことが多いのだが、このときは、そうした結果は回避された。歴史に対する人間の力を例証していると言えるだろう。

冷戦後の時代
（1989年—現在）

本書がたどっていく歴史の最後の時期を、「歴史」ととらえるのは、少し違和感があるかもしれない。今の私たちがいる場所、この時代、今後の方向性までを含んでいる。人はつねに歴史の中を生きているものだ。ただし、後世から振り返るという有利な立場で、時間が過ぎたからこそ得られる視点をもてないと、評価や理解は難しい。ルネサンス期の人々は自分たちがルネサンス期に生きているとは思っていなかったし、それを言うなら中世後期にいるとも思っていなかっただろう。彼らはただ、彼らの人生を生きていただけだ。あくまで時代が過ぎてから、彼らの時代が定義され、名前がつけられる。

今の時代はしばしば「冷戦後の時代」と呼ばれる。冷戦の終結から始まり、現在を経て、まだわからない将来のいつかまでを指している。冷戦終結の日付をいつにするかは主観的な判断なので、冷戦後の時代の始まりも厳密には定義できず、おおまかに把握するしかない。1989年11

月9日を冷戦の終わりの区切りとするのがわかりやすいだろう。東ドイツの市民が、ベルリンの東西を隔てていた壁を崩した日だ。それまで数十年間は東ベルリンから西ベルリンへ渡ることができず、なんとか壁を越えた市民の多くは銃殺されていたものだったが、もはやそうではなくなった。この事実は、東ドイツの共産主義政権と、その後ろ盾であるソ連が、戦いを放棄したということを表していた。

ソ連崩壊を受けて、アルバニア、ブルガリア、チェコスロバキア、東ドイツ、ハンガリー、ポーランド、ルーマニアで構成されていたソ連の「外部帝国」は、真に独立国となった。3四半世紀にわたりソ連だった国――「内部帝国」――も、ロシアと、それ以外の14カ国に分割された。後者にはカザフスタンと中央アジアの他の4カ国、そしてエストニア、ジョージア、ラトビア、リトアニア、ウクライナなどが含まれる。ロシアはその後ジョージアとウクライナに武力行使をして、ロシアにとっての「近い外国」における意思決定を大きく支配していきたい意向を示すのだが、少なくともこのときの分割は平和裡に行われた。東ドイツのナショナル・アイデンティティ（国民意識）が、西ドイツとの統合をもたらし、統一ドイツが生まれたという点も、ぜひ指摘しておきたい。ナショナリズムは人々を引き裂くこともあるが、人々を結びつけることもできるのだ。

冷戦の終わりと、その後のソ連およびワルシャワ条約機構の解体に伴い、ＮＡＴＯは難しい問題に直面した。設立の理由だった脅威が去ったからには、ＮＡＴＯはもう解体してもよかったのだ。しかし加盟国は解体ではなく、維持と拡大の道を選んだ。１９８９年の時点で16カ国だった

NATO加盟国は、その後の30年間で29カ国に増えた。[2] ロシアが脅威として台頭する可能性を筆頭として、将来の不確実性すべてに対するヘッジとしてNATOを存続させ、[3] 新たな加盟国の民主化と軍事力の整備を助けていくという目論見だった。だが、こうした適応には短所もあった。[4] まず、NATO全体として団結して行動する能力が損なわれたこと。その後のロシアを孤立させる後押しになったこと。[5] 加盟国の大半が、NATOのそれまでの義務はもちろん新しい義務を守ることにも熱心ではない状態で、全加盟国に新たな義務を増やしたことも、吉とは出なかった。

冷戦後の危機

冷戦終結後の新しい時代は、もはや核戦争の差し迫ったリスクもなく、対立する二大超大国に支配される世界でもないのだから、穏やかで平和に暮らしていけるに違いない。そう予想する声もあった。[6] 冷戦に勝利し生き残った超大国（アメリカ）が支配する世界は、きっとそうした暮らしが叶い、基本的には民主的で平和な世界になるだろう、という期待の声があった。多少の例外はあるものの、自国の意思を他国に押しつけないというアメリカに対し、その支配的優位に挑む力をもつ国は存在しないし、挑もうという意欲をもつ国もほとんど現れないだろう、と。一方で、もう少し懐疑的で不安のこもった見方もあった。[7] 二国の競争関係が消えた世界は、構造や規律が失われるのではないか。その結果として、冷戦の根幹にあった人類の存続を脅かす危機が高まるほどではないにせよ、暴力や無秩序が増えることになるのではないか。

興味深いことに、新しい時代における最初の本格的な国際危機が、今述べたような楽観的予想も悲観的予想も両方正しかったことを証明した。1990年8月、ベルリンの壁崩壊から1年も経たない時期に、野心的な独裁的支配者サダム・フセインに率いられていたイラクが、より小規模で力の弱い南の隣国クウェートに侵攻し、あっというまに征服して、その地をイラクの一部にした。イラクは多くの面でソ連と密接に結びつき依存していたが、冷戦が本格的だった時期のソ連は、イラクが何らかの武力行使に出ることを認めていなかった。世界の石油と天然ガス埋蔵量を大幅に占める地域に対し、アメリカが軍事的に介入する口実を与えることへの懸念があったからだ。しかし冷戦が終わり、ソ連の支配から放たれたイラクは、露骨な武力行使に出たというわけだった。

　アメリカがこれにどう反応するか、当時ははっきりとはわからなかった。このときの私は、アメリカ合衆国国家安全保障会議の若手メンバーだった。イラクがクウェートを落とした直後の8月5日、大統領の別荘地であるキャンプ・デービッドから戻ったジョージ・H・W・ブッシュ大統領がホワイトハウスの南側の庭、サウスローンにいたとき、私は大統領と話をしている。[8] 直近の状況について私が簡潔に報告をすると、大統領はこれ以上ないというほど明瞭に、不安な世界状況について断言した。「クウェートに対するこの武力侵略は許容されるものではない」[9]。大統領の言葉どおり、アメリカはまず外交と経済制裁で介入し、最終的には武力介入を行った。ブッシュ大統領は、豊富なエネルギー埋蔵量をもつ中東をイラクが支配することを望まなかったし、一方的な国境線変更のために武力が行使されうるという悪しき前例が新しい時代の幕開けとなることも望まなかった。アメリカが国連を通じて働きかけ、多国籍軍を率いて、最終的にはイラクを退けてクウェートから撤退させ、クウェートの独立を回復したという事実は、世界秩序に勝利を取り戻し、多国間主義の意義を知らしめる結果となった。

ただし、湾岸戦争後の対応は、明らかに巧みとは言えないものだった。イラクの北部および南部にいたイラク人たちが、サダム・フセインの残酷な支配に対して蜂起したときのことだ。アメリカの軍事介入が、内戦と見られるものに対してどちらかの肩をもつことを避けるという理由で、クルド人が居住する北側での人道的支援に限定されていたため、フセインはこの反発を叩きつぶし、権力を維持した。

湾岸戦争後の泥沼は、その後の数年で繰り広げられる展開の予兆のようなものだった。続いて起きた最もドラマチックな展開は、旧ユーゴスラビアにかかわるものだ。旧ユーゴスラビアは複数の国が集まって構成されていたが、冷戦中は権威主義的なリーダーシップ、そしてソ連介入への恐怖という、二つの要素が国々を結びつけていた。その両方の要素が消えたことで、1991年と1992年に紛争が勃発し、数十万の民間人が死亡した。NATOの軍事行動が紛争を終結させたが、再燃を防ぐため、国連平和維持活動の部隊が長きにわたり同国に常駐することとなった。

こうした状況（大人と子ども80万人が命を落とした[10]1994年のルワンダ虐殺[11]も拍車をかけた）が引き金となって、2005年の国連総会で、ある新しいコンセプトが採択される。主権を有する政府は国民に対して一定の身体的・経済的安全を提供しなければならない、その意思または能力がないときには他国が（国連安全保障理事会の承認のもとで）権限を得て、国民を保護し秩序を回復するための介入を行う、という内容だ。

このコンセプトは「保護する責任（Responsibility to Protect）」、通称R2Pドクトリンと呼ばれる。だが、採択後の15年間の出来事を見る限り、実際にはほとんど変化をもたらさなかった。介入は正当かどうか各国の意見が一致しなかったり、コストを懸念して介入したがらなかったりしたからだ。R2Pドクトリンが実行された一例は、2011年のリビアにおいてである。多くの市民の命を危険にさらす内戦が差し迫っていると判断し、アメリカ、フランス、イギリスをはじめとするNATO加盟国が介入した。いったん介入が始まると、それだけでは終わらず、リビアの政権を倒すというミッションに発展した。そして、アメリカとその同盟国が状況安定のため関与を継続しないと決めたときには、かえって広範囲に無秩序を生むことにつながってしまった。結果として、安保理の常任理事国として拒否権をもつロシアと中国の目から見て、R2Pドクトリンの意義は疑わしく、むしろ政治的な結果を強制的に導く隠れ蓑だと認識されるものになった。[12] 一方でアメリカと、ヨーロッパにおけるアメリカ同盟国は、R2Pドクトリンを採用することで生じるコストと困難に対する懸念をつのらせるようになった。[13]

その10年前、2001年9月11日（9・11と言われることが多い）には、[14] アラブ4カ国から来た19人がカッターナイフだけで武装して、アメリカでの民間航空機4機をハイジャックした。19人は全員アルカイダのメンバーだ。アルカイダはアフガニスタンに拠点を置くテロリストネットワークで、元はアフガニスタンを占領していたソビエトへの抵抗として生まれた組織だった。2

機はニューヨーク世界貿易センターのツインタワーに衝突し、3機目はペンタゴンにつっこみ、4機目は乗客がハイジャック犯に抵抗しペンシルベニアの野原に墜落した。およそ3000人が死亡した。ほとんどはアメリカ人だが、それ以外に100カ国ほどの外国人も命を落としている。

この攻撃は、国際テロリズムの新しい時代の幕開けだと言われた。人がインターネットで奮起させられ、国境を越えて人とお金が集められ、各地で訓練が行われ、そして世界各地に送られて、政治的目的のために民間人を殺戮することを意図した行動に出るのだ。この9・11を受けて、各国国内および国際的なテロ対策が増えたのだが、そうした対策は資金の面でも、取り締まりや諜報活動や軍事的資産の面でも代償が大きく、プライバシーを犠牲にするものでもあった。問題の性質と規模を考えれば、テロを「撲滅」するのは不可能で、このミッションは結局完遂とはならなかった。

新しい時代に起きた2番目の危機は、経済的な危機、より正確に言うならば金融危機だ。[15] アメリカおよびヨーロッパで数年にわたって横行していた無責任な住宅ローンの貸し付け、ハイリスクな投資活動、そして銀行や金融機関に対する不十分な規制が原因だ。こうした活動が2007年から2008年にかけて強烈な危機をもたらし、あっというまに規模においても範囲においても劇的なほど大きく成長して、全世界に景気後退をもたらした。莫大な富が消え、膨大な失業者が生まれた。この不況のせいで、先進国における経済的不平等がいっそう顕著になり、多額の公的債務が蓄積することとなった。

金融危機はアメリカで始まったのだから、当然、アメリカはその対策に追われた。窮地に陥った金融機関の救済のため政府が大幅な介入を行い、経済成長を取り戻すために財政および金融面で大規模な刺激策が採られ、今後の金融危機を起きにくくすることを意図した規制改革が導入された。こうした取り組みはおおむね成功したが、この危機を受けてアメリカは及び腰になり、アメリカ以外の国々の経済成長や開発のペースも落ちた。中間層の賃金はほとんど伸びなくなり、多くの人にとっては社会階層を上昇していくことなど夢のまた夢になり、不平等も拡大した。その結果として、アメリカでも世界各地でもポピュリズムが高まり、資本主義に対する不満も広がった。

冷戦後の試練

冷戦後を語るにあたっては、ほかにも多数の展開やトレンドに注目する必要がある。この時代の特徴の一つは、主要国間の摩擦や競争関係が復活したことだ。アメリカとロシア、そしてアメリカと中国とのあいだで、特にそれが顕著となった。米ロ関係が悪化した原因については議論が割れている。ロシア連邦成立直後の数年間にアメリカが経済的支援をしなかったせいだという意見もある。NATO拡大の決断が理由だったという意見もある。ロシアでは、これを脅威であり侮辱であると受け止める声が多かったからだ。[16]

一方で、ロシアに背負わされた重圧が原因だったと指摘する意見もある。何より、元KGB職員で、1999年から大統領または首相としてロシア連邦を統治しているウラジーミル・プーチンが背負った責任が大きかったせいではないか、という見解だ。プーチンは早くから、アメリカ主導のリベラルな世界秩序への参加は望まない、それは自身の連続統治に対する脅威になるし、世界におけるロシアの立場にとっても脅威になる、という結論を出していたらしい。その結論に沿って、プーチンは、アメリカの利害や価値観とは対立する多数の政策を実施している。たとえばウクライナのクリミア半島を武力併合し、シリアでバッシャール・アル・アサド大統領による政権を立ち上げた。2016年にはサイバー攻撃とフェイクニュースの拡散でアメリカ大統領選を操作し[17]、悪化していた関係を余計に悪くした。だが、米ロ関係を大幅に悪化させた原因が何だったとしても、原因が一つだったとしても複数だったとしても、結果的にロシアを罰するための経済制裁がとられ、相互の外交官が追放され、冷戦時代の軍縮合意が破棄され、軍事競争が再燃し、これらが二国間の関係を特徴づけるものになってしまった。

米中関係の軌道は、これとはまったく異なっている。中国がロシアとは異なる道を進んだことが小さからぬ要因だ。ロシアと違って、中国はグローバル経済への統合を受け入れ、貿易と投資に力を入れた。ただし、自国の国家主導型の経済モデルに沿った形で、多くの面で中国のメーカーや輸出業者に利する手法をとっている。そして中国自身がアメリカとの良好な関係を求めていた。アメリカの市場や技術へのアクセスと、安定し予測の立つ国際環境は、中国の発展にとって必須と考えていたからだ。その目的に向けて、鄧小平の指揮のもと、アジアにおけるアメリカ同盟国、より広く言えばアメリカの支配的優位との直接的な衝突を避けていた。

しかし2010年代の終わり頃には、米中関係は協調よりも競争と呼べる関係に変わっていた。グローバル経済に中国を参加させれば、より市場志向で、民主主義的で、抑制された国に変えられるという期待は実現していない。そもそも中国をグローバル経済に取り込めばいいという問題ではなかった。むしろ、世界貿易機関（WTO）への加盟を認められた際に同意した義務を中国が確かに果たせるよう、その後のフォローアップをしなかったことが問題だったのだ。たとえば中国はWTOにおいて、いまだに開発途上国という位置づけを主張し、世界銀行からの融資を受け続けている。実際には世界第2位の経済圏となり、先進技術に数十億ドルを投資し、世界中のインフラ建設に資金を提供する立場になっているにもかかわらず、である。米中関係の悪化の根幹にあったのは、貿易に関するアメリカ側の苛立ちだ。特に中国がアメリカの知的財産を盗んだり、強制移転させたりする一方で、アメリカからの輸出には障壁を設けていたことが看過できなかった。人工知能や、量子コンピューティング、5G（第5世代移動通信システム）といった次世代テクノロジーを生み出す競争において、中国が一歩先を行きつつある（政府から莫大な補助金があるという理由が大きい）ことへの懸念もある。[18]特に南シナ海領有問題に見られるように、反対意見があっても、また国際仲裁裁判所で正反対の判断が下されても、[19]それをはねのけて権利を主張する中国の強硬な外交政策も、米中の緊張関係の高まりに拍車をかけた。さらに現在の国家主席である習近平が、自身の任期制限を撤廃し、中国の西端に住む少数民族ウイグル族を弾圧し、香港の自治を侵害し、インターネットの検閲を強化し、外国の非政府機関に対する制限を強化するなどの政策をとっていることも、摩擦を増大させている。

結果的に、今では多くの識者が、現代における最も影響力の強い二国、すなわち米中が冷戦状態となる見込みを公然と指摘している。[20]だが、実際に冷戦になったとしても、それは米ソ間に存在した冷戦とは根本的に異なる形となるだろう。中国はソ連と違って、今や経済大国となり、世界経済にがっちりと統合されているからだ。中国のように、軍事力以外のさまざまな形のパワーを誇る国を封じ込めるのは、結果的に不可能とわかる場合が多い。また、気候変動や核拡散問題など、アメリカを含むあらゆる国の利害に影響をおよぼしうる世界的危機に対し、世界が首尾よく戦っていこうと思うなら、中国の協力は不可欠だ。そう考えれば、中国を抑えつけておくのは不可能であるだけでなく望ましくないことと言える。国内および海外における中国のやり方のうち、一部については阻止しつつ、同時に協調のための余地を広く残していく、そんな外交政策を開発・実行することが必須となるだろう。もちろん、それがきわめて困難であることも疑いようはない。

ほかにも、冷戦後の時代の重要な特徴は、多数の世界的課題が出現したことだ。それらの課題の規模と、解決しようという世界の意思および能力とのあいだに、著しい乖離がある。「国際社会（インターナショナルコミュニティ）」というフレーズは頻繁に使われるが、厳しい現実として、差し迫った問題への対策については、コミュニティ意識などほとんど見られない傾向がある（テロ対策など一部の例外はあるが）。

その一番の例が気候変動だ。温室効果ガスの排出量上限に関する話し合いなど、世界規模の「キャップ・アンド・トレード（排出権取引）」の合意を形成する野心的な試みが行われてはいるものの、話はまとまっていない。二酸化炭素排出の削減を促すために炭素税をかけるという案についても同様だ。そのかわり、各国政府は2015年のパリ協定で、今世紀における世界の気温上昇をどこまでに抑えるべきかという目標を定め、その後の5年間における各国の排出量目標も設定した。

よい知らせとしては、この目標は国際的に合意された。よいと言えない知らせとしては、その世界的目標を達成しても、気候変動は大きく進むことがわかっている。さらに状況を悪くする点として、この目標が達成されないことは、ほぼ確実なのだ。ドナルド・トランプ大統領のもとで、アメリカはパリ協定からの離脱を宣言し、事態をいっそう深刻にした。その一方で気候変動の影響はますます明白になっている。気温は上昇し、海水位も上昇し、甚大な気候災害も多発している。

そのほかにも、冷戦後の時代にほとんど解決していない世界的課題として、サイバースペースの状況が挙げられる。世界の領土は事実上すべて（領海、領空も含め）ある程度の規制が敷かれている。ところがサイバースペースは、現代の社会、経済、政府、軍事を機能させる中心的存在となっているというのに、ほとんど規制されていない。広く順守されているルールもほとんどないし、正式な取り決めはないに等しく、法執行のメカニズムもない。

それどころか、サイバースペースにどれほど秩序が欠如しているか、徐々に明らかになる様子を、私たちは今まさに目にするばかりだ。科学者、テクノロジー企業、インターネットユーザーが合意したルールに沿ってオープンかつ平和的に運営されるインターネットではなく、しだいに存在感を増しているのが、政府の影響を強く受けるインターネットだ。政治的に危険とみなされるコンテンツにも、道徳的に問題があるコンテンツにも、厳しい検閲がかかる（前者は中国の「グレート・ファイアーウォール」、後者はたとえばヨーロッパ政府によるポルノ規制）。インターネットは核兵器拡散を遅らせる武器としても使われるが（アメリカとイスラエルが、イランに対してこれを行ったと報じられている）、敵対的とみなした行動に対して報復する武器としても（北朝鮮は、最高指導者を揶揄する風刺映画を制作したソニー・ピクチャーズにハッキングを行った）、また政治的な結果を誘導する武器としても使われている（ロシアが、２０１６年のアメリカ大統領選で仕掛けた）。

サイバースペースのほかに、スペース（宇宙）という領域も考えなくてはならない。あらゆる通信を支える衛星がここにある。人の移動を助ける全地球測位システム（ＧＰＳ）、天気予報、軍事作戦にも活用されている。現在、稼働している衛星は２０００基[21]ほど軌道上にあり、それとは別にほったらかしのスペースデブリ〔訳注：不要になって放置された衛星など、いわゆる「宇宙ゴミ」のこと〕が膨大な量で漂っている。衝突でも起きれば、どの国の衛星だろうと使いものにならなくなる。１９６７年には宇宙空間の活動について取り決めた宇宙条約が設立しているが、地球軌道上もしくは月を含む天体のどこかに大量破壊兵器を設置することを禁じただけだ。衛星攻撃兵器、その名のとおり衛星を破壊する武器を宇宙に置くことを禁じる規則は存在しない。小惑星での鉱業や、その他の天体で貴重な鉱物を採掘する可能性についても、管理方針は何も定まっていない。つまり、宇宙空間における経済および軍事的競争は、ほとんど無制御の状態で拡大しているのだ。アメリカが2018年に、アメリカ軍の6番目の軍種として宇宙軍を設立すると決めた点にも、そうした状況が強調されている。

地域的な展望

冷戦後の時代における地域レベルの歩みは、均等ではない。世界で最も成功しているのは、ほぼすべての尺度から見て、アジア太平洋地域だ。高度経済成長と、国内および国家間の安定が得られているのが特徴である。中国の台頭も、今のところはおおむね平和的だ。アジア太平洋地域における安全保障面で一番弱いのは、北朝鮮による核兵器および弾道ミサイルの開発を阻止できていない点だ。

最も成功していない地域と言えるのは中東である。イラクによるクウェート侵攻という、冷戦後の時代の最初の試練が起きた場所でもあった。サダム・フセインの武力攻撃は撃退されたが、フセインは引き続き権力をもった。中東における他の国々でも、ほぼ例外なく独裁者が権力を保持した。イスラエル・パレスチナ間に平和をもたらす取り組みもほぼ失敗した。イランは中東全体に勢力と影響を広げている。イランの長年の天敵であるイラクは、2003年に侵攻したアメリカが、サダム・フセインを排除すると同時にイラクを内戦状態にした結果として、弱体化した。

2010年後半からはアラブの春と呼ばれる抗議運動が始まり、中東における多くの国で結果的に内戦状態が長引いたり（部外者に焚きつけられた例も多い）、あるいは独裁政権による支配が戻ってしまったりした。開発という点で世界の大半から後れをとっている中東に、甚大な人的被害が生じている。

ヨーロッパは、冷戦後の時代の最初の数十年間においては、世界の中で最も成功している地域に見えていた。平和で、民主的で、経済的にも発展していたからだ。欧州連合（ＥＵ）は拡大（冷戦終結時は十数カ国で、その後の数十年で倍以上に増えた）しただけでなく、共通の通貨（ユーロ）や、共通の外交政策を部分的ながらも導入した。

だが、２０１０年代になるあたりからは、「欧州楽観主義」と呼ばれた傾向が薄れていく。経済成長は鈍化し、世界ＧＤＰにおけるヨーロッパのシェアは縮小した。イタリアではポピュリストの国家主義的政党が政府形成の勢力となり、ポーランドとハンガリーでは非自由主義系の政党が力をもち、フランスではポピュリスト運動が政府を脅かすようになった。ユーロを使う国々の金融政策は欧州中央銀行が司っていたが、それぞれの国の予算については各国政府が主導権を維持したため、ギリシャ、イタリア、その他の多くの国で持続不可能な財政赤字が生じた。ロシアはクリミア併合を踏まえて、ふたたび大陸の軍事征服に乗り出した。中東からの移民問題に刺激されて、ドイツを含め各地で右翼のナショナリスト的政党が台頭した。イギリスではぎりぎり過半数を超える数の有権者が、イギリスのＥＵ離脱（いわゆる「ブレグジット」）を支持した。半世紀以上にわたりヨーロッパの政治の展望を支配してきた従来ながらの中道政党は、左派および右派の小さな政党に議席を奪われるようになった。明るかったはずのヨーロッパの未来は、ここに来て急に不透明になっている。

ラテンアメリカにとって、この時代は、長らく一党支配だった多くの国（メキシコを含む）で民主主義への統合が進んだ時代だ。コロンビアをはじめとして、多数の内戦が終結を迎えた時期でもある。だが、ブラジルとアルゼンチンでは、今も民主主義とポピュリズムが緊張関係にある。それ以外の国では政府の力が弱く、国内の秩序を維持できていない。特に北部三角地帯と呼ばれる諸国（グアテマラ、ホンジュラス、エルサルバドル）とメキシコがそうした状態だ。かつてラテンアメリカで最もゆたかな国だったベネズエラでは、政府の締め付けのせいで大勢の国民が国外に逃げ[22]、経済が総崩れとなった。結果としてこの地域はいっそう不安定化している。アフリカも、発展と発展の行き詰まりの両方が起きている。民主主義、経済成長、長寿化が実現する一方で、内戦、独裁的支配、汚職、大幅な人口増加、疫病流行などが足を引っ張っている。

南アジアでも、冷戦後の事態の推移はそれぞれの国で異なっている。インドとパキスタンは引き続き緊張関係にあり、両国とも核兵器貯蔵を増やしている。パキスタンから送り込まれたテロリストがインドを攻撃したことで、あやうく核が火を噴く寸前になった。パキスタンがタリバン（イスラム教スンニ派原理主義者たちの運動で、テロ活動を行使し、数年越しでアフガニスタン政府に戦争を仕掛けている）を支援していることも、地域全体の問題を深めている。パキスタン自身もテロリストの暴力行為の標的になることが増えているので、同国にとっても問題となっている。インドでは経済実績の向上など、よい傾向が見られるものの、汚職や、規模の大きい官僚制度や、拡大する貧困や、今でも増加が続く膨大な人口といった問題が足を引っ張っている。また、多数派であるヒンドゥー教徒のナショナリズムが高まり、少数派であるムスリムにも民族同一意識が高まっている中で、ヒンドゥー教徒と、少数派とはいえ決して少なくはないムスリムとが共存していけるかどうかという疑問もある。その点で中央アジアは、比較的静かだ。権威主義的政治体制と、石油に依存した一部の経済が、短期的には安定を保っている。

一方、第二次世界大戦後の世界の代表建築士であり、歴史上まれに見るほどの支配的優位とともに冷戦後の時代を歩み出したアメリカは、しだいにその役割から引き下がっていく。アフガニスタンとイラクでの戦争による負担が大きかったせいで、国家として大幅に疲弊し、多くのアメリカ人が軍事介入について慎重な見方をするようになった。かつて20世紀初頭のアメリカは、世界の牽引役を果たすことに対して嫌悪感をもっていたが、現在の政治においても、党派を問わず同じ傾向が高まっている兆候があり、軍事介入の縮小を求める声が多く聞かれている。

21世紀に入って最初の20年が過ぎる今なら、冷戦後の時代とはどんな時代であるかという問いに対し、いくつかの結論を出すことができるだろう。冷戦後の時代とは、新しい情報・通信技術が世界各地で拡大し、広く利用可能になった時代だ。医療の発展や平均寿命の伸長など、多大な進歩が見られた時代でもある。経済成長も大きく広範囲に進んだ。国家間の戦争はわずかになった。

だが、この時代は、民主主義の拡大速度が鈍化した、または逆方向に進んだ時代でもある。[23]不平等が著しく拡大し、[24]内戦も増え、[25]強制移民や難民も増えた時代だ。[26]テロが世界的脅威になった。気候変動が進行し、近い未来にも遠い未来にも暗い予想を投げかけている。世界各地で虐殺が起こり、サイバースペースに対するルールについて合意を見ることもできず、超大国における対立関係の再燃を防ぐこともできていない。現代は過去に例のないほどよい状況だと主張する声もあるが、そうした意見は自分が見ているものだけを重視しており[27]、進歩を台無しにしかねないトレンドを過小評価しているのだ。

冷戦後と呼ばれる時代がいつ、どのように終わり、その後にどんな時代が続いていくのか、現時点ではまだ判断できない。だが、一つ確かに言えるのは、憂慮すべきトレンドが数多く見られるという点だ。たとえば、もしも米中の冷戦が実現したならば、現代は米ソと米中における二度の戦いに挟まれた「冷戦間の時代」と呼ばれることとなるだろう。冷戦になれば必然的に貿易と投資が減り、双方の経済成長率が鈍化するだろう。地域や世界の問題に対する協調的取り組みも行いにくくなるだろう。一方、もしもアメリカが牽引力を取り戻し、リベラルな世界秩序を回復・強化していくならば、現代はもっぱら安定、繁栄、自由を特徴とする時代として続くことだろう。だが、アメリカが世界を引っ張る役割の放棄を選択することも考えられる。その場合、中国が支配的優位をもつ時代になるのかもしれない。ただし中国の性質や、国内の制約や、直面している内憂の性質および規模に鑑みると、そんな時代にはなりそうもない。より可能性が高いのは、現代が結果的に「悪化の時代[28]」となることではないか。どの国も、あるいはどの国家グループも、効果的なグローバル・リーダーシップをとれない時代だ。こうなった場合、未来は世界的無秩序が加速する時代となってしまうと考えられる。

第 2 部

世界の地域

世界はさまざまなレベルから語ることができる。グローバルなレベルで、全体として見ることも重要なのだが、歴史の大半が繰り広げられる地域レベルに視点を合わせることも必要だ。世界全体に重大な影響をおよぼせる国はごくわずかだが、現代のテクノロジーが広範囲に行き渡っていることで、多くの国が世界に対して影響力をもつようになった。地理は当然ながら制約を生む。国が好きなように地域を選んで引っ越すわけにはいかない。その地に置かれていることが恩恵となる場合もあれば、呪いとなる場合もある。国が体験する最も重要な国際交流は、多くの場合、近隣諸国との接触だ。特に経済および政治的側面、そして戦争と平和という面で、近隣諸国との関係が重要になる。

本書では、世界を6地域に分けて考察する。ヨーロッパ、東アジアおよび太平洋地域、南アジア、中東、サブサハラ・アフリカ、そしてアメリカ大陸だ。地域は地理的条件だけで形成されるわけではないので、このグループ分けは恣意的なものとならざるをえない。アフリカに位置する国の多くが本書で中東に含まれている理由は、起源やアイデンティティや交流が、もっぱら中東にあるからだ。ほかにも、一つの地域に収まりきらない範囲の国もあるが（たとえばロシアはヨーロッパにもアジアにも入る）、その国が重視する点や活動の内容に照らして、いずれかの地域に含めた（ロシアの場合はヨーロッパに入れた）。

ヨーロッパについて論じるときは、個々の国について語るだけでなく、欧州連合（ＥＵ）の役割を考えることも重要だ。ヨーロッパという地域においては、各国の主権がパワフルかつ超国家的な機関にかなりの度合いで移譲されて（プールされて）おり、その機関が部分的には国家政府より上位となっている。20世紀の歴史の大半はヨーロッパで展開されてきたが、21世紀において、ヨーロッパやヨーロッパ諸国がそれほどの中心的役割を果たし続ける可能性は低い。

東アジア太平洋地域（シンプルに「アジア」と呼ぶ場合もある）は、世界で最も広く、最も裕福で（全体の生産高で計測すれば）、最も人口の多い地域だ――ただし、南アジアとアフリカの人口のほうが、はるかに急速に成長しているのだが。ヨーロッパと同じく、アジアは第二次世界大戦および冷戦の主たる舞台だった。そして、21世紀が展開する主たる舞台となっていく可能性が高い。中国が果たす役割と、日本、韓国、インドネシアといった地域大国の存在が、今後の歴史の中心となっていくと考えられる。

南アジアはもっぱらインドが占める。世界最多の人口を有する国として、インドはまもなく中国を追い越すだろう。インドは民主主義国家として、多くの面で、中国に対する重要なオルタナティブとなっている。だが、この地域にはインドとパキスタンの対立があり、アフガニスタンで長引く戦争があり、これらの国々に住む数億の人々の生活水準向上という問題もある。特にバングラデシュは、[1]気候難民〔訳注：気候変動によって、それまでの場所で住み続けられなくなった人々〕となりうる数千万人を養っていくという、新たな問題に直面している。

中東は、紛争、ドラマチックな政治的出来事、外交交渉が近年のニュースになることが多く、多大な関心が寄せられている地域だ。この地域がもつエネルギー資源とテロ活動が、世界に対して甚大な、もしくは根本的に異質な影響を与えている。他の地域と同じく急速に変化しており、要約して語るのは困難だ。とはいえ、起きている変化は中東の根幹というより細部に影響するものが多いので、この地域で今見られている状況は、当面はそのまま続く可能性が高い。中東に関する本書の考察は決して明るいものではないので、それが当面変わらないというのは由々しきことである。

アフリカ、より正確に言えばサブサハラ〔訳注：サハラ砂漠より南の地域〕のアフリカ——サハラ砂漠より北のアフリカ諸国は中東に含めている——は、全体として扱うのは難しい。支配的な国は一国もないし、共有する地政学的課題もないからだ。この地域の共通点と言えば、それぞれの国内における政治的・経済的発展、もしくはその欠如だろう。ラテンアメリカもおおむね同じで、政府が弱く必要な責務をこなせていない点が、この地域に共通する課題と言える。

ここで断りを入れておきたいのだが、この地球上の二つの地域については個別の考察をしていない。一つは北極圏だ。北極圏が戦略的競争の場として浮上したのは、つい最近のことである。気候変動が一因で、新たな海上交通路が拓かれ、天然資源採取の見込みが広がっている。そしてもう一つは中央アジアだ。中央アジアについては南アジアの章の中で論じているが、中央アジアが世界にもたらす影響は小さく、もっぱらロシアの影響下（最近では中国の影響が増大している）にあるため、独立した章は設けなかった。

多くの地域で、宗教が今もその国のダイナミクスを支えている。全世界の過半数以上に信仰されている宗教は存在しない。[2] 世界人口のほぼ3分の1に相当する23億人がクリスチャンで、4分の1に近い18億人がムスリムだ。10億人を少し超えるのがヒンドゥー教徒、およそ5億人が仏教徒、そして1500万人がユダヤ教徒である。10億以上の人々が無宗教と答えている。ムスリム人口は、世界人口の増加スピードの2倍で増えており、2050年には（世界人口は100億人に到達すると予想される）ムスリムがほぼ30億人で、クリスチャンを上回る見込みだ。中東に住む人々は圧倒的にムスリムだが、世界中のムスリムの大半が住むのはインドネシア、パキスタン、インド、バングラデシュである。

人口動態の変化も地域のダイナミクスに影響を与える。東アジアとヨーロッパを含め、特定の地域では、人口動態に停滞または縮小が起きている。そのほかの地域、特にサブサハラ・アフリカと南アジアでは、膨大な増加が予想されている。さらには年齢分布も国によって[3]偏りが激しい。アフリカの多くの国々などでは若い層が厚く、サブサハラ・アフリカでは人口の40%以上が15歳未満で、およそ3%が65歳以上だ。国家が資金を出して教育を整備するにも、労働力となっていく人々に仕事を与えるにも、これは大きな負担になる。それとは対照的に、西欧の大半の国々とアジアの一部では、高齢者の層が厚い。アジアでは、15歳未満の人口が全体の25%に満たない一方で、65歳以上が約10%を占める（日本人の場合は65歳以上が27%）。これは労働年齢の人々にとって負担であると同時に（彼らの力で大勢を養わなければならない）、社会全体にとっても負担である。長生きをするほど貯蓄が不足しやすく、医療の必要性が増すからだ。興味深いことに、アメリカの年齢分布は比較的バランスがとれている。主たる理由は移民の存在だ。アメリカでは人口のおよそ20%が15歳未満で、65歳以上（私を含む）は15%を占める。

想像がつくと思うが、宗教と同じく言語も、世界人口の過半数が喋っている言語は存在しない[4]（エスペラント語はそれを目指して作られた人工言語だが、目的を達成できていないようだ）。英語が共通言語に一番近いと言えるだろう。世界で7人に1人が英語を話す。同じくらいの数の人が北京語を話しているが、ほぼ全員が中国在住だ。

最後に、アメリカに焦点を合わせてみよう。アメリカ合衆国はアメリカ大陸に位置している。アメリカ大陸を考察する章では、同国のラテンアメリカに対する影響や、ラテンアメリカ諸国およびカナダとの関係という点のみを論じていく。アメリカは真の意味でグローバルな大国だ。世界各地に軍を駐屯させ、ヨーロッパおよびアジアの国々と同盟関係にあり、地球上のあらゆる場所に対してパワーを行使していく力がある。そのため、6地域すべての章でアメリカについて語っていくことになる。

いずれの地域に関しても、私は著者として最大の注意を払って、最もパワフルで影響力をもつ国々や、関連する地域機関や、重要な歴史、経済状況、基本的な人口動態データ、そして各地域の未来を左右するであろう主な課題について考察した。各地域がなぜ重要なのか、そこで起きる出来事の要因は何なのか、把握していただきたいと考えている。

そこに浮かび上がってくるのは、決して均一ではない物語だ。世界に広がるさまざまな地域は、平等と呼ぶには程遠い状態にある。規模、人口、信仰、言語、富、安定、政治的志向性、域外との関係性という点でも、それぞれに大きく異なっている。一方で、すべての地域がここ数十年で甚大な変化を経験しており、今後も急速に変化していくという点では、どこも同じだと言えるだろう。

ヨーロッパ

現代のヨーロッパは、比較的裕福で民主主義国家も多く、かなりの平和と安定を維持しているという点で、世界のその他大半とは一線を画している。経済の規模はアメリカよりもわずかに大きく、[1]世界経済の4分の1を占める。ヨーロッパ地域に含まれる50カ国[2]のうち、ほぼすべてが、自由または部分的に自由と呼べる状態だ。おおむね平和だが、重大な例外として、ウクライナとジョージアは、ロシアを後ろ盾とする攻撃、またはロシアそのものからの攻撃と戦っている。そのほかの地域、たとえばキプロスや、バルカン半島諸国の一部は、現在でも民族間対立や領土をめぐる不和を抱えている。

全体としては、ヨーロッパは飛びぬけて成功している地域に違いない。20世紀前半には、歴史において最も代償の大きかった二度の戦争の主たる舞台となった。不寛容な政治的運動が権力をもち、大勢の人々の基本的自由を否定し、膨大な数の人命を危険にさらす展開を作り出していっ

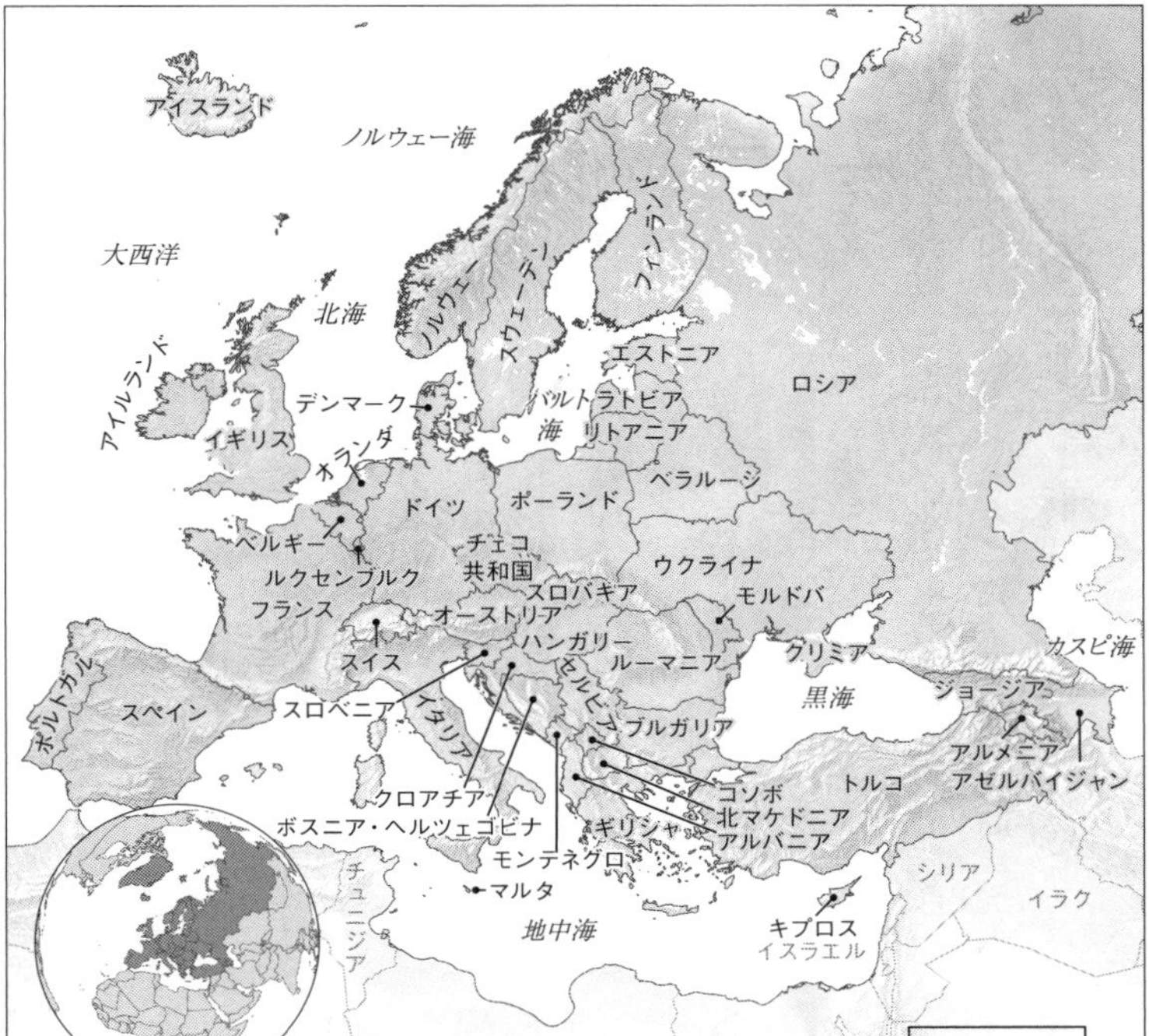
アイスランド
ノルウェー海
大西洋
北海
ノルウェー
スウェーデン
フィンランド
エストニア
ロシア
アイルランド
イギリス
デンマーク
バルト海
ラトビア
リトアニア
オランダ
ベラルーシ
ドイツ
ポーランド
ベルギー
チェコ共和国
ウクライナ
ルクセンブルク
スロバキア
モルドバ
フランス
オーストリア
ハンガリー
スイス
ルーマニア
クリミア
カスピ海
ポルトガル
スペイン
スロベニア
イタリア
セルビア
ブルガリア
黒海
ジョージア
アルメニア
アゼルバイジャン
コソボ
北マケドニア
アルバニア
トルコ
クロアチア
ボスニア・ヘルツェゴビナ
ギリシャ
モンテネグロ
チュニジア
マルタ
シリア
イラク
地中海
キプロス
イスラエル
リビア
エジプト
0
500 マイル

た。だが、第二次世界大戦の終結以降のヨーロッパはそれとは正反対で、前例のないほどの安定、繁栄、自由を維持している。その功績をもっぱら担っているのは、第二次世界大戦後の二つの重大な取り組み、具体的に言えばNATO結成と欧州統合だ。

それでも、ヨーロッパの一番よい時期はもう過ぎてしまったのではないか、という疑問を感じずにはいられない。NATOとEUの未来は、いずれも不透明だ。多くの国において、NATOとEUに対する支持が薄れており、EUの望ましい構造や役割についてもコンセンサスがとれていない。中道派の政党から、左派と右派の急進的な政党へと、支持者が奪われている。ロシアの目論見に関する新たな懸念も生じているし、中国への対応についても広く意見の一致を見ていない。経済成長は鈍化し、多くの国で経済的不平等が拡大している。かつては世界で最も成功している地域だった場所が、今では、衆望という面でも意見の一致という面でも十分ではなく、厳しい未来に直面している。

歴史

今の私たちがヨーロッパと認識している存在（政治的な意味で）は、三十年戦争のあとの17世紀半ばに誕生した。19世紀は数々の戦争とともに始まり、最終的にナポレオンと彼の帝国が倒される。その後は数十年間にわたって安定した時期が続くが、ヨーロッパ主要国を巻き込んだクリミア戦争で、安定の時期は終わりを迎えた。19世紀後半には、[3] 多数の小国が合体して、今の私たちがイタリアとドイツと呼ぶ国が作られた。そしてヨーロッパは20世紀の二度の大戦の主戦場となり、二度合わせて数千万人の命が失われ、数兆ドルの費用がかかった。

だが、現在のヨーロッパを論じるにあたり、出発点とすべきは、第二次世界大戦が終結した1945年だろう。私たちは今も、このときに下された数々の決定事項の結果とともに生きているからだ。ヨーロッパ大陸を守りたい側にとって、最大の関心事は三つあった。第一に、攻撃的なソビエトにはどう対処すべきなのか。ソ連は大戦中に占領した国を手放そうとせず、打倒ドイツの中心となった軍事動員を大戦後も解除しようとしなかった。戦後も東欧の勢力圏を維持し、東欧諸国を引き続き従属させておく手段の一つとして、ソ連軍を駐屯させていた。また、クレムリンはヨーロッパ大陸全体、そしてそれ以外の地域にも共産主義革命を焚きつけようと働きかけていたので、ソ連の存在は西欧にとっての脅威でもあった。

この苦境に対する究極の答えが、国家間が手を結び、それによってヨーロッパに平和を維持することだったのだ。NATO、正式に言えば北大西洋条約機構は、アメリカとヨーロッパ間の協調的防衛関係を維持するために作られた。第一次世界大戦および第二次世界大戦の勝利は、いずれもその紐帯があればこそ得られたものであり、ソビエトの強さとヨーロッパの弱さを考えれば、大戦が終わっても引き続き協力関係が必要だった。また、西ドイツを同盟システムに組み入れることで、ドイツの民主主義を支え、ドイツの過激なナショナリズムや軍国主義の再燃を防ぐ保険にするという役割もあった。理想としては、平時に作られたこの同盟関係が、冷戦を「冷たい」ままに抑え、西欧諸国の安全と自由と繁栄も守るというわけである。より簡潔に言うならば、NATOの目的は（当時、ある高官が巧みに表現したところによると）、「ソビエトを締め出し、アメリカを引き込み、ドイツを抑え込む」[5]ことだった。そして確かにこれらの目的を果たし、それ以上の成果を上げた。

第二次世界大戦後の第二の課題は、ヨーロッパ各国の復興だ。産業は再建が必要な状態にあった。大陸中に難民が発生していたし、数百万人が支援を必要としていた。支援は人道的および経済的に重要であるのはもちろん、政治的に必要なことでもあった。政治を安定させ、ソ連と足並みをそろえる共産主義の政党が力をもたないようにしておくためにも、経済復興のプロセスを始めなければならなかったのだ。また、安全保障の側面もあった。ヨーロッパを守りたいという意思や手段が各国にない状態では、集団的防衛に貢献することもできないからだ。

この課題を解決するために立てられた方針が、いわゆる「マーシャル・プラン」[6]である。アメリカ国務長官ジョージ・マーシャルが１９４７年６月に宣言した。主眼は欧州復興だ。ヨーロッパの経済成長が自立的に軌道に乗る状態までもっていくことを目的として、集中的に、しかしあくまで暫定的なものとして、援助が行われた（現在の金額で考えれば１５００億ドル相当）。

第二次世界大戦後のヨーロッパにおける第三の課題は、代償の大きい二度の大戦をもたらした状況への逆戻りを防ぐことだった。どちらの戦争も、その根幹には、ドイツと近隣諸国との衝突があった。だが、ドイツを弱体化させてしまったら、ヨーロッパ全体の安全および経済復興に対するドイツの貢献も制限される。ドイツを弱体化させず、なおかつ地政学的な対立関係の再燃を防ぐにはどうしたらいいか……。これが、１９４５年に終戦を迎えたあとのヨーロッパが直面していた問題だった。ドイツの軍事力を奪うと、第二次世界大戦後にそうだったように、ドイツの大衆がふたたび疎外されてしまう危険性もある。ベルサイユ条約で懲罰的な和平を強いたことで、ヒトラーの台頭を後押しすることになったのだ。

このジレンマを解決するアイディアとして浮上したのは、ドイツとフランスをできるだけ密接に結びつけ、次の戦争など考えられない関係にするという案だった。一般的にはフランスの政治家ロベール・シューマン[7]の功績だったとされている。ドイツは、民主主義で資本主義の西側と、ソ連が支配する共産主義の東側に分断されていたので、正確に言えば、シューマンの着想が適用されたのは西ドイツだ。西ドイツの経済、社会、政治制度を立て直し、自国民および近隣諸国に脅威となりかねない軍国主義的政権の再台頭を防ぐことを狙っていた。

その実現に向けた最初のステップが、欧州石炭鉄鋼共同体の結成だ。フランス、西ドイツ、イタリア、そしてベルギー、オランダ、ルクセンブルクが加わった（最後の3カ国を、Belgium、the Netherlands、Luxembourg の先頭の文字をつないでベネルクス Benelux と呼ぶこともある）。この共同体は、加盟国の石炭および鉄鋼産業を完全に統合することで、経済的な相互依存関係を作り出した。これが発端となって、その後の数十年にわたる欧州統合の取り組みが始まる。欧州石炭鉄鋼共同体が「欧州諸共同体（ＥＣ）」に進化し、のちに「欧州連合（ＥＵ）」が誕生した。このＥＵが時間をかけて加盟国を増やし、集団的統治の対象を経済政策と外交政策にも広げた。

ＮＡＴＯとワルシャワ条約機構[8]――ソ連が１９５５年に設立した同盟システム――との間で軍事力の均衡が成り立っていたことも、40年にわたる平和を維持した。核兵器がある限り、どんな紛争でもエスカレートすれば核戦争レベルになり、壊滅的な結果をもたらしかねない。その懸念が各国を慎重にさせたのである。一連の軍縮交渉で核戦力の制限に成功し、冷戦終結の頃にはこの制限が通常戦力（つまり核兵器以外の兵器）もカバーするという方針で正式に合意が得られたことによって、さらに安定が維持されることとなった。

この二つの同盟関係——アメリカが主導する西欧のNATOと、ソビエトが支配する東欧のワルシャワ条約機構——から、ヨーロッパの政治秩序をつかさどる合意も生み出された。1975年、ヘルシンキで開催された欧州安全保障協力会議の最終合意で、武力による脅迫または武力行使の不許可と、国境不可侵、すべてのヨーロッパ国家の領土保全の尊重、紛争の平和的解決、他国の内政に対する不干渉の原則を宣言したのである。このようなアプローチで対立を制御するからといって、それで平和が確実になったと結びつけることはできないが、通常戦争と核戦争のリスクが現実的だった時期に、これが安定の基盤となったことは確かだ。だからこそ、この40年間は冷戦と呼ばれる時代となった。

ヨーロッパ諸国間の平和を崩さず、一つのヨーロッパとして結びつけたというのは、第二次世界大戦後の重大な成果である。歴史の中で多大なる破壊の中心地だった地域が、こうして長きにわたる安定と繁栄を謳歌することとなった。ソ連と拮抗し野望を阻止する力をもったというのも一因だが、西ヨーロッパの急速な景気回復（マーシャル・プランの功績が大きい）と、西ドイツの民主化の成功、そしてヨーロッパ全般を網羅する制度の確立が進んだ結果でもあった。冷戦が終結し、共通の脅威が消えた後は、ヨーロッパにとっては安定と民主主義と繁栄を維持することが以前よりも困難になっている。

実際、ソ連崩壊がきっかけで、新たな課題が生じた。第1部でも書いたように、ソ連は実質的に二つの帝国だった。一つは内部帝国だ。支配的な国はロシアだが、それ以外に14共和国が集まり、それ以上の数の民族が存在していた。そしてもう一つは外部帝国で、もっぱらソ連が支配する東欧数カ国で構成されていた。冷戦終結後に起きた一連の抗議活動や紛争は、ソビエト継承をめぐる戦争だったと言えるのかもしれない。ロシア政府内に分裂が生じ脆弱になっていたせいで、それまで内部帝国と外部帝国それぞれにくすぶる民族主義勢力を抑えつけていた糊は、ほとんど剝がれていた。

1991年末の時点で、ソ連の存在は完全に消滅した。残ったのはロシアを含む15の独立国だ。また、この頃には東欧諸国が名実ともに独立国となり、多くが最終的にNATOとEUに加盟した。こうした変化のほとんどは血を流さずに実現している。ただし、旧ユーゴスラビアの解体に伴って生じた戦いは、重大かつ狂暴な例外だ。一連の民族紛争の最中に、NATOは1995年にボスニア、1999年にコソボへの軍事介入を行い、平和維持軍や外交や経済的・政治的制裁ではなしえなかった成果を出した。ボスニアでの紛争は、1995年後半にデイトン合意をもって終結している。コソボは2008年にセルビアからの独立を宣言した。現在もコソボで活動している国連平和維持部隊の存在もあって、それ以降は不安定ながらも平和が広がっている。

民族紛争への対応に加えて、ヨーロッパはどの程度の統合が望ましいのか、どの程度の統合が自国民にとって政治的に実現可能なのか、各国政府は手探りを続けている。一番よい表現としては、ヨーロッパを「諸国を統合したヨーロッパ（the United States of Europe）」と見るのか、それとも「ヨーロッパとして統合した諸国（a United Europe of States）」と見るのか、対照的な二つのビジョンをめぐる議論と言えるだろう。

前者の「諸国を統合したヨーロッパ（ヨーロッパ合衆国）」という表現は、それぞれの首都にある国家政府が支配権をもつ状態から、ブリュッセルにあるＥＵ本部が超国家的支配権を握る状態へ、移行が進むことを意味している。実際、その方向に向けて数々のステップがとられてきた。最も重大な発展は、欧州諸共同体（ＥＣ）に加盟する12カ国のリーダーたちが、１９９２年初めに「マーストリヒト条約」[10]に署名し、欧州連合（ＥＵ）を創設したことだ。ＥＣとＥＵの違いの一つとして、後者には共通の外交・安全保障政策という「柱」があり、場合によっては加盟国の外務省ではなくＥＵが動くと定めていた。

経済的な面では、マーストリヒト条約で共通通貨「ユーロ」が創設された。１９９９年に通貨として導入され、２００２年から紙幣と硬貨の流通が始まった。それに先んじて１９９３年の時点で単一のＥＵ市場が成立し、国境を越えた財やサービスや人の自由な移動が確保された。その数年前に設立された、いわゆる「シェンゲン圏」（シェンゲン協定の交渉が行われたルクセンブルクの都市の名前に由来する）でも、人の移動に関して、ＥＵ内での国境を実質的に撤廃している。ＥＵへの政治的統合も進み、加盟国は[11]12カ国から、１９９５年には15カ国、２００４年には25カ国、そして２０１３年にはクロアチアが加わって28カ国になった。

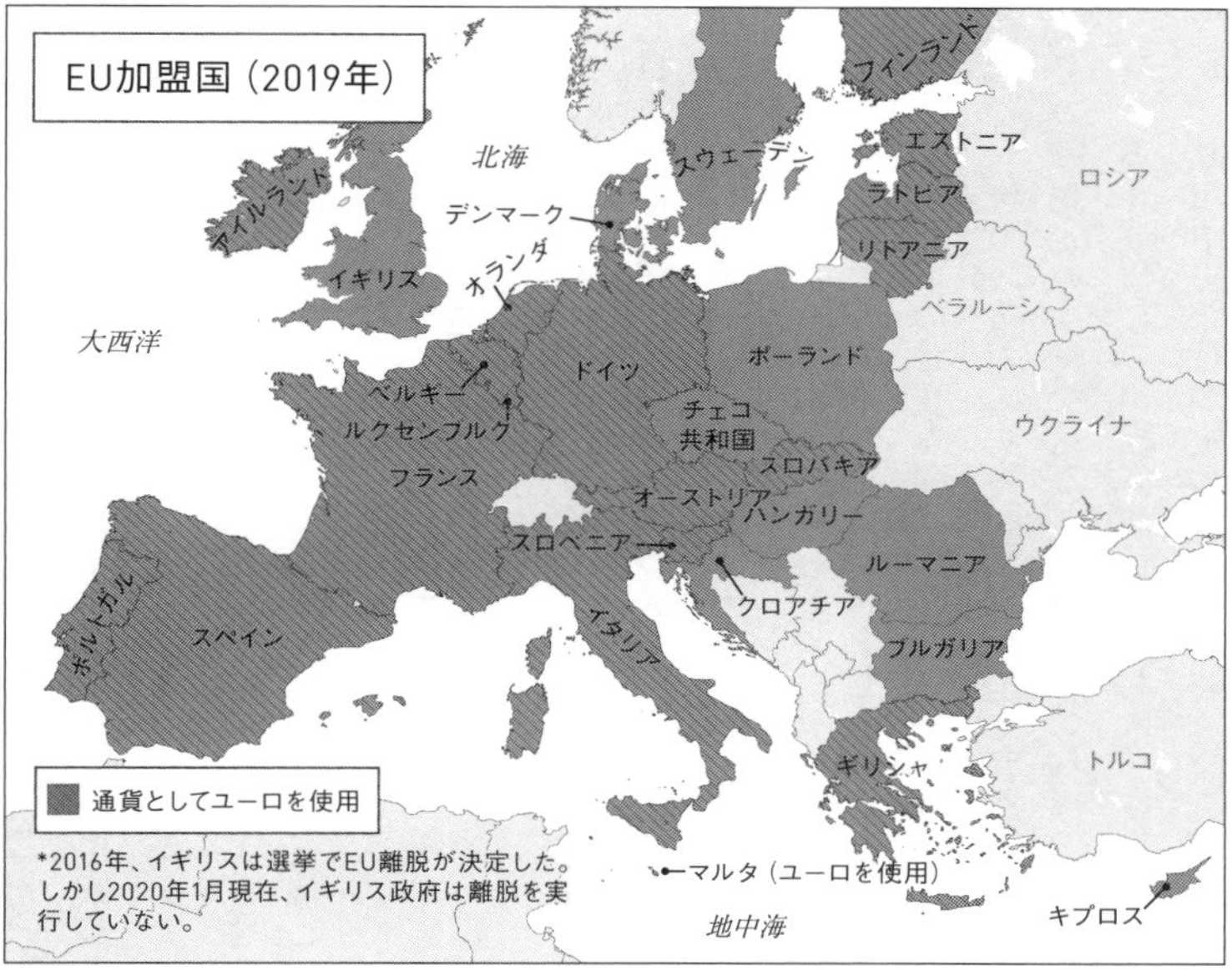

だが、多くの人々にとって、「諸国を統合したヨーロッパ」を構築するという企ては、諸手をあげて賛同できるものではなかった。ナショナル・アイデンティティや主権の喪失、また国境をまたぐ自由な人の移動によってもたらされる影響を不安視していたからだ。この「限りなく連合体に近い」形に代わる別の選択肢とされているのが、先ほど挙げた「ヨーロッパとして統合した諸国」である。こちらのコンセプトでは、各国政府とEU本部との関係は、より加盟国のほうに重みがある。これを最も明白に体現している例はイギリスだろう。ブリュッセルへの権力集中を阻止する筆頭者だ。イギリスは1973年にECに加盟したが、共通通貨は導入せず、イギリスの通貨

を維持した。２００５年にはフランスとオランダでも、新たな欧州憲法の批准が否決された。ＥＵ本部は非人間的で説明責任を果たさない官僚機構だとみなされるようになっていたので、そんなＥＵ本部に対し、政府の権力をさらに移譲することになる新憲法に拒否を示した[12]のである。そして２０１６年のイギリスでは、わずかに過半数を超える有権者が[13]、国民投票においてイギリスのＥＵ離脱（ブレグジットと呼ばれる）を支持した。

経済的課題と政治的課題

冷戦後のヨーロッパの現実は、ＥＵを強く支持する人々の希望を満たしていない。自国政府とＥＵ本部の適切な権限配分について、平均的市民もエリート層も関心をもっているが、ＥＵのリーダーには押しの弱い者ばかりが続き（ＥＵには押しの弱い指導者を置いておきたい各国政府の指導者たちが選んでいるのが一因だ）、また一部の政府が防衛のために大々的なリソースを注ぐことに否定的だったり、あるいはＥＵから得た資本を効率的に使おうという意思がなかったりするせいで、ＥＵの存在意義は空回りしている。そして、各国政府は外交政策と防衛政策の主導権を頑なに守ろうとしている。情報共有と法執行の面でも国家間で連携がとれていない。安全保障面での協調という点で見ると、ヨーロッパは、本来の力を出せていない状態だ。

いっそう深刻なのが経済的状況である。ヨーロッパ全体の経済成長率は低い。ユーロ圏の19カ国[14]が、欧州中央銀行が定めた共通の通貨政策を用いつつも、財政政策（税収と支出）は自国で定めているという現状のせいで、多くの問題が生じている。たとえば、目下のところEU最大の経済圏であるドイツは、多額の財政黒字の維持を主張している（過去の経験から、インフレの引き金となりかねない動向には強い拒否感をもっている）。EUとして景気刺激策をとるならば、ドイツはそれなりの赤字を呑むことになるので、当然ながらドイツは景気刺激策には反対だ。また、アメリカには特定の金額まで個人の預金を保護する銀行メカニズムがあるが、EUとしてはそのメカニズムに相当するものは存在せず、[15]各国が独自に対応している。その負担に加えて、ヨーロッパは高齢化が進んでおり、[16]子どもまたは老人を支える生産年齢人口の比率が縮小している。

経済の停滞、不平等の拡大、中東からの移民流入に対する懸念が広がった結果として、ポピュリストの運動が活発になっている。今では少なからぬヨーロッパ人が、EUに権力を集中させない「ヨーロッパとして統合された諸国」のビジョンよりも、さらに統一性が弱く、いっそう国家主義の強いビジョンのほうを支持するようになっている。

地政学

案の定、ヨーロッパに対するロシアの脅威[17]は再燃した。ソ連が冷戦に敗れ、東欧で支配していたソ連外部帝国が解放され、そしてソ連自体も内部分裂したという経緯を考えれば、こうなるのは避けられなかったのかもしれない。ロシアは、ソ連に属していた人口のおよそ半分、国土の4

分の3を占めている。国連安全保障理事会に常任として議席をもち、膨大な核備蓄を有し、通常戦力とサイバー資産も驚くほどに開発しているが、名実ともに大国とは言い難い。どちらかと言えば形の上での大国だ[18]。経済規模で言えばカナダと同程度で[19]、エネルギー資源にかなり依存しており[20]、これは一般的には開発途上国に見られる状況である。人口は過去20年間にわたり減少傾向で[21]、男性の平均寿命[22]は67歳と短い。アルコール依存症、ドラッグ、犯罪、そしてお粗末な公衆衛生体制の結果だ。権力はウラジーミル・プーチンという個人に極度に集中している。プーチンは、国内のほぼすべての機関から独立した権限を奪い取っている。

ロシアとアメリカ、そしてロシアとヨーロッパの大半とが緊張関係になった大きなきっかけは、NATO拡大の判断だった。拡大は1990年代後半にクリントン政権のもとで始まり、その後の歴代アメリカ大統領によって推進されていった。一つの戦略的文脈のもとで生まれた同盟関係(NATOは冷戦という文脈のもと、ソ連およびワルシャワ条約機構によるヨーロッパ侵攻への抑止・防衛のために形成された)が、その文脈が変わり、当初のミッションが消滅した後にも継続するというのは、歴史的に見てもめずらしいことだ。問題は、NATOは存続できるのか、存続すべきなのか——言い換えれば、当初の結成目的に成功したからには解体するのが当然ではないのか、という点だった。

結局、主に新たなミッションに臨むという、新しい戦略的文脈のもとでNATOは存続することとなった。当初の条約が含んでいたのはヨーロッパ大陸の大半だったが、新たなミッションの一つは、その地域の外に目を向けることだった。位置こそ「圏外」であるものの、NATO加盟国の利害に深く関係している国々だ。こうしてNATOは、バルカン半島、アフガニスタン、中東とアフリカの一部における一種の介入勢力へと転身した。カバーする範囲が広がることで、安全保障上の共通の懸念を軸とした従来ながらの同盟というよりも、比較的同じような考え方をした国家が集合し、それぞれがケースバイケースで共同行動を起こすかどうか判断する状態になった。つまり、NATOとしての共同行動に参加するかどうかは、関与している国々がもっぱら自主的に判断するというわけだ。

もう一つのミッションは、新たに解放された(ドイツの場合で言えば、新たに統一された)国々を集約し支える機関になることだった。チェコ共和国、ハンガリー、ポーランドはいずれも1999年に加盟している。ロシアがふたたび幅を利かせて近隣諸国を圧迫する伝統を取り戻すのではないか、という可能性に対し、NATO加盟が保険になるという期待があったことが大きかった。

こうしたNATO変遷のプロセスに対し、ロシアは不満をつのらせた。第一に、ロシアとNATOは旧ユーゴスラビアで起きた危機では真っ向から対立している。NATOは、コソボ紛争でセルビアへの空爆に対する政治的後ろ盾と軍事的支援を提供したが、政治的、歴史的、宗教および文化的理由からセルビアに同情的だったロシアは、これに反発した。第二に、ロシアの近隣諸国の大半が、ロシア政府から見て好ましくない同盟に加わっていくのも看過しがたいことだった。冷戦終結とソ連崩壊の顚末に屈辱を感じていた[23]ウラジーミル・プーチンは、NATO拡大をロシアに対する侮辱、そして脅威[24]だとみなした。ロシア人の多くが同意見だった。NATO拡大がなかったら、ロシアとの関係がどう進んでいたか、知るすべはない――そしてＮＡＴＯ拡大がなかったら、ヨーロッパの安全保障と安定がどう悪化していたかも、知ることはできない。私の見解としては（アメリカの外交政策の世界においては少数派の見解だが）、ＮＡＴＯ拡大は間違いだった。東欧諸国をＮＡＴＯに取り込まなくても、別の方法で、そうした国々の安全保障問題は解決できたのではないかと思っている。この問題の議論には数十年かかるかもしれないが、とはいえ、私たちは今の現実に生きているのであって、やり直すわけにはいかない。はっきりわかっているのは、プーチンのもとでのロシアが徐々に、しかし確実に、アメリカが主導するリベラルな世界秩序に加わることへの関心を失っている[25]という点だ。それどころか、プーチンのロシアはリベラルな世界秩序の転覆をいっそう模索している。

ロシアと、ヨーロッパ諸国およびアメリカとの関係は、２００８年にロシアがジョージア介入を決めたことで、ますます亀裂を深めた。ジョージアは旧ソ連の共和国で、その後に独立した国家だ。ロシアは、ジョージア国内で二つの勢力が衝突したのを見て、分離独立派に資金と武器を供給し、最終的には軍隊を送り込んで加勢した。だが、プーチン率いるロシアと、西側の批判派とのあいだで最も顕著に見解が割れたのは、ウクライナに関する問題である。ウクライナも旧ソ連に含まれていた共和国で、１９９１年に独立した。ロシアは、ＥＵとウクライナが緊密な紐帯を結ぶことを恐れた。特に、その結びつきによってウクライナに対するロシアの影響力が薄れ、ウクライナのＮＡＴＯ加盟の後押しとなることを懸念していた。緊迫した状況となったのは２０１３年後半のことだ。ウクライナの首都キエフで数十万人が抗議デモに参加し、ＥＵとの紐帯に背を向けた親ロ派の大統領を失脚させたのである。独裁的な大統領が、EUかNATO、あるいは両方への加盟を望む国民の抗議によって追放されたという衝撃的な経緯は、明らかにプーチンにとって、事態はもう抜き差しならないと確信する証拠だった。

衝突はすぐに起きた。舞台はウクライナ領のクリミアだ。かつては旧ソ連のロシア共和国の一部だったため、住民は過半数がロシア系で、1954年にウクライナ共和国の一部となったばかりの土地である。衝突は一気にエスカレートした。ロシアから供給された兵器で武装し、ロシア兵の支援を受けたクリミア内のロシア系勢力[26]が、地域を制圧した。数週間のうちにロシアがクリミア併合を決め、住民投票で圧倒的大多数の支持も取りつけた。アメリカと主なヨーロッパ諸国の反応は、住民投票は虚偽であるとして認めず[27]（親ロ派の武装勢力がほとんど支配した地域で実施されたため）、ロシアへの政治的・経済的制裁を発動することだった。軍事的制裁は選択肢になかった。ウクライナがNATO加盟国ではなかったからだけでなく、ロシアと国境を接した弱小国の領土のために戦うのは困難でリスクも高かったからだ。だから軍事的制裁のかわりに、よくある道として、経済制裁のほうが外交の武器として好まれたというわけだった。見込みのない外交を続けるよりは重みのあるステップだが、軍を出すことを考えれば、はるかにコストがかからない。ただし問題は、数々の歴史が教えているとおり、重要な事柄をめぐる政府判断を制裁で変えさせることはめったにできない、という点だ。

ウクライナの情勢不安はクリミア問題だけではなかった。ロシアの物資および兵士（国籍を隠すため正規の制服は着ていなかった）は、ウクライナ東部の地域にも入り込んでいた。ロシアとの国境に接する地域で、住民のうちロシア系はごくわずかしかいない。ウクライナ軍と、ロシア軍の支援を受けた地元の武装勢力による低強度の争いは、ここで今も続いている。これまでに亡くなった人の数は1万3000人だ。[28] 2015年初めには、ロシア、ウクライナ、フランス、ドイツが署名したミンスク議定書で戦闘停止と政治的合意がまとまったのだが、完全には遂行されていない。合意内容の一部または複数の点を順守していない、と互いが互いを非難している。

こうした事態は、人口4500万人ほどの国であるウクライナがなぜそれほど注視すべき存在なのか、という理由と結びついている。ここで起きたことが理由で、今も近隣諸国を圧倒する軍事力を備えたロシアという国に対する認識や、他国との関係に、大きな変化が生じてしまったのだ。多くの識者が冷戦終結で終わったと思っていたヨーロッパの軍事的様相も再浮上した。そしてロシアはみずからの行動のせいで政治的・経済的な代償を負った。主要国首脳会議（G8）から除外され、アメリカから莫大な経済制裁を受けている。だが、こうした懲罰的措置を受け、さらに2018年にはアメリカがウクライナに防衛兵器を提供する決断をしてさえも、ロシアが国内では高く支持されている対ウクライナ政策を覆すことはなかった。2015年からはシリアにも軍事介入している。ウクライナと違って、これはシリア政府から要請を受けたものだったが、残忍な侵攻であったことには変わりない。さらには2016年のアメリカ大統領選にも、EU離脱を問うイギリスの国民投票を含め[29]ヨーロッパ各地のさまざまな選挙にも、ロシアは妨害工作を行った。[30] 2018年にはウクライナが面する海域の領有権を主張した。[31] こうした結果として、米ロ関係（ヨーロッパの大半とロシアとの関係も）は急激に悪化した。

今後の見通し

前述のとおりヨーロッパは、世界で最も見通しのつく安定した地域――アメリカの政治学者フランシス・フクヤマが１９８９年に出版し多大な影響をもたらした論文の表現を借りれば、歴史が真の終わりを迎えた[32]と見えた地域――から、劇的なほど大きく性質の異なる[33]地域へと、短期間で変貌を遂げた。民主主義と繁栄と平和は、どれもがっちりと根づいたように見えていたのだ。ところが今はもう、そうとは言えない。すでに解決済みと広く認識されていた物事の大半が危うい状態だ。

こうした展開になった理由を一つの説明で語ることはできない。今まさに繰り広げられている状況としては、左派と右派、両方におけるポピュリズムが台頭している。左派においては、賃金停滞と、所得不平等の拡大と、エリートへの嫌悪感に対する答えがポピュリズムだった。右派においては、国内外の変化のさなかで広がるナショナリズム、特に移民に対する反感によって、ポピュリズムが焚きつけられている。一方でＥＵに対する大衆の信頼は薄れる一方だ。イギリスの離脱で、さらにＥＵの弱体化が進むと考えられる。

これが由々しき事態であるのは疑いようもない。ヨーロッパは現在でも、世界経済の４分の１を占める。世界で最も多くの民主主義国家で構成された地域であり、そうした国々の多くは、世界をよりよい場所にしていきたいという意思をもっている。そのヨーロッパ大陸で秩序が崩壊すれば、どんな代償を支払わされることとなるか、20世紀に証明済みだ。21世紀におけるヨーロッパの針路は、かつては平和と繁栄に向かっていたはずだったのに、今は先行きが不透明になっている。

東アジア太平洋地域

東アジア太平洋地域（本書でも、そのほかの多くの場面でも、「アジア」と呼ぶことが多い）は、対照的とはこういうことか、と学べる好例でもある。この地域に含まれる31カ国[1]には、世界で最も多い人口、およそ14億人が居住する中国[2]（人口はいずれインドに抜かれる可能性があるが）が入っているかと思えば、住民1万3000人ほどの島国ナウル[3]も入っている。同様に、中国は世界第2位の規模を誇る経済圏で[4]、年間生産高は13兆ドルを超える（2000年から比べると11倍以上）が、ナウルは1億ドルをちょっと超える程度だ。また、アジアは第二次世界大戦、朝鮮戦争、ベトナム戦争の過酷な主戦場となったが、過去40年間は比較的平和で安定し、今もその状態を維持している。一方で、この地域に含まれる多くの国が軍事力を増大させており、領土問題も少なからず生じており[5]、歴史的な敵対意識も深く根づいている。

政治システムは多様で、日本、大韓民国（韓国）、台湾、オーストラリア、ニュージーランド

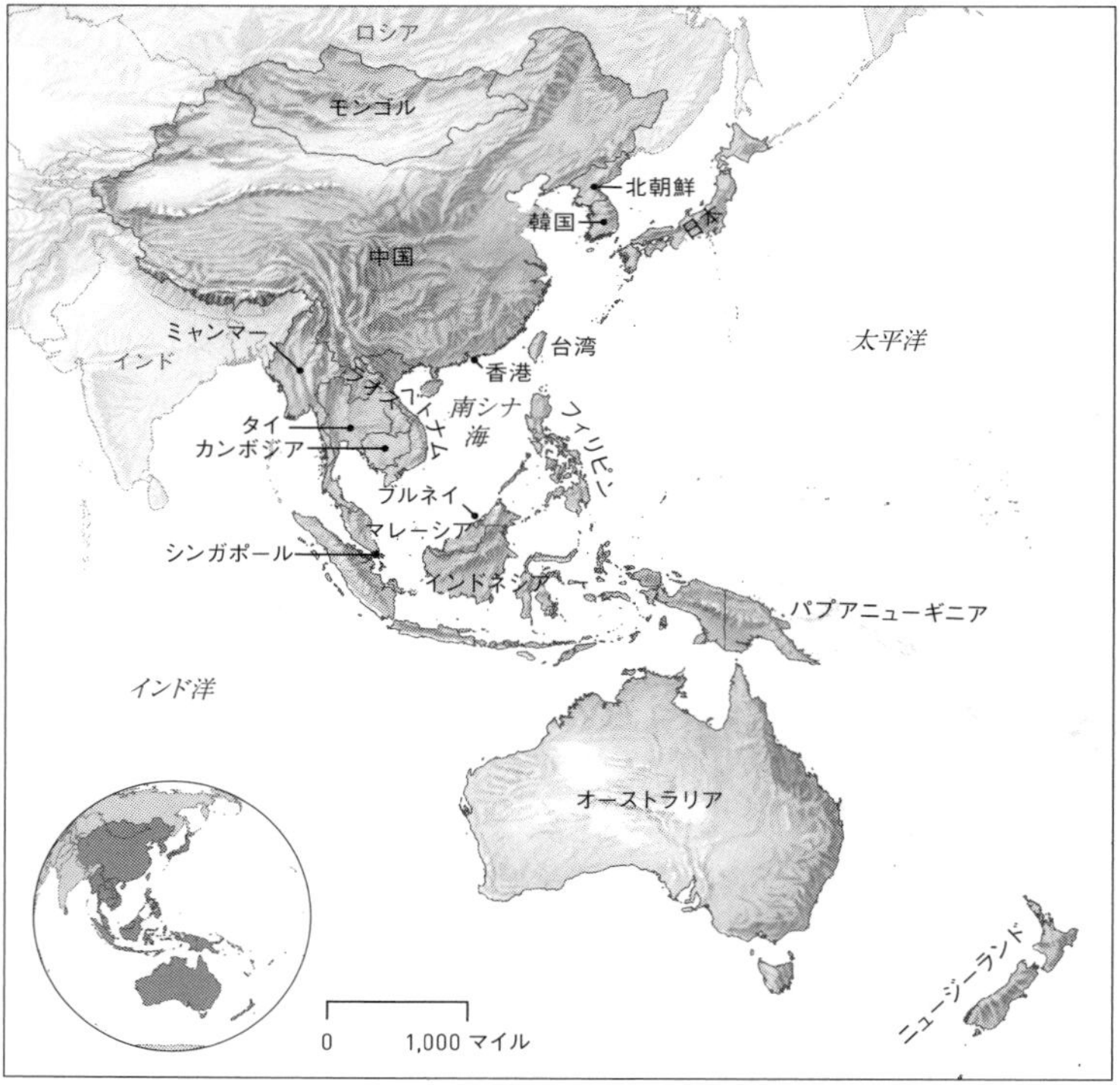
ロシア
モンゴル
北朝鮮
韓国
日本
中国
ミャンマー
インド
台湾
香港
太平洋
タイ
カンボジア
ベトナム
南シナ海
フィリピン
ブルネイ
マレーシア
シンガポール
インドネシア
パプアニューギニア
インド洋
オーストラリア
ニュージーランド
0
1,000 マイル

はいずれも堅牢な民主主義を確立しているが、中国は断固として権威主義だ。北朝鮮（正式に言えば朝鮮民主主義人民共和国）は、世界で最も閉鎖的で抑圧的と言われる政権によって統治されている。そして、この両端のあいだにある国も多い。フィリピンは民主主義だが権威主義に後退しつつある。タイはかつては民主主義だったが、今は軍によって統治されている。ミャンマー（ビルマ）は最近になって民主主義へ向かう道のりを進んでいるが、その歩みは立ち往生しているように見える。

そのほかの世界と比べると、アジア域内での戦争はかなり少ない——1962年に中国とインドが国境をめぐって戦った紛争と、1979年に中国・ベトナム間で起きた限定的な戦争は例外だが。これが驚異的である理由は、この地域が、世界のどこと比べても領土問題の多い地域でもあるからだ。しかも、少ないのは国家間の紛争だけでなく、国内における情勢不安も、他の地域と比べればほとんど見られない。ナショナル・アイデンティティが強いことが主な理由だ。多くの国が民族的にほぼ均質な状態に近い。

経済動向は安定した上昇傾向にあり、いまや世界の生産高全体の3分の1[6]をわずかに下回るほどの製造力を誇る。政治や経済面では、いくつか強固な地域機関が確立しており、その筆頭が東南アジア諸国連合（ASEAN）[7]、そしてアジア太平洋経済協力（APEC）グループだ。後者では、21カ国が参加するフォーラムで[8]、貿易振興について協議している。

この地域に含まれる国は、まず主に東アジア（中国、日本、韓国と北朝鮮、台湾）、そして東南アジア（インドネシア、マレーシア、フィリピン、シンガポール、タイ、ベトナムを含む11カ国。人口は合わせてアメリカのほぼ2倍[9]で、全体でのGDPは[10]フランス、イギリス、インドと並ぶ）、それからオーストラリア、ニュージーランド、そして小さな太平洋諸島諸国だ。だが、政治と経済と安全保障については、どの国もアジアの境界線、太平洋の境界線、あるいはその両方の向こうにいる外国、具体的にはアメリカやロシアやインドから大きな影響を受けている。事実、世界のどの地域よりも、アジアは現代の主要国が定期的かつ直接的に、次から次へと踏み込んでくる場所でもあるのだ。

歴史

20世紀の混乱のあと、アジアが現在のような成功を勝ち得たのは、決して当然の流れではなかった。この地域の大半は、第二次世界大戦前および大戦中に、日本軍による過酷な占領を受けている。その日本も１９４５年8月中旬には敗戦国、被占領国となった。中国は第二次世界大戦後に激しい内戦で苦しんだ。蔣介石が率いる国民党——主に反共産主義で、政治的には権威主義で、裕福なエリート層に利する経済政策をとる——と、毛沢東率いる共産党——圧制政治で、財産の私有を否定する——が激しくぶつかったのである。この紛争は4年以上続いたが、やがて共産党が優勢となり、中国大陸全般の支配を主張するようになった。国民党はフォルモサ島、今は台湾と呼ばれる島へと撤退した。

アジアは冷戦勃発における初期の舞台でもある。第二次世界大戦終結後、朝鮮半島は北緯38度線にほぼ沿う形で分断された。ソ連と中国を後ろ盾とする北朝鮮は、1950年6月に韓国を侵略し[11]、たちまち韓国の大半を制圧した。アメリカは、新設されたばかりの国連の支援のもとで行動を起こし(これが安全保障理事会の決議で承認された理由は、ソ連が、中国の議席を占有している台湾への抗議として、国連をボイコットしていたからだ)、多くの国々とともに仁川で大胆な上陸作戦を遂行し、戦略的風向きを逆転し、数カ月のうちに38度線から南の全領土を解放した。

ハリー・トルーマン大統領とダグラス・マッカーサー最高司令官は、韓国解放のあと、武力によって朝鮮半島の再統一を図るという致命的な決断をした。中朝国境へ向けて北進していたアメリカ軍は、中国の「人民志願軍」[12]、実際には本物の兵士だった敵と遭遇し、撤退を余儀なくされる。熾烈な争いが3年続いたのちに、戦争開始前の状態、すなわち38度線に沿って二国を分けるという状態で落ち着いた。この戦争の経済的コストは莫大で、数千億ドルにのぼった。人的コストはさらに甚大で、アメリカ兵およそ3万7000人が戦死[13]し、北朝鮮と韓国で350万人が死傷[14]した。公式な平和条約が調印されることはなく——このとき設けられた休戦協定が現在でも効力をもっている——それ以降の北朝鮮と韓国は、本格的な武装を解除しない不穏な膠着状態のままだ。終戦後もアメリカ軍が韓国に駐屯し、北朝鮮による朝鮮半島の武力統一を阻止する目的で、現在でもおよそ3万の兵士を置いている。

アジアではほかにも多数の紛争が起きたが、最も代償が高くつき、最も長引いたのは、ベトナムにおける戦争[15]だ。ベトナムは第二次世界大戦前はフランス領だったが、大戦中に日本の領土になった。日本軍が敗北すると、フランスはふたたび領土支配に乗り出した。こうして勃発したのが、ホー・チ・ミン率いるベトミン（ベトナム独立同盟）が独立を求めて起こした戦争だ。1954年のディエンビエンフーの戦いでフランス軍が敗北し、ジュネーブ会議で休戦協定が締結されたが、冷戦の事情のほうが現地の事情よりも優先された結果として、ベトナムは共産主義の北部と非共産主義の南部に分断された。アメリカとしては、どうしても南部のほうを生き残らせなければならない。ベトナムが共産主義の北部によって統一されたら、アジアの他の国もドミノ倒しのように、同じ運命をたどるのではないかと恐れたからだ。

分断の結果として1960年代初期に始まった戦争は、10年以上も続いた。これは南ベトナムにおける内戦（南のベトナム共和国の政府軍と、同国内の共産主義ゲリラ、いわゆるベトコンとの内戦。前者はアメリカの支援を受けていた。後者ベトコンは、北のベトナム民主共和国およびソ連と中国にバックアップされていた）であると同時に、ソ連と中国の支援を受けたベトナム民主共和国の正規軍とアメリカ軍による国家間戦争でもあった。アメリカの関与は、南ベトナムに対する莫大な経済的・軍事的援助や、軍事顧問団の投入から、最終的には地上軍の派兵に至り、ピーク時にはおよそ55万のアメリカ兵がベトナムで戦っていた。さらにアメリカは北ベトナムの標的と、南部で戦うベトコンへの物資供給に使われていた近隣諸国のルートに対し、空爆も実施した。

この戦争がもたらした人命と経済における損失は莫大だった。戦時中のアメリカでは徴兵制に対する不満も広がった。南ベトナムの政権にも腐敗と、権威主義となりやすい性質があった。そのうえなかなか勝機が見えないせいで、ベトナム戦争に対する不支持がアメリカ国内で拡大し、全国で反戦活動が広がった。私と同年代の者の多くにとって、これは人生観を変える出来事だった。私自身が初めて政治にかかわる体験をしたのも、１９７０年5月、オハイオ州オバーリン（そこで大学に通っていた）からワシントンまで赴き、10万人以上とともに戦争反対の大行進に参加したことだ。オハイオ州のケント州立大学の学生が、カンボジアにおける米軍の爆撃と戦争行為拡大に抗議するデモを行い、州兵によって４人が殺されたことを受けて、その数日後にワシントンで抗議デモが開催されたのだった。

こうした反発を背景に、リチャード・ニクソン第37代大統領とヘンリー・キッシンジャー大統領補佐官の指揮のもと、外交による解決の道を探るべく、アメリカと北ベトナムの外交官による会合で紛争終結の交渉が進められた。１９７３年1月にはパリ和平協定が結ばれる。ただし、この協定はアメリカに、面子を保ったまま紛争から撤退する理由を与えただけで、紛争終結とはならなかった。１９７５年、南ベトナムへの援助をすべて打ち切るアメリカの議会判断があったあと、南ベトナムの政府は崩壊し、北側の共産主義政府によって即座かつ残忍に統一されたのだった。

朝鮮戦争と同じく、この戦争の代償は、どの尺度で見ても恐ろしいものだった。5万8０００人のアメリカ兵が戦死した[16]。１００万人以上のベトナム人兵士[17]および民間人も命を落とした。経済的損失[18]は計算できないが、1兆ドル近かった（現在のドルに換算すれば）。皮肉と言わざるをえないが、それから数十年がたった今、アメリカと、統一され今も共産党によって支配されていれ、中国の目論見についてアメリカと共通の懸念を抱いていることの表れだ。るベトナムは、比較的緊密な関係を保っている。ベトナムが、より市場主導型の経済を受け入

アジア経済の奇跡

こうした二度の戦争と、より小さなものも含めれば数えきれないほどの紛争があったにもかかわらず、第二次世界大戦以降のアジアが経た変化は、まさに奇跡としか言いようがない。アジア地域全般の平均寿命は1960年の時点で48歳[19]だったが、半世紀後には75歳に伸びていた。日本、韓国、台湾には堅牢な民主主義が根づいた。しかし、最大の奇跡が起きたのは、経済である。この地域にある国々の多くが、長期にわたる高度経済成長を謳歌した。「アジアの四匹の虎」と呼ばれた4カ国・地域――香港、シンガポール、韓国、台湾――は、1960年代前半から1990年代いっぱいまで、年間経済成長率が平均6%を超えていた。[20]世界平均よりも相当に高い。アジア地域全体としても、人口一人当たりの実質国民総生産（GDP）[21]は1960年には130ドルだったが、2018年には1万ドルを超えている（2010年のUSドルを基準として）。

これほどの経済的成功が実現したのにはさまざまな理由があり、当然ながら国によって経緯は異なる。とはいえ、もっぱら共通していたのは、強固な政治的安定と、勤労を礼賛する文化、そして教育への投資[22]が見られたことだ。外的な要請により自由貿易が推進されたことも、ここ半世

経済成長：アジアの虎

一人当たり実質GDP（2011年USドル）

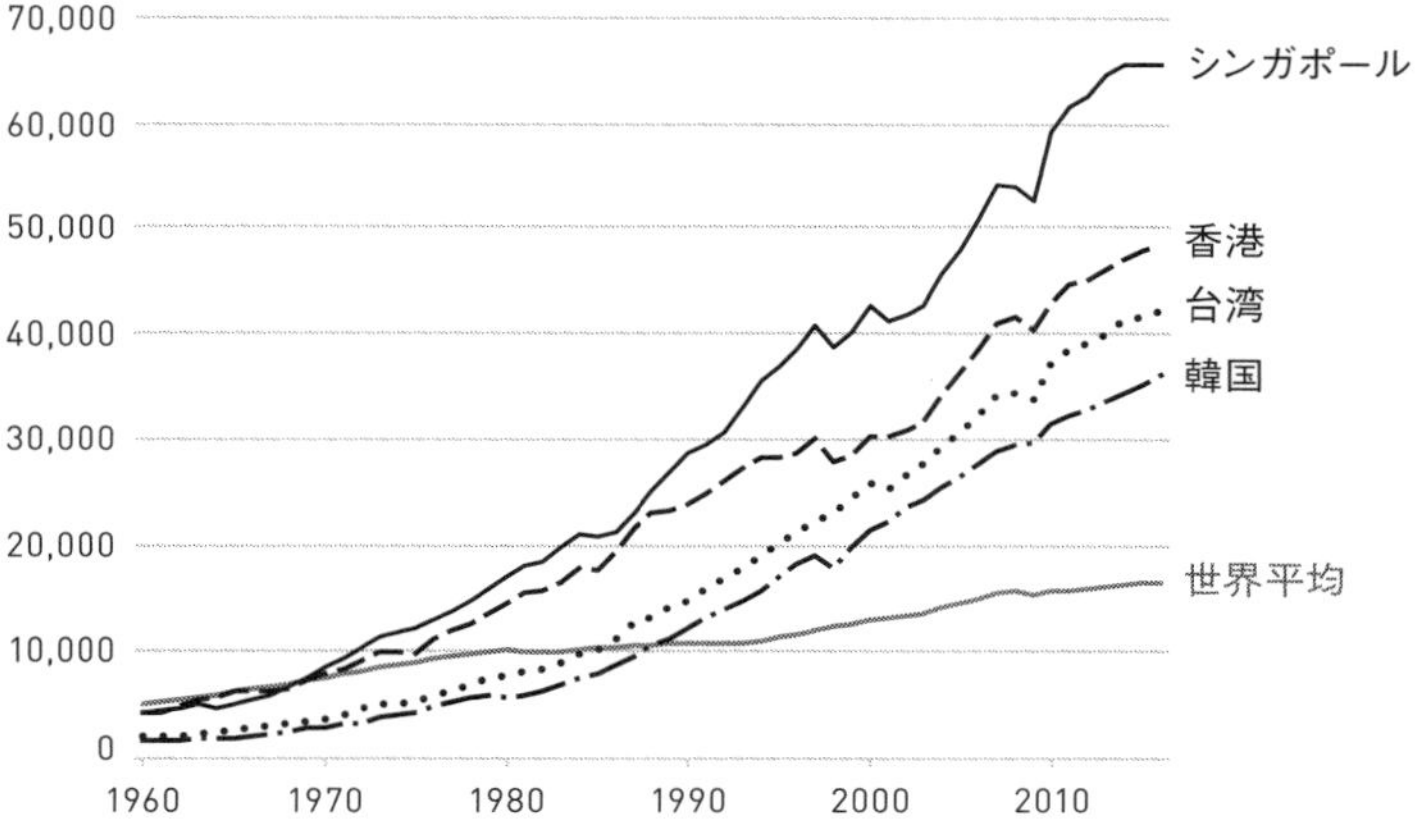

出所：Maddison Project Database, version 2018. Bolt, Jutta, Robert Inklaar, Herman de Jong, and Jan Luiten van Zanden （2018）, “Rebasing ‘Maddison’: New Income Comparisons and the Shape of Long-Run Economic Development,” Maddison Project Working paper 10.

紀ほど紛争がほぼ起きていないことも、成長を後押しした。

　この経済の隆盛に対するアメリカの貢献もぜひ指摘しておきたい。アジアの奇跡には、少なからぬ範囲で、アメリカの関与と寄与があった。第二次世界大戦後、アメリカが同盟国に対して行った援助は莫大なもので、そうした国々の将来的な経済的成功の土台作りになったからだ。オーストラリア、日本、フィリピン、韓国、タイを含むアメリカの同盟システムが、朝鮮半島における新たな戦争や台湾に対する中国の武力行使を阻止し、核兵器拡散を思いとどまらせ、市民のために犠牲になる覚悟をもった職業軍隊制の導入を後押しした。自由貿易に対するアメリカのサポートと、外国製品受け入れの態勢が、多くの国にとって輸出を中心とした経済発展と成長のメカニズムとなり、国民の生活水準を大きく引き上げさせることにつながった。民主主義と人権に関するアメリカの支援——そして、同盟国に対し、政治改革を実施し開かれた社会にしていくことを求める圧力——が、多くの社会の進化を後押ししたのである。

数カ国については特に説明をしておきたい。まず日本だ。日本はアジアのサクセスストーリーの第一号だった。わずか2世代のあいだに、敗戦した帝国軍事国家から、民主主義が機能する国へと進化して[23]、さらに長らく続いてきた一党優位制を脱した。製造力を大きく伸ばし[24]、世界第2位の経済の座を長期にわたって維持し、今も3位の規模を誇っている。そして社会における軍の役割を制限した憲法を尊重している。同様に韓国も、権威主義的システムから真の民主主義へと進化した。経済の規模は現在、世界第10位だ。

中国は根本的に異なる道を進んだが、目を見張るほどの結果を出しているという点では決して引けをとらない。中国共産党が権力を握って約70年になるが、その間に中国の年間経済生産高は1億ドル未満から13兆ドル以上へと成長した。毛沢東政権下では経済が行き詰まり、近代史でも最悪の人為的な飢饉を経験している。1958年から1962年に、いわゆる「大躍進政策」で農地の私有を禁じ、農業を強制的に集約化したが、この政策は欠陥だらけで圧倒的な失敗に終わり、結果的に飢饉が広がって、推定3000万人から5500万人を死に至らしめた[25]。さらに大躍進政策に続く文化大革命（1966－1976年）でも、中国社会から伝統的価値観の多くを排除しようと試み、数えきれないほどの人々の生活を踏みにじった[26]。数千万人に都会での家と仕事を捨てさせ、経済的および政治的自由を完全に喪失させ、辺境での過酷な生活を強いたことによって、経済と社会を広範にわたって破壊する結果となった。1970年代後半になって毛沢東が死去し、トップの座に就いた鄧小平が限定的ながらも市場改革に取り組んだことで、ようやく中国は進むべき道を見つけることができた。この変化のおかげで、数億人の中国人が貧困を脱出している。

地政学

とはいえ、この地域に課題がないわけではない。最も顕著なのは地政学的課題だ。特に中国の台頭に伴う問題が大きい。中国はあまりにも広く、裕福で（全体としては）、パワフルなので、多くの面で域内諸国にとって自国だけでは対処しづらい存在だ。アメリカの同盟国である日本、韓国、オーストラリアにとって、中国は主たる貿易相手国だ。中国との関係とアメリカとの関係のバランス[27]をどうとればいいのか。安全保障に関しても、アメリカにどの程度まで頼り、どの程度まで自立性を強め、どの程度まで中国に歩み寄るのか、といった問題も考えなくてはならない。

中国がそのパワーをどう使っていくのか、それに対し他国がどう反応するのか、先行きは見えてこない。現在の中国は一方的に、みずからの認識を断固として押し出す形で行動し、南シナ海における軍事力を増強することで、そこでの領有権を主張している。その領有に関しては近隣諸国の多くが異を唱えており、近隣以外の国（アメリカなど）も、アジア地域に軍を出入りさせにくくする脅威だと感じている。さらに中国は経済力を駆使して、「一帯一路」と呼ぶ開発プログラムを通じ、アジア地域全般の国々が大型のインフラ建設を行うための資金を貸し付けることで、影響力とアクセスを広げようとしている。

注目すべき紛争はほかにもある。ロシアと日本は、まだ第二次世界大戦の正式な終戦に調印していない。日本列島の北方にある島々の領有権を争っているからだ。さらに深刻なのは、日本と中国が東シナ海の領有権で合意に至っていない点である。そこにある諸島の名前すら意見の一致を見ていない。日本は「尖閣諸島」と呼び、中国は「釣魚島およびその付属島嶼」と呼ぶ。この問題が特に危険である理由は、対立する主張のいずれもが、単なる島の問題ではなく、日中という、この地域で最も力の強い二国の広い緊張関係の反映でもあり、原因でもあるからだ。仮に日本がこれらの島々をめぐって紛争を始めるとしたら、アメリカも関与することとなる可能性が高い。[28]そして、仮に日本が、アメリカの支援が得られそうもないと考えたとしたら、軍事力を増強し、もしかしたら核兵器の開発を始めるかもしれない。

中国とインドの関係も不穏だ。約2500マイル（3500キロ）にわたる国境の問題は解決しておらず、1962年の中印国境紛争の原因[29]となった。だが、両国の摩擦は単なる国境問題ではなく、それぞれの戦略的競争の反映でもある。インドが核兵器を獲得した主たる動機は、中国がすでに核兵器を保有していたからだ。そして中国は、インドの天敵であるパキスタンとの距離を縮めている。中国とパキスタンでインドを抑え込んでおけば、中国は南や東での活動に注力できるという計算があるからだ。まるで古典的なパワーポリティクスではないか、と感じるとしたら、その印象は正しい。

台湾はまた別の問題だ。1949年に中国共産党が大陸の支配権を手中に収め、国民党が台湾に逃れて以来、中国も台湾も、そして多くの外国も、中国は一つだけという主張を維持している。ただ、そもそも中国とは何かという点で、認識が一致していない。台湾（正式名称は現在も中華民国として知られている）と独立した外交関係を維持している国は世界でわずか20カ国ほどで、残りの国々は、中華民国は中華人民共和国の一部であるという中国の主張を肯定している、もしくは、その問題は未解決だと考えている。アメリカは1979年に台湾との正式外交を断絶したが、台湾に対して独自の責任を担っており、特に防衛兵器の提供と、必要であれば援護を行えることになっている（厳密にはアメリカにその義務はないが）。一方で、台湾は自立した政治および経済実体をもち、独立国としての性質の大半を満たしている。中国本土は台湾併合を誓い、再三にわたり、併合実現にあたって武力行使もやぶさかではないという意思表示をしている。ほかの国々は、台湾が間違いなく中国の一部であるかどうかという点では中立の立場をとりつつも、併合が実行されるときのプロセスについて懸念を抱いている。どうなるにせよ、平和的に解決し、強制的に踏み込まれることなく、台湾にとって許容可能な条件となるのが望ましい。[30]だが、双方が納得できる平和的解決は、はたして実現可能なのか。何らかの出来事――たとえば台湾が独立を宣言するとか、中国大陸で経済危機が起きて政府が統一を早めざるを得なくなるとか、もしくはアメリカが台湾の立場改善のために対策を講じるとか――が引き金となって、武力行使を伴う危機が起きることもあるのではないか。

最後にもう一つ、アジアにおける地政学的不安定性の要因となりうるのが、朝鮮半島である。先にも説明したとおり、朝鮮半島は第二次世界大戦以降、北緯38度線に沿って分断されている。小規模な事件を除けば、戦争抑止が維持されている状態だ。しかし北朝鮮も韓国も武装解除をしていないし、韓国の首都ソウルが38度線からも近く、脆弱であることを考えれば、北朝鮮が攻撃を考える可能性はつねに存在している。近年、この関係の危険性を高めているのが、北朝鮮が着実に進めている核兵器および長距離ミサイルの開発だ。韓国と日本に対する脅威であるだけでなく、アメリカを含めた世界に対する脅威でもある。外交と戦争抑止策の組み合わせで、今後も北朝鮮と韓国の戦争を阻止し続けられるのか、北朝鮮とアメリカの戦争も起こさずにいられるのか。アメリカは、自国に対する直接的な脅威となりうる北朝鮮と共存し、北朝鮮が核およびミサイルの撤廃はしないが制限はすると合意した交渉結果を受け入れていくつもりなのか。北朝鮮は実際問題として、どれくらい安定しているのか――当初から直系血統が支配している国であり、同時に、この地球上で最も貧しく、最も閉鎖された国の一つでもある――という問いも無視できない。さらに言うならば、北朝鮮と韓国がアメリカにとって有利な形で再統一され、結果的に中国の国境沿いにアメリカ同盟国が存在することになる可能性を、中国が許容するのかという疑問も浮かんでくる。

米中関係の悪化は、こうした地域的問題の一つひとつに影響をおよぼし、場合によっては事態をより緊迫させかねない。現在の米中関係は第４フェーズにあると言うことができる。第１フェーズは、1949年の中華人民共和国の建国から、リチャード・ニクソン大統領のもとでの国交正常化まで、双方が敵意をあらわにしていた時期のことだ。アメリカは、第二次世界大戦後に中国国内で再開した権力争いで共産党が勝たないことを望んでいた。共産党が勝利したあとは、米中は朝鮮戦争で敵対し戦った。その後の第2フェーズでは、ソ連に対する双方の反感を原動力として、ソ連の脅威に対抗するために米中が協力した。この関係性の基盤にあったのは現実主義だ。中国政府が1989年に天安門広場で民主主義を支持するデモ参加者を数百人、おそらく数千人も殺害したときにも、ジョージ・H・W・ブッシュ政権はソ連に対する圧力を維持するため、米中関係の大部分をそのまま継続することを選んだ。1991年にソ連が崩壊すると、米中関係は第3フェーズに入る。この時期の特徴は、二国間の投資と貿易が増え、中国がグローバル経済に統合されたことだ。アメリカは安い中国製品と、中国市場へのアクセスという恩恵を得て、中国のほうも切望していた資本および技術ノウハウを獲得した。しかし、中国をよりオープンで、市場主導型で、協調的な国にすることはできず、それどころか中国が経済的競合として台頭する手助けをすることとなったため、アメリカは最終的にこの関係を嫌うようになった。そして今、米中関係は第4フェーズに入りつつある。[31] それがどういうフェーズなのか、まだ手探りの最中だ。戦略的または経済的な土台なしでは、関係は敵対的になる一方である。

アメリカがこれから選ぶ役割が、アジアの未来を決定づける重要な要素となるだろう。前述したように、この地域が過去70年間に爆発的な成功を遂げてきた理由の一つは、アメリカの存在だ。朝鮮半島を武力で再統一しようと試みたのはでしゃばりすぎだったことは確かだし、その後のベトナムにおける同様の関与も、アメリカに直接的な利害があるからといって正当化されるものではなかった。だが、アメリカの軍事的プレゼンスと、政治および外交による関与、貿易と投資に対するサポート、そして信頼性に対する評価が、アジアの成功に強く寄与したことも、また確かである。今考えるべき重大な問いは、アメリカは今後もそうした役割を果たす意欲があるのか、という点だ。もし、その答えがＮＯであるとすれば、中国の影響力が高まり、日本が再軍備を進め、朝鮮半島や台湾をめぐる紛争が進行し、その他の未解決の領土争いが一つならず勃発する未来も、十分に想像しうる。

今後の見通し

米中関係の方向性はアジアの未来を大きく左右する。その軌道を決定づける最大の要因は、二国が経済的に一時的妥協の状態に達するかどうか、という点だろう。特に先進テクノロジーと、中国経済に対する同国政府の役割が、大きくものを言うことになる。南シナ海や台湾などの地政学的問題や、少数民族に対する中国の対応に関する認識のずれは、今のところ解決する気配がない。そのため外交政策においては、これらの問題を暴走させず、米中の利害が重なる場所での協調関係を崩さないよう、慎重な対応が必要となる。

アジアが直面している課題は地政学的問題だけではない。人口統計においても課題がある。アジアは、歴史上のどの地域と比べても、急速に高齢化が進んでいる。[32]主たる原因は平均寿命の長期化と、移民の割合の低さ、出生率の低下であり、これらは経済的な豊かさの実現に伴うことが多い特徴だ。アジアの国々の多く（特に日本と中国）は、労働力となる年齢層の割合が縮小し、引退した大勢の高齢者を少ない若者で支えなければならない未来に向かいつつある。

いくつかの国は国内に政治的・経済的課題を抱えている。中国政府には、人口高齢化と男女比のゆがみ（いずれも数年にわたって導入した一人っ子政策に関連している。男児を優先する傾向があったため、男性のほうが多くなった）だけでなく、蔓延する汚職、環境破壊、外国市場へのアクセスに過度に依存した経済という問題がある。共産党は、革新的で近代的な経済を構築したいという野望を抱きつつ、同時に個人の自由を厳しく制限することを望んでいるが、その二つの方針はいずれ両立不可能になることも考えられる。中国が開かれた経済の恩恵を享受しつつ、同時に閉ざされた政治システムを維持することなど、はたして可能なのだろうか。何より重大な疑問として、経済成長が低レベルになっても、中国政府は政治的安定を維持していけるのだろうか。維持できないとしたら、国内の苛立ちから注意をそらすために、よりナショナリズム色の強い外交政策に走るのではないか。

そう考えれば、自然ともう一つの問いも浮かんでくる。アジアは現代の奇跡を続けていけるのか。経済成長、政治的安定、平和を維持していくことはできるのか。不可能ではない。だが、パワーバランスの変化、軍事力近代化の進行、能力と発言力を高めた中国の台頭、未解決の領土問題、予想される社会的な変化、そしてアジア安定のためにアメリカがどんな役割を果たすのかという問題を考える限り、それが可能であるという保証はどこにもない。

南アジア

南アジアは8カ国で構成されている。[1]世界人口のおよそ25％[2]を占めるが、面積で見れば、全大陸に対して占める割合は4％未満。[3]世界経済に対して占める割合は、同じく4％程度[4]である。インドは世界の民主主義国家の中で最も人口が多く、まもなく中国を追い抜いて、民主主義国家に限らず世界で最も人口の多い国家になる。南アジア全体の人口と、世界人口に対する割合も、この先数十年で上昇する一方の見込みだ。また、この地域には世界で最もムスリム人口の多い4カ国のうち、3カ国[5]が含まれている。インド、パキスタン、バングラデシュだ。2050年には、インドが世界で最もムスリム人口の多い国として、インドネシアを上回ると予想されている（ただし、インド人口のうち約80％はヒンドゥー教徒[6]であることを指摘しておく）。

南アジアにある国々の大半は、かつてはイギリス領だった。現在はインドと、インド・パキスタン間で拡大しつつある緊張関係の影で暮らしている。地域的な紐帯は弱い。地域機関として南

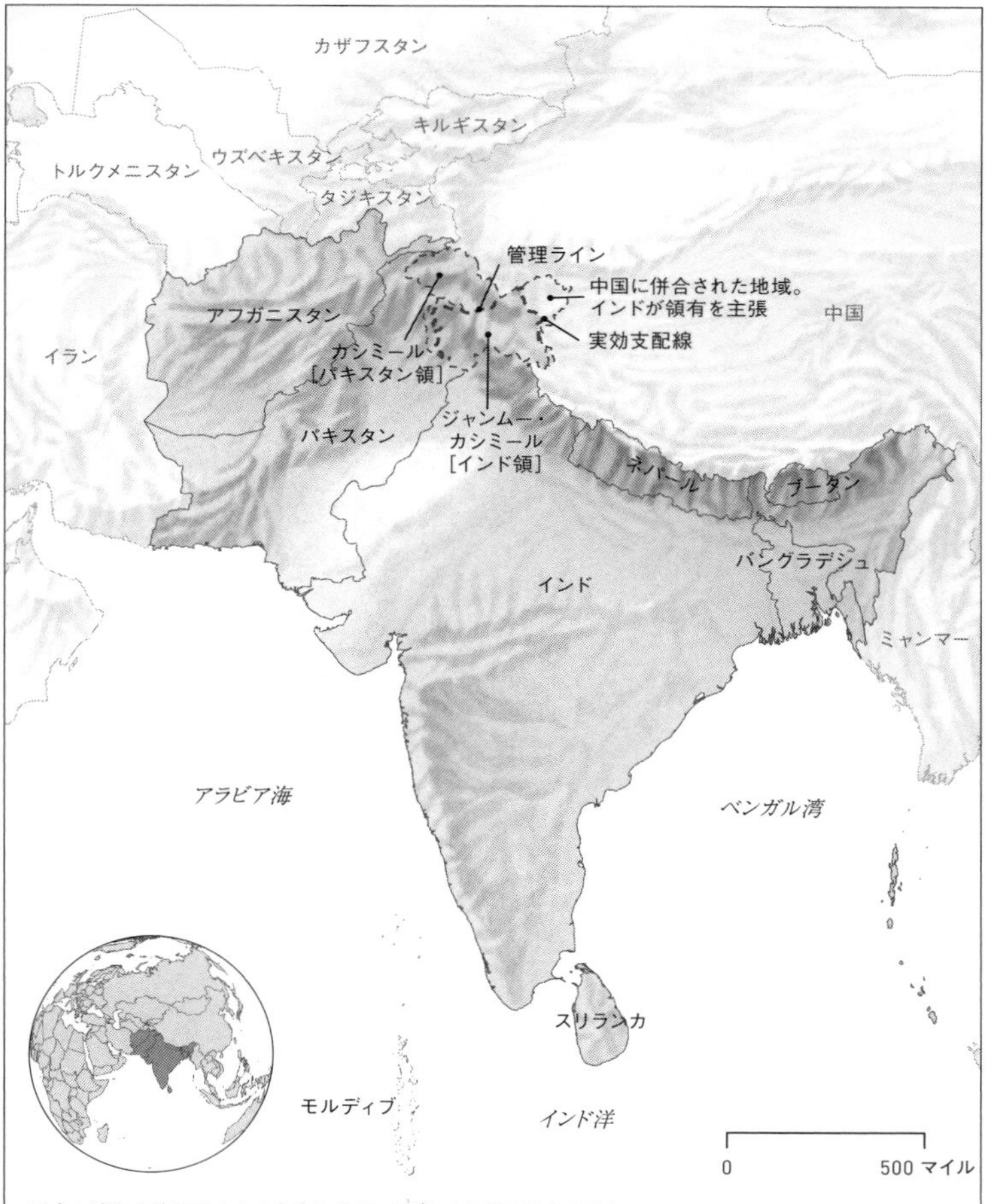

国名と境界の表記はおおよそのもので、必ずしも公認のものではない。

アジア地域協力連合（ＳＡＡＲＣ）があるが、その影響力はきわめて小さく、インド・パキスタン間の紛争のせいで定期的な会合すら開けずにいる。南アジアは世界で最も経済的に統合されていない地域だ。[7]南アジア内の国家間および国内の貿易の規模は小さく、南アジア以外との外国貿易と比べると、数分の一である。

　南アジアの本質をとらえる共通点があるとすれば、各国がそれぞれに苦戦しているという点かもしれない。南アジアの近代史は紛争で始まり、もはや定期的と言えるほど、頻繁に戦争が起きている。経済的にも、ほかのアジア地域と比べて、はるかに劣る。残念ながら、現在とはがらりと異なる未来、今よりもずっとよくなった未来が来ると期待できる理由はないに等しい。経済生産高がどれだけ増えたとしても、戦争、気候変動、そして人口増加のせいで相殺されてしまう可能性があるからだ。

中央アジアの5カ国（カザフスタン、キルギスタン、タジキスタン、トルクメニスタン、ウズベキスタン）と南アジアをまとめて、南・中央アジアと呼ぶ場合もあるが[8]、これらは分けて考えるほうがよいだろう。中央アジアの近代史はソ連とつながっていた。かつてはソビエト連邦構成共和国で、ソ連が崩壊した1991年に独立を獲得した。同じ中央アジアであっても、国同士には重大な差異があり、特にエネルギー資源が豊富な国（カザフスタン、トルクメニスタン）と、どちらかと言えば貧しく、情勢不安定で、世界とつながっていない国（キルギスタン、タジキスタン）との違いは大きい。これらの国々に共通するのは、権威主義的な政治システム、経済に対する政府の大きな役割、深刻な汚職、そしてロシアおよび中国との緊密な紐帯だ（ウズベキスタンは、さまざまな経済的・政治的改革を導入しており、部分的に例外と言える）。

インドとパキスタン

南アジアをめぐる考察は、インド[9]に始まりインドに終わる。増え続ける膨大な人口に加えて、経済の規模も大きく、しかも近年は年7％程度[10]という力強いペースで成長している。インド経済は世界で7番目に大きな経済であり、まもなくアメリカ、中国、日本、ドイツに次ぐ5位に食い込む（フランスとイギリスを追い抜く）。だが、以前からずっとこんな勢いだったわけではない。独立後の最初の40年間、インド経済の成長率は平均で年3%から5%だった（開発途上国としてはきわめて低い）。中国と人口ではおおむね同等で、半世紀前のスタート地点はほぼ同等の状況[11]だったというのに、その中国と比べて今のインド経済の規模はたった5分の1程度[12]だ。中国が独自の市場主導型改革を導入し、経済成長を始めてから、13年も遅れた1991年に同様の改革を導入し、これを境にようやくインド経済の加速が始まった。だが、改革があったとはいえ、汚職[13]と不十分なインフラ、[14]政治および法における複雑な官僚構造[15]が、今もインド経済の足を引っ張っている。こうした現実は外国投資を遠ざける。人口が膨大で、しかも急成長が続いていることも、経済面での改善の効果を薄れさせる要因だ。生産高が増えても、人口増加のせいでほとんど相殺されてしまう。インドの一人当たりGDPは、わずか2000ドル程度[16]だ。人口当たりのGDPによる世界ランキングでは、上位100国にも入らない。

それでも、インドは経済的進歩と併せて社会的にも進歩している。平均寿命は1947年の独立以降で、2倍に伸びた。[17]識字率も同時期に4倍以上[18]になっている。過去15年間で、極度の貧困と言われる層から、目を見張るほど多くの国民を脱出させた。[19]それでも貧困は引き続き大きく広がっており、数億のインド人が文字を読むことができず、不平等の格差も実に大きい。大富豪が生活するすぐそばにスラムがある。辺境の村々に電気を引く取り組みは積極的に推進されているが、今でもおよそ2億人[20]が日常的に電気を利用できない。生活に基本的な衛生設備やトイレが備わっていない人[21]を全世界で集計すると、その半分はインドの人々だ。生まれたときに属していた社会的グループにもとづくヒンドゥー教の身分制度、カースト制のせいで、社会的・経済的な階層移動が起きにくいことも、特に辺境の土地で成長の足かせとなっている。インドには比較的近代的で都会的な暮らしをする中間層と、より伝統的な暮らしをする田舎の貧困層という、「2種類のインド人」がいるという言い方をされるが、多くの面で的を射ているかもしれない。

1970年代半ばの一時期を例外として、インドは独立以来、堅牢な民主主義を維持している。近代はほぼ全面的に、宗教色のない中道左派のインド国民会議（INC）、別名コングレス党がこの国を率いてきた。歴代の指導者がイギリス支配に抵抗しながら、独立後数十年間のインドを統治してきた。しかし21世紀には、インド人民党（BJP）が中心となった。ナショナリスト的でヒンドゥー至上主義の政党で、国家レベルでも州レベルでも主要な政治的勢力として台頭[22]している。パワーの交代が起きるのは、民主主義の制度化という面では重要なことであるため、基本的には歓迎すべきことだ。この点でインドは日本やメキシコに似ていると言える。この二国は数十年にわたって単一政党が政治を主導してきたが、やがて複数政党による政権交代が可能な政治体制へと進化した。

パキスタン[23]――この国を構成する地域の名称を組み合わせて命名された――は、経済的にも政治的にもインドほど順調ではない。経済はインドの10分の1をわずかに上回る程度[24]だ。人口一人当たりのGDPも1500ドルをようやく超えた程度[25]で、世界の中では下から25％の層に近い。政治的には名目だけの民主主義を維持している。真の権力をもつのは[26]軍隊と諜報部だ。選挙で選ばれた政治家は、隠退した元軍司令官でない限り、ほとんど権限を行使することがない。

バングラデシュに焦点が当たることは少ないが、軽視してはならない。国際貿易という点では、この国はパキスタンよりも重要な国だ。既製服の輸出[27]で見れば中国に次ぐ世界第2位である。アメリカも、パキスタンよりバングラデシュとの交易[28]のほうが、規模が大きい。ヨーロッパ企業のサプライチェーンにおいても、アメリカのさまざまなブランドと小売業者にとっても、バングラデシュは欠かせない存在だ。

国民の能力開発という点でも、実のところバングラデシュは目覚ましい上昇を示している。人間開発指数のさまざまな数値において、パキスタンとインドの双方を上回っているのだ。インドとの国境問題は解決済みで、テロに対しては強硬な姿勢をとり、ミャンマー（ビルマ）を逃れたロヒンギャ難民を100万人近くも受け入れている。バングラデシュの好ましくない側面としては、政府上層部が機能不全[29]で、場合によっては権威主義的であることだ。ただし、民主主義は少しずつ強化されているように見える。一方で人口密度の高さも問題で、アメリカ人口の半分にあたる人々が、アメリカのウィスコンシン州よりも狭い面積に詰め込まれている。また、最も人口が集中した地域が海抜ゼロに近いことから、ここに住む人々がまるごと気候難民となりかねない危機を抱えている。

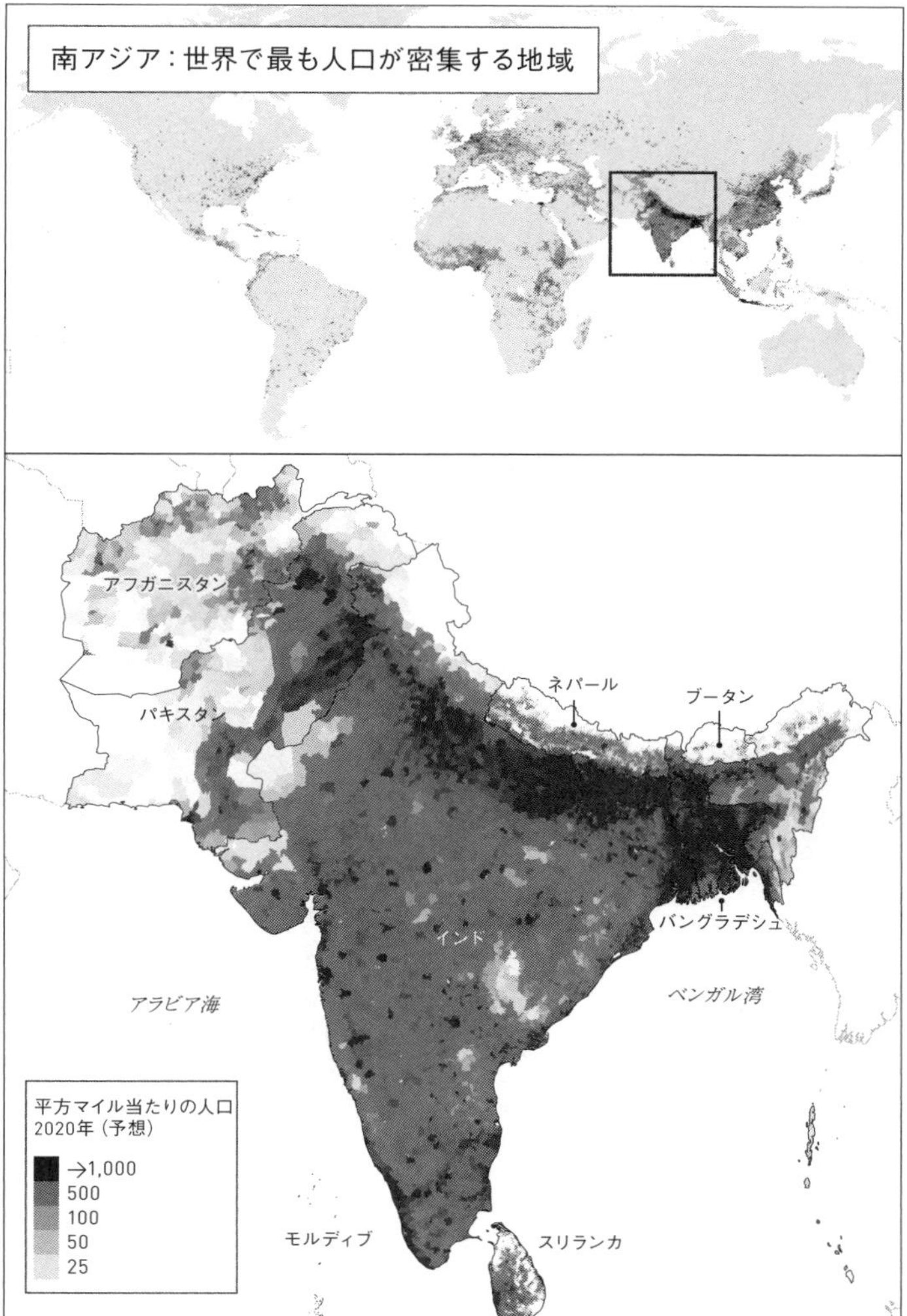

出所：Center for International Earth Science Information Network—CIESIN—Columbia University. 2018. Gridded Population of the World, Version 4 （GPWv4）: Population Density, Revision 11. Palisades, NY: NASA Socioeconomic Data and Applications Center （SEDAC）. Accessed August 27, 2019.

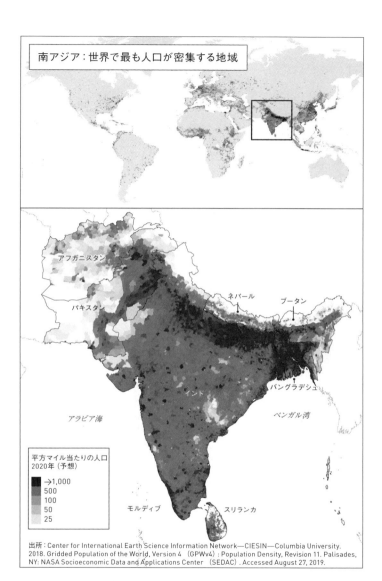

歴史

南アジア地域の近代史のルーツ[30]はイギリス帝国にある。今の私たちがパキスタンとバングラデシュと呼ぶ地域を含めて、インドはイギリスの宝石だった。だが、第二次世界大戦でイギリスが疲弊し、さらにインドにおけるナショナリズムの台頭と、自治を求める強い声、そしてマハトマ・ガンディーが率いた効果的な非暴力抵抗運動があいまって、植民地時代は終わりを迎えた。しかし、植民地時代終焉を迎えた他国と同じく、暴力は続いた。ムハンマド・アリー・ジンナーを指導者とするインドのムスリムの多くが、イギリスだけでなくインドからの自立を求めた。マハトマ・ガンディーとインド国民会議は、インドをヒンドゥー教徒の国とは考えず、民主的で、宗教が支配権を握らない社会として見ていたため、分割に反対した。だが、ヒンドゥー教徒とムスリム間で繰り広げられた再三にわたる闘いと集団間の暴力的紛争で、100万人もの人命が犠牲になり[31]、2000万人が難民になったすえに、パキスタンは希望を叶えて独立国となった。

しかし、元植民地からの二国の誕生と分離は、安定をもたらさなかった[32]。多くのインド人は、自国を非宗教的で寛容な民主主義の国だと考えており、宗教を理由に国家を分離する必要性を絶対に認めようとしなかった。そして多くのパキスタン人は、自国よりも規模の大きな隣国であるインドを、絶対に信頼しようとしなかった。国境についても意見が衝突した。特に大きな争点となったのが、インド・パキスタンの国境沿いにあった、ムスリムが過半数を占めるジャンムー・

カシミールと呼ばれる一帯だ（シンプルに「カシミール」とも言われることが多い）。また、パキスタンはそもそも、インドから分離した二つの地域――東パキスタンと西パキスタン――によって成立していたので、国内にも問題を抱えていた。

中東での紛争、そしてイスラエル・アラブ間、イスラエル・パレスチナ間の紛争もそうだったように、この地域の近代史は、度重なる戦争――１９４７年、１９６５年、１９７１年、１９９９年――と、断続的に起きる戦争寸前の状況だけでほぼ構成されていると言えるかもしれない。大半はカシミール地域をめぐる争いだった[33]。ただし、１９７１年に起きた戦争[34]は、東パキスタンに抑圧的政治が広がり、そのせいでインドに膨大な難民が流れ込んだことがきっかけだ。この人口圧力が、難民流入を終わらせるためのインド軍介入につながり、併せてパキスタンの西部と東部の永久的な分離が試みられたのである。こうして東部がバングラデシュとして独立することになった。近年に見られる危機も、カシミール地域をめぐる小競り合いや、インド内のテロ勢力を支援するパキスタンに対するインドの報復として起きている。

南アジアは冷戦の米ソ競争が繰り広げられた舞台でもあった。アメリカは、インドが非共産主義による発展のモデルとなり、また中国と拮抗する存在となることを期待していた。インドはアメリカが行う外国支援の最大の受益国の一つだった[35]。しかしインドのほうは、アメリカの開発戦略の代名詞となることには関心がなかったし、非同盟の立場であることを望んでいたので、西欧およびソビエト・ブロック、いずれとも正式な同盟を組むことは拒否していた。ただし、実際にはソ連のほうにすり寄ることが多かった。これは、大きな政府として国家発展を率いていこうとするインド政府の姿勢が反映されたものであると同時に、パキスタンに対する、そしてパキスタンと密接な関係を築いていたアメリカに対する不信感の表れでもあった。皮肉なことに、アメリカとパキスタンの関係は、インドにとっては行き過ぎた結びつきに見えることが多かったのだが、パキスタンにとっては十分な結びつきとは言えないものだった。アメリカは無条件でパキスタンに寄り添おうとはせず、パキスタンはアメリカに対して不信感を抱いていた。

地政学

インド・パキスタン間の紛争パターンは、以前から重大ではあったものの、昨今ではいっそう深刻味を帯びている。理由は、両国が核兵器を開発したからだ。現時点で核保有国は世界に９カ国あり、その中の二国がインドとパキスタンである。インドは１９７４年に最初の核実験を行った[36]が、その一因は中国の核兵器開発だった。インドと中国のあいだで１９６２年に起きた短期間の紛争では、中国がやすやすと勝利を収め、それ以降、二国はお互いを警戒し合っている。中印の国境については何十回という交渉が重ねられてきたにもかかわらず、今も合意を見ていない。しかし、インドが核開発を始めた理由が中国であったにせよ、パキスタンはインドの脅威を阻止する必要性を感じたし、インドの通常戦力に対抗する軍をもたないことの埋め合わせをする必要性を感じ、同じく核開発を始めたのだった。

核兵器の存在は、インド・パキスタンの摩擦に、まったく新しい懸念を加えている。この状況では、二国のうち片方が実際に核兵器使用へと傾いていくことも考えられなくないのだ（パキスタンがそれに該当する可能性が高い。通常戦力ではインドに勝てないこと、開発しているのが低出力の核兵器や戦術核兵器であること、パキスタンから先に攻撃を仕掛けることはありえないと見られることへの拒否感があることが理由だ）。パキスタンは核備蓄を世界で最も急速に増やしている国[37]だと考えられている。過去にも何度か危機から戦争に発展しているし、歴史的な恨みの感情や、カシミールの帰属をめぐる紛争（インドが２０１９年にカシミールの自治権の大半を剝奪したことを受けて、紛争が熾烈化した）、あるいはインドを狙うテロリストをパキスタンがかくまっている（ときには露骨に支援する）ことがきっかけとなって、核兵器が使用される可能性があることは否定できない。また、パキスタンの情勢不安や、兵士の一部に見られる忠誠心の分裂——急進的なイスラム集団やテロリストに共感する者もいると見られている——のせいで、核兵器または核物質を国家として制御しきれなくなるという危険性も考えられる。また、パキスタンの核開発プログラムを指揮した技術者、Ａ・Ｑ・カーンが核兵器の情報を北朝鮮やリビアやイランに売っているため、核拡散のリスクも高まっている。

アフガニスタン

アフガニスタンには[38]アフガニスタン特有の地政学的事情がある。公式な意味ではイギリス領ではなかったが、影響を受ける立場にあり、また19世紀にはイギリスとロシアの競争の舞台にもなった。イギリスが南アジアにおける政局の風向きを握ろうとしていたことで、イギリス兵（そしてインド兵）と、首長への忠誠を誓ったアフガニスタン兵とのあいだで、19世紀に数度の戦争が起きた。そして1919年に、アフガニスタンは独立を宣言した。

アフガニスタンの近代史には、同国の近代を形成するに至った二つの出来事がある。一つは1973年の王政廃止。もう一つは、1979年のソ連による軍事介入だ。後者に関して説明すると、アフガニスタンでは前年に、左翼の、どちらかと言えば非宗教的な政党がクーデターで政権を握っており、ソ連はこの政権をバックアップする形で介入をしたのである。過激なイスラム主義者のゲリラ運動を制圧する目的で軍を投入するという、このソ連の判断は、結果的に高くついた。ソ連軍における犠牲と財政的損失、そしてソ連国内における戦争への不支持が後押しになって、共産主義政権が崩壊し、1991年のソ連崩壊を迎えることとなったからだ。

このソ連・アフガニスタン戦争にはアメリカも独自の役割で加わったが、これも長い目で見ればアメリカにとって高くつく政策だった。アメリカはパキスタンとともに、ソ連と戦っていたアフガニスタン抵抗運動、いわゆるムジャヒディンに対して武器および資金の供給を行った。これは教科書に載るような典型的な隠密作戦で、アメリカは意図的に自らの関与を隠し、直接的な役割は控えながら、武力と諜報における支援をしたのだった。こうしてアメリカのバックアップを受けた「自由の戦士たち」の多くが、やがてイスラムの過激思想を信奉するようになった。彼らはソ連の敗北で解散とはならず、むしろアフガニスタンを制圧し、彼らの過激な思想にもとづく再建を目指そうとした。

最後のソ連軍がアフガニスタンを離れたのは１９８９年2月。ソ連に支えられていた政権は数年間ほど権力を維持したが、最終的には、アメリカの支援を受けた複数のアフガン部族の連合が政権を握った。しかし部族間の連携を維持できず、約4年にわたる内戦を経て、１９９６年にタリバンによって倒される。タリバンとはパシュトー語（アフガニスタン南部における中心的な言語）で「学ぶ者」という意味だ。この組織は当時も現在もスンニ派原理主義者で、極端な正統派イスラム教を信奉し、社会はイスラム教の法律「シャリーア」の一字一句たがわぬ解釈のもとで成り立つべきだと確信している。人権、ジェンダーの平等、民主主義といった意識とは両立しえない価値観だ。それに加えて、タリバンはテロリストに安全な隠れ場所を与えていた。このテロリストたちにとって、世界のほぼすべてが敵だった。

数年後、２００１年9月11日に、テロリスト集団アルカイダ（直訳すれば「基地」という意味。反近代主義と反西欧主義の信念に突き動かされたスンニ派原理主義者のネットワークで、アフガニスタンでは支持されていた）とつながったテロリストたちが、旅客機4機をハイジャックしたのである。2機は世界貿易センターのビル2棟の両方に突っ込み、3機目はペンタゴンに衝突した。4機目は、報道によればホワイトハウスに向かったが、乗客がハイジャック犯に抵抗を試みた末に、ペンシルベニア州の平原に墜ちた。罪のない乗客ら３０００人が命を落とした。当時の私は国務省に所属し、コリン・パウエル国務長官のもと、政策企画局長を務めていた。だが、北アイルランド和平プロセスにアメリカ特使としてたずさわっていたため、この攻撃が起きたときにはダブリンにいた。アメリカへの帰国便が一時的に欠航となり、ダブリンでの任務を継続したが、長年テロ問題を抱えているのは北アイルランドであってアメリカではなかったことを思うと、奇妙に思えて仕方がなかった。私は外交努力の合間をぬって国務省に長文の文書を書き、パキスタンによるタリバン保護をアメリカはもはや許容しないとパキスタンに知らしめる時期が来た、ということなどを主張した。実際にそのようになったのだが、やがてアメリカは焦点を別の方向に移し、パキスタンも元のやり方に戻っていった。引き続き残ったものと言えば、アメリカの脆弱さ、現代におけるテロリストのパワー、そして西側世界と近代性そのものの大半を敵とするイスラム教の認識を信奉した若き多数のアラブ人たちの過激化だった。

アフガニスタンを支配したタリバン政権は、9・11の同時多発テロ攻撃を遂行したテロリスト集団をかくまった。ジョージ・W・ブッシュ大統領が率いる当時のアメリカ政府は、タリバンに対し、アフガニスタン国外で活動しているアルカイダ・メンバーの引き渡しを求めたが、それを拒否されると、王政廃止後にアフガニスタンを統治していた部族を支援するという形で軍を投入した。この連合軍は2002年にタリバンを権力から放逐することに成功する。このときの私は、ジョージ・W・ブッシュ大統領から、国務省に所属する立場からアフガニスタンの未来に関するアメリカの政策を統括するよう指示を受けた。アフガニスタンの人々が新しい統一政府を形成することを目指し、そのための働きかけを行ったのだが、国全体の統治も、戦いの終結も、結果的には叶わなかった。

その後の10年間、アフガニスタンの内戦は熾烈化した。アフガニスタン政府は、アメリカをはじめとするNATO加盟諸国の武力援助を受けていたが、タリバン戦士たちの攻撃からアフガニスタンを守ることができずにいた。タリバンは、民族・部族的な紐帯が強いアフガニスタン南部で引き続き絶大な支持を受けていた。また、アフガニスタンのカブールにアメリカおよびインドと密接に結びつく政府が設立されることに反対するパキスタンが、タリバン戦士を保護していた。数年にわたって内戦が続き、南アジアにおける最貧困国であるアフガニスタンの人口3500万人の大半が、タリバンによって少しずつ制圧されていった。和平交渉は行われているが、それが多少なりと効果をもたらしうるかどうか、何らかの合意に達しうるかどうかも、現時点では判断できない。

今後の見通し

南アジアは、中国という文脈においても、いっそう重要な地域となりつつある。アメリカ、日本、オーストラリア、フランスは、中国と拮抗させるという意味もあり、インドとの強固な関係性を構築している。[39] インドは軍事力を近代化しており、軍事予算は世界第4位だ。[40] 中国が軍事進出をしているインド洋で、インドのパワーを見せつけることができるよう、軍の増強を進めている。それに対して中国は、パキスタンとの距離を縮めているほか、パキスタン、スリランカ、モルディブに莫大な投資を行っている。インフラ建設および地域開発を通じて海外における影響力を増すと同時に、国内の高度な経済活動を推進することを目的としたプロジェクト「一帯一路」の一環だ。

こうした理由から、南アジアはこれまでも、そして現在でも、世界の中で最も不安定かつ不透明な地域だ。この地域で最大の力をもつ二国が、それぞれの核備蓄と、国境に関する認識の不一致、そして反インドのテロ勢力に対するパキスタンの支援といった背景のもとで、冷たく、ときには熱い紛争から抜け出せずにいる。インドは堅調な経済を備えた民主主義国家ではあるが、多くの貧困層を含め、今も増え続ける膨大な人口が、足を引っ張る大きな要因だ。同じくインドの未来に影を落としているのが、少数派とはいえ国内に数多く存在するムスリムへの差別的な扱いである。この現実は、インドの非宗教的民主主義と社会的結束に疑問を生じさせている。パキスタンも同様の人口問題を抱え、さらには軍の支配下にあって文民統制が弱い。パキスタンの長期的安定を見込むことはできないし、安定が崩れるときには南アジア域内での紛争、あるいはさらに広範囲に及ぶ紛争の引き金を引くこととなる可能性が高い。

一方、アフガニスタンの未来に関する状況は、引き続き厳しい。バングラデシュも、沿岸地域が水害に遭えば数百万人が難民になるという気候変動の現実は変わりそうにない。南アジアは今後も、平和を維持し、つましい生活水準で暮らす膨大かつ増え続ける人口を食べさせていくために、もがき続けざるをえない可能性が高い。

中東

中東[1]は、これまでも、今も、そしておそらく今後も、世界で最も混迷している地域だ。第二次世界大戦以降の中東の歴史（第二次世界大戦の際に、中東にある国家の大半が独立を獲得した）を語ろうとすれば、多様な戦争以外に話すことはないと言ってもいいかもしれない。一部を挙げるとしても、1948年にはアラブ諸国と建国直後のイスラエルとのあいだに戦争があり、1956年にはイスラエルと英仏が手を組み、スエズ運河を国有化したエジプトと戦った。1967年の六日戦争と1973年10月の戦争では、イスラエルとアラブ近隣諸国が戦った。1982年にはイスラエルとレバノンの戦争が始まり、1980年代にはイラン・イラク戦争があった。1990−1991年には、イラクのクウェート侵攻と、その後の吸収を受けて、アメリカが率いる多国籍軍とイラクが戦った。2003年には、アメリカによってイラク戦争が始まった。今日でも国内および国家間で多数の紛争があり、そのうちいくつかは10年近くも続き、膨

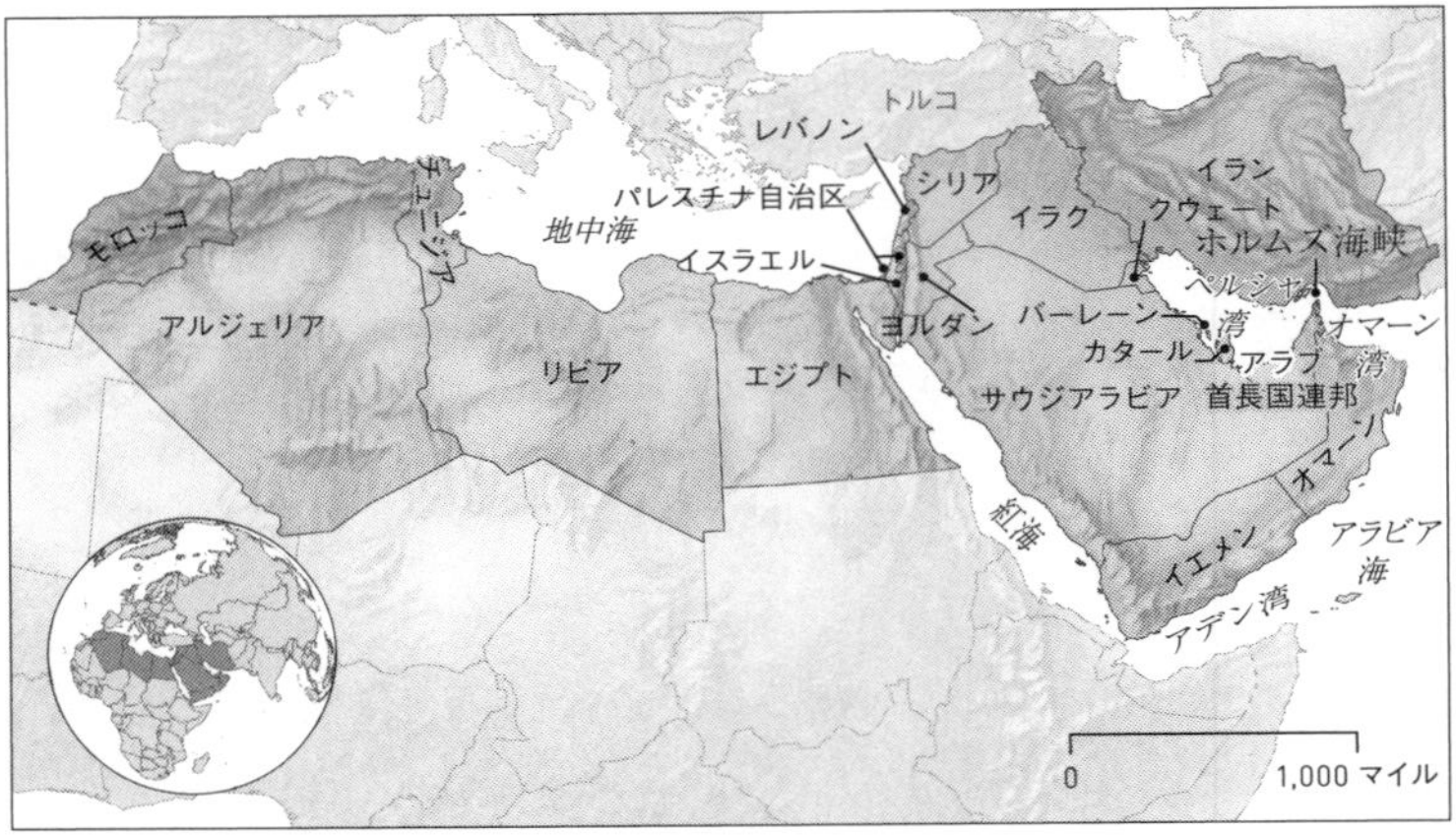

大な人的損害を出している。さらなる紛争が起きる可能性も限りなく高い。

この地域を呼ぶ名前すら、広く合意されていない。一部では「近東」（アジアを指す極東と比べて、ヨーロッパに近接していることから、こう呼ばれる）という名も残っているし、単純に地図上の位置関係から西南アジアと呼ばれることもある。実際には、この地域は三つの地理的区分で構成されている。まず、エジプトと北アフリカ4カ国（アルジェリア、リビア、モロッコ、チュニジア。総称としてマグレブとも言う）、そしてレバントと言われる地域の4カ国（イスラエル、ヨルダン、レバノン、シリア、そしてパレスチナ自治区）、それからペルシャ湾――立場によっては、ペルシャ湾ではなく、アラビア半島やアラブ湾という呼び方が正しいと考えるだろう――の周辺の9カ国（バーレーン、イラン、イラク、クウェート、オマーン、カタール、サウジアラビア、アラブ首長国連邦、イエメン）だ。この3区分すべてを含めていることを強調して「大中東圏」という言い方をすることもある。とはいえ、ほとんどの場合は中東と呼ばれるので、ここでもその名前を使いたい。

地域全体の人口は、現在およそ4億５０００万。[2] 中国やインドのだいたい3分の1に相当する。人口の分布は不均等で、エジプトがおよそ1億人であるのに対し、バーレーンは２００万人未満だ。そして人口の大半がアラブ人である。この地域の土着の民族の血を引く人々を民族呼称としてそう呼ぶ。宗教は大半がイスラム教である——ただし、世界のムスリム人口18億人のうち、4分の3以上が、アラブ人ではない人々で構成されているのだが。中東のムスリムはスンニ派が多数派で、スンニ派の定義とは、預言者ムハンマドの教えを正しく継承していくことだと彼ら自身は考えており、伝統やアイデンティティの意識はシーア派のムスリムとは大きく隔たっている。シーア派はもっぱらイランに住み、アラブ人ではなく、アラビア語も喋らない。そのほかにも、クルド人をはじめとして数多くの少数派ムスリムが存在し、その一つであるアラウィー派が10年にわたってシリアを支配している。キリスト教徒の小さなコミュニティもいくつか存在している。イスラエルはとりわけ独特で、ほとんどがユダヤ教徒でヘブライ語を話す。

中東のＧＤＰは3・5兆ドル前後[3]しかない。世界ＧＤＰのおよそ4%に相当する。人口では5分の1以下のドイツのほうが、中東全体よりも経済の規模が大きい。外国がほしがる財の製造はきわめて少なく、イスラエルを除けば技術革新もほぼ見られない。ペルシャ湾沿いの国家を筆頭に、多くの国の歳入は圧倒的に石油と天然ガスの売り上げに頼っている。[4] 中東全体で見ると、全製品輸出のうち半分以上が石油だ。[5] 経済は政府が支配しており、汚職が蔓延している。イスラエルを例外として、農業の大半は近代化も大規模化もしていない。

人的資産に関する統計もあまりよい状況ではない。中東に住む若者の大多数は、16歳までは教育へのアクセスがあるが、受けられる教育は十分ではなく[6]、近代世界での競争に備える役には立たない。当然ながら、若者の失業率は世界的平均を大幅に上回る。[7]少女と女性の経済への参加[8]という点でも、世界平均を下回っている。

中東に含まれる国家政府の圧倒的多数が、程度の差はあれ、独裁的だ。[9]世襲君主制の国[10]もある。それ以外のほとんどは、軍または支配的政党と密接に結びついた人物によって統治されている。ナショナル・アイデンティティと、国家に対する忠誠心は、異なる民族や宗派や信仰などの忠誠心とは相いれないことが多い。

中東の歴史の大半が、民主主義の欠如、そして国内および国家間における暴力の蔓延で形成されているのはなぜなのか。その理由については、憶測が入り混じる多様な見解[11]が衝突している。中東を植民地としていた大国（宗主国）のせいだという意見もある。そうした国々が、往々にして現地のアイデンティティを無視して国境を引いたうえに、機能的な民主主義と市場を成立させる手助けをしなかったから、という指摘だ。その認識は正しいのだが、宗主国が離れて半世紀以上も経つことを踏まえると、中東の情勢不安の原因説明としては根拠薄弱だ。何しろ、同時期に植民地だったアジア諸国が今は力強く成長している。また、情勢不安が続くことを懸念したアメリカが、中東における外交政策として、民主主義の推進を優先しなかったことも指摘しなければならない。しかし、別の意見として、中東の歩みがこのようになっている理由は中東の人々と文化、特にイスラムにおける政教一致や、近代化とグローバル化がもたらす課題へのアラブの反応のためだという考えもある。どれが原因であるとしても、あるいは複数の原因が重なっているのだとしても、中東に自由、安定、繁栄の条件がほとんど整っていない点については、異論の余地がない。

だとすればなぜ、世界の人口と土地と経済において、これほどわずかな割合を占めるだけの地域が、これほど顕著にニュースになるのだろうか。なぜ中東の存在がこれほどの重要性を帯びるのだろうか。理由は四つ考えられる。第一にエネルギーだ。中東の石油と天然ガスは、文字どおり、世界経済の大半を支える燃料となっている。世界で存在が知られている石油埋蔵量（石油確認埋蔵量）[12]のうち、半分をやや超えるほどの量が、中東にある。国で言えば最大埋蔵国はベネズエラだが、サウジアラビアは世界で２番目に埋蔵量が多く、またアメリカに次いで世界で２番目に石油生産量が多く、そして石油輸出量は世界で最も多い。そして世界の天然ガス確認埋蔵量で見ても、半分にわずかに届かない割合で中東が占める。世界の天然ガス埋蔵量上位４カ国のうち、３カ国（サウジアラビア、カタール、イラン）が中東だ。石油輸出国機構（ＯＰＥＣ）が過去およそ60年間にわたり世界の石油供給と価格を左右しているが、このカルテルで強い力をもつ加盟国の多くが、中東の国々である。

中東の重要性を説明する第二の理由は、宗教である。エルサレムは世界の宗教三つ、キリスト教、イスラム教、ユダヤ教の中心地だ。世界中の数十億人がこのいずれかを信仰し、エルサレムで起きることに強く関心をもっている。国際関係とは国政術と国益だけの問題ではないのだ。思

中東・北アフリカと世界のエネルギー埋蔵量

石油埋蔵量

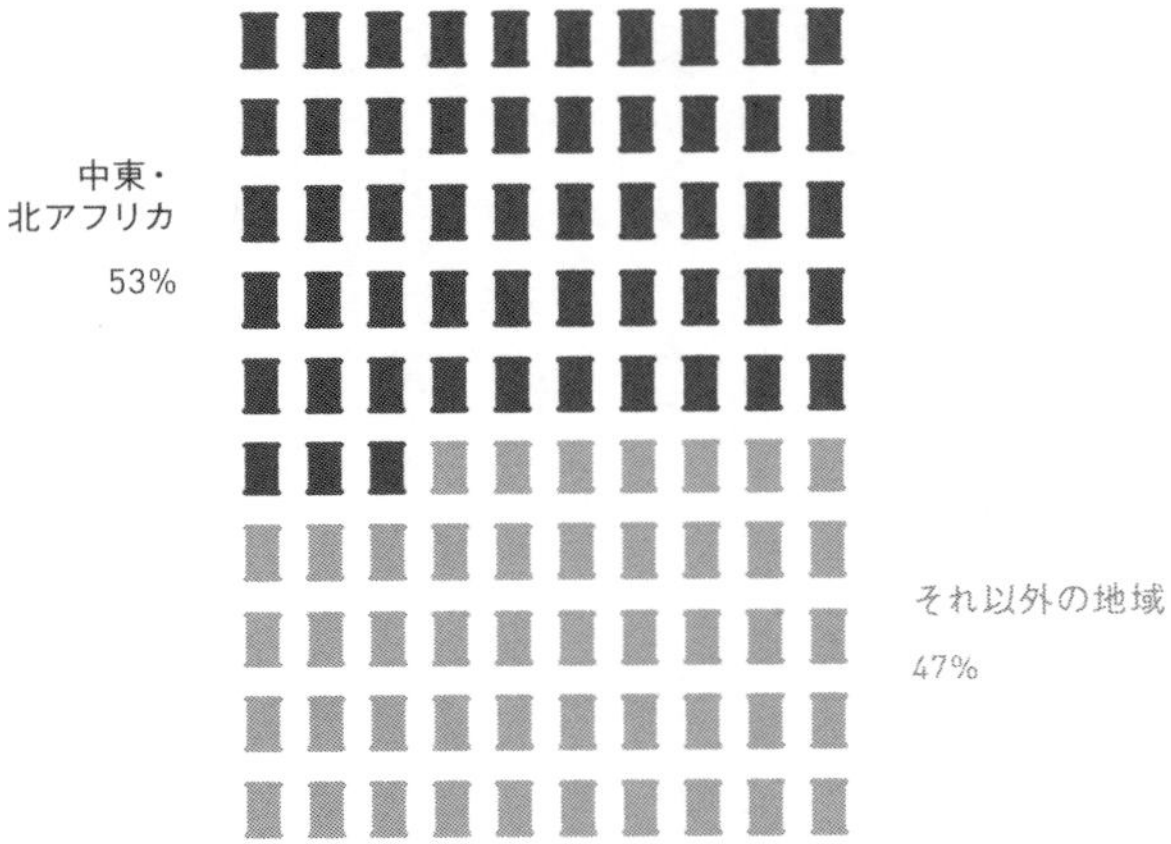

天然ガス埋蔵量

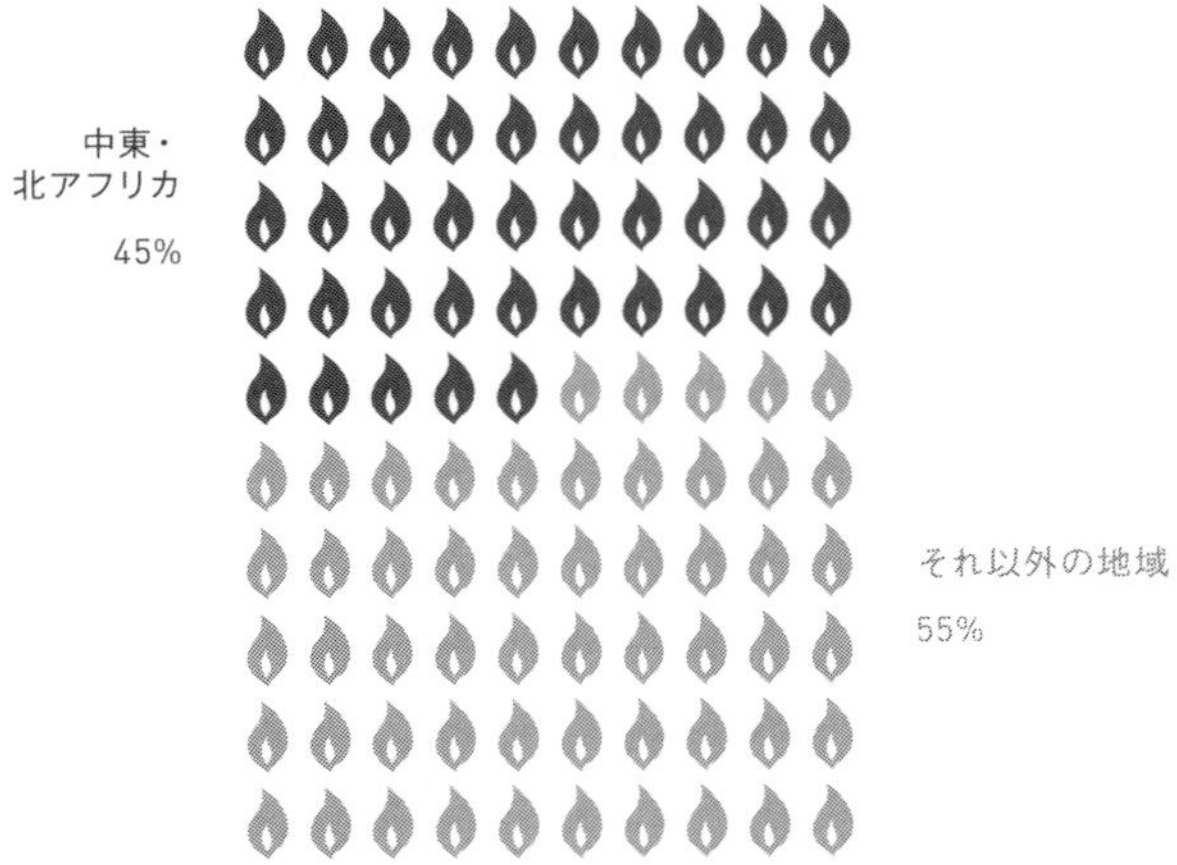

注：データは2017年現在、もしくは各国の最新のデータ。

出所：CIA World Factbook.

想と理念の問題でもあり、人々の心理を動かす要素が大きな役割を果たす。宗教はまさにその条件を満たしている。

第三の理由は、明らかにネガティブなものだ。中東は暴力によって引き裂かれている。テロリストの数も多い。近年に世界各地で起きたテロ攻撃のほぼ半分が[13]中東と関係している。こうした攻撃が2014年だけでも2万人以上の命を奪った。政府が統制できない大規模な自警団組織や民兵組織も数多く存在している。それから核拡散の危険性もある。あるシナリオのもとで考えられる可能性として、イランが核戦力を獲得し、それが紛争の引き金となったり、他国も追随して核兵器を獲得したり、もしくはその両方が起きるかもしれない。

最後の第四の理由、しかし重要性では先の三つに引けをとらない理由として、イスラエルの存在と、イスラエル・パレスチナ間の紛争[14]が挙げられる。イスラエルは1948年に建国された。20世紀前半に大きく広がったユダヤ人国家建設を目指すシオニズム運動が、この年に国として結実したのである。きっかけは、600万のユダヤ人がナチによって殺害されたホロコーストだった。このような悲劇を二度と起こさせない唯一の方法は、自分たちの国家を作ることだ、とユダヤ人たちは確信したのである。世界各国の多くがこれに賛同し、国連の投票で国家として承認され、イスラエルが成立した。一方でアラブ世界の大半は、西側世界による作り物を押し付けられた、いまだ独立した国家をもたないパレスチナ人がないがしろにされた、という認識で、イスラエルに嫌悪や拒否感をもった。こうして表面化した不和が現在に至るまで70年も続き、世界の関心もこの地域に集まっており、一触即発に近い状況も何度か起きている。

歴史

どんな場合にもほぼ共通して言えることだが、現状に対する理解を深めるには、歴史を振り返る作業が役に立つ。中東の近代史の始まりは18世紀後半だ。現在のイスタンブールに相当する地域を主な拠点としていたオスマン帝国は、約５００年をかけて現在の中東、北アフリカ、東南ヨーロッパ、アジアの一部を構成する土地の大半に手を広げたが、その後に長いゆっくりとした傾国のプロセスをたどっていた。これを当時の重要なトレンドの一つとするならば、もう一つのトレンドは、ヨーロッパが植民地を求めて、より強硬な態度に出始めていたことだ。この二つの風向きが第一次世界大戦で交差したことによって、オスマン帝国は崩壊し[15]（一部は、アンカラに首都を置く近代的で非宗教的なトルコ共和国の台頭によって入れ替わった）、オスマン帝国だった土地の大半が分割されヨーロッパの植民地となった。

オスマン帝国の支配からヨーロッパによる植民地支配へ、その移行を具体的に定めたのが、１９１６年に秘密裡に締結されたサイクス・ピコ協定だ。まだ第一次世界大戦中だったが、この協定において、イギリスとフランスの外交官が、オスマン帝国が制圧している中東を基本的には英仏の勢力圏として切り分けたのである。こうして始まったヨーロッパ植民地時代は40年しか継続せず、ヨーロッパの大国が二度の大戦で疲弊したことで終わりを迎えた。アラブのナショナリズムは高まり、それと併せて、自分たちの国をもちたいという現地の願いも強まっていた。

冷戦の始まりと、１９５６年のスエズ危機は、中東の新たな時代が始まる転換点だった。スエズ危機では、エジプトの国家主義的指導者ガマール・アブドゥル＝ナセルは、経済および戦略的に重要な航路であったスエズ運河の国有化を宣言した。これに対し、イギリスとフランスとイスラエルはナセルを弱体化するべく、政治的に共謀し、軍事的にも協働した。ナセル大統領はイギリスとフランスが中東で握っていた利権への脅威だったからだ。そしてイスラエルにとっては、アラブ世界を集約させうる危険人物だった。しかし、アメリカ大統領ドワイト・アイゼンハワーは、英仏およびイスラエルによる運河掌握は誤りだと考えた。そのせいでアラブ世界がソ連にすり寄ることになるし、ハンガリーの反体制派に対するソ連の残酷な武力弾圧から世間の関心がそれることになる、と確信していたのだ。こうしてアメリカが行った経済的・外交的圧力により、三国はスエズ運河の支配権をエジプトに返還した。政治的目的を達成するために経済を道具として使った古典的な例であり、このやり方は地経学とも呼ばれる。これ以降のヨーロッパ勢は、現地の国と、その後ろ盾の超大国が支配する地域においては、基本的にサポート役に回るようになった。

その後の20年間ほどの中で起きた再三の紛争が、中東の状態を長期的な形で形成していくこととなる。その一つが、１９６７年にイスラエルとアラブ近隣諸国とのあいだに勃発した戦争だ[16]（イスラエルの船が紅海からの行き来に使っていたチラン海峡を、エジプトが封鎖したことが引き金だったが、戦争の始まりとなったのは、エジプトの空軍基地に対するイスラエルの空襲だった）。６日間の戦闘の末、シナイ半島とガザ地区（どちらもエジプトが支配していた）、ゴラン高原（シリアが支配）、ヨルダン川西岸と東エルサレム（当時ヨルダン統治下にあった）を、イスラエルが占領した。イスラエル建国後にアラブ諸国とイスラエル間で起きた1948年の戦争はおそらく例外として、この六日戦争は他のどの紛争よりもはっきりと、その後半世紀における中東の外交姿勢、すなわちイスラエルの存在自体を争点にせず、その領土範囲を問題視するという方針を特徴づけるものとなった。

6年後の1973年10月には、イスラエルと隣国のあいだでふたたび戦争が起きた。ユダヤ教の祭日「贖罪の日（ヨム・キプル）」に始まったので、ヨム・キプルの戦いとも言われる。イスラエル近隣諸国のほうが仕掛けたこの戦争は、彼らの側にとっては、1967年以降の状態を元に戻す、もしくは最低でも、その状態は危険すぎて維持できないと超大国に知らしめるという意図があった。イスラエルは開戦初期の戦いで何度か敗退を強いられたが、徐々に優勢となった。米ソもこの戦争に関与している。いずれも、外交を通じて、そして軍事的支援を通じて、それぞれの友好国と同盟国を支えた。プラスの効果だったのは、この紛争がきっかけとなって、エジプト大統領アンワル・サダトの主導による外交の場が開かれたことだ。サダト大統領は1977年に、前例を破ってイスラエルを訪問し、議会で演説して和平を呼びかけた。サダトの訪問が交渉の空気を作り、最終的にイスラエル・エジプト間の公式な平和がもたらされ、イスラエルが1967年の戦争で占領したエジプトの土地も返還された。その後の交渉により、イスラエルとヨルダン間の平和も確立し、イスラエルとシリア間にも一定の安定（公式な平和ではないが）がもたらされた。

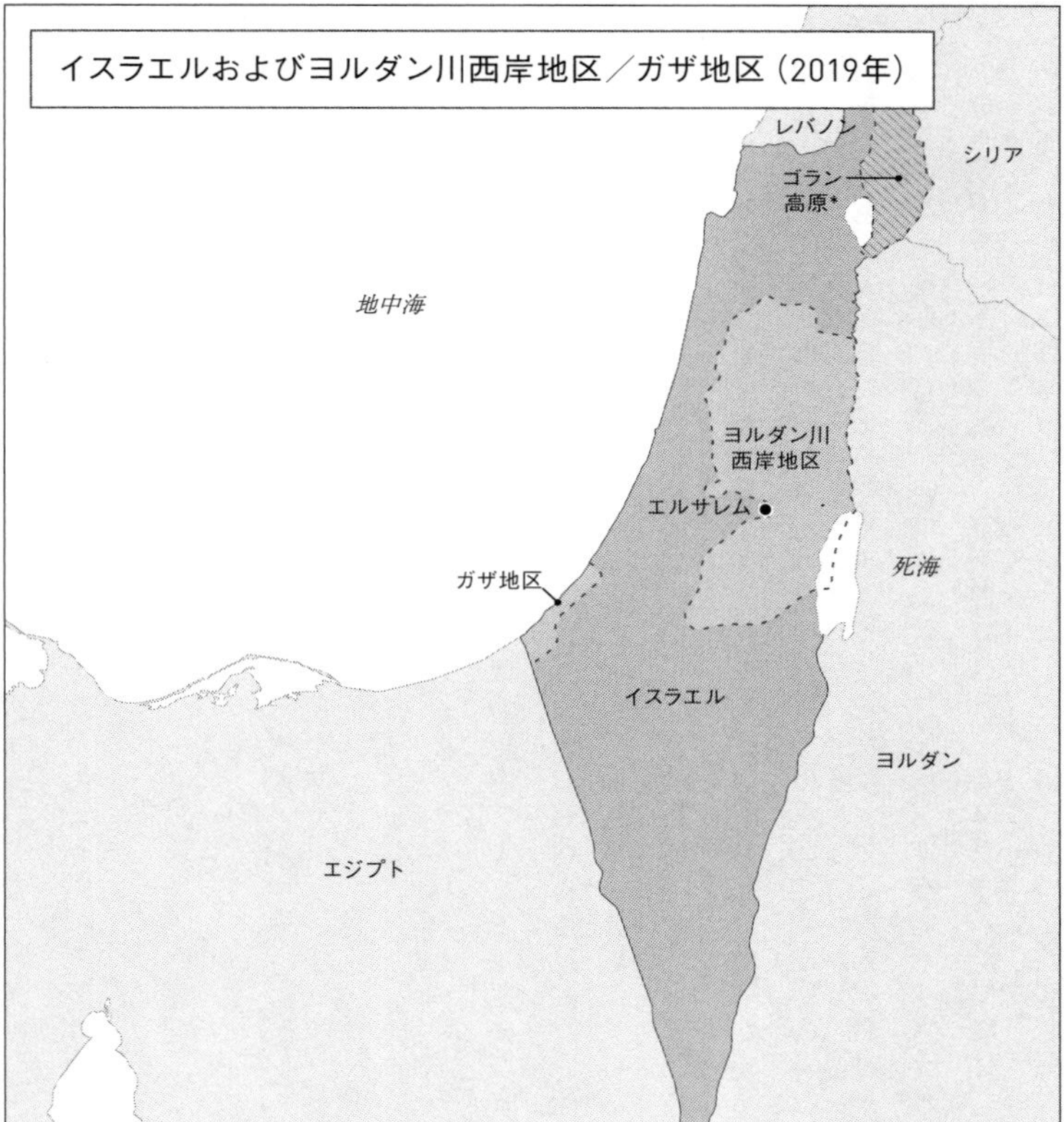
イスラエルおよびヨルダン川西岸地区／ガザ地区（2019年）
レバノン
シリア
ゴラン高原*
地中海
ヨルダン川西岸地区
エルサレム
死海
ガザ地区
イスラエル
ヨルダン
エジプト
紅海
*アメリカは2019年3月に、ゴラン高原におけるイスラエルの主権を認めた。しかし、本原稿執筆時点で、アメリカ以外の国は認めていない。
国名と境界の表記はおおよそのもので、必ずしも公認のものではない。
0
50 マイル

だが、1973年の戦争でパレスチナの苦境が変わることはなかった。パレスチナ人は依然として国家がなく、分断されていた。一部のパレスチナ人は1967年の戦争でイスラエルがヨルダンから得た土地（「ヨルダン川西岸地区」や「パレスチナ占領地区」と呼ばれるほか、多くのイスラエル人はユダヤやサマリアと呼ぶ）に住み、別の一部のパレスチナ人はガザ地区（1967年まではエジプトの行政下だった）に住んでいる。また、1948年の戦争中に、住んでいた土地を強制的または自主的に離れたパレスチナ人は、それから数十年が経ってもレバノンやヨルダンなど近隣諸国で難民として暮らしていた。

1990年代初期には、ノルウェーのオスロで[17]、イスラエル人とパレスチナ人が和平のための対話を行った。そのほかにも、もっぱらアメリカの主導によって、さまざまな外交努力が重ねられたのだが、パレスチナとイスラエルの双方が受け入れられる包括的な成果を導くことはできていない。こうした外交努力は、いずれも前提として、国連安保理決議242を踏まえている。この決議で、1967年の戦争でイスラエルが取得した領土からの同国の撤退、パレスチナ難民問題の公正な解消、中東各国の国家主権と領土保全と政治的独立の尊重が定められたほか、安全かつ承認された国境内で命をおびやかされずに生存する権利の尊重が定められた。

だが、この決議も、その後に成立したさまざまな決議も、これらの目標をどう実現するのかという具体策をもたらさなかった。いわゆる最終地位交渉、すなわちイスラエルと将来的に成立しうるパレスチナ国家との国境問題や、安全保障体制、イスラエル国外に住むパレスチナ難民と占領地内の入植地に住むイスラエル人の運命、そしてエルサレムの地位に関する問題は、さらなる交渉を要する状態だった。イスラエル内でも、こうした和平決議に対してどれだけ妥協すべきか、引き換えに何を要求すべきかといった点で、根深い分断が生じた。イスラエルは占領地の大部分に入植地を作ったため、領土の返還は容易ではないし――数十万のイスラエル人がそこに移住したからだ――存続性のあるパレスチナ国家の領土基盤を作ることも、さらに容易ではない。こうした状況が外交によって打開される見込みは薄い。また、過去にも現在にも、パレスチナ人が地理的分断だけでなく政治的にも分断されている事実のせいで、何らかの合意に至ることは難しい。パレスチナの指導者たちは、たとえ大勢が望む内容であったとしても、アメリカやイスラエルが示した提案を呑むこと自体を拒否する姿勢を見せている。かといって、テロという形をとった暴力的抵抗など、「インティファーダ」(アラビア語で、文字どおりに訳せば「振り落とす」という意味だが、本質としては、市民的不服従と暴力を含めた持続的な抗議運動を指している)では、根本的な状況を変えることはできていない。

識者によっては、二国共存案を探れる時期はとっくに過ぎてしまったという見方もある。当初にイスラエルが示していた申し出をパレスチナは受けるべきだった、という意見だ(その申し出は、もはや議論されなくなってしまった)。それとは反対の見解として、イスラエルとパレスチナが二国共存となる見込みは、薄くはなったが消えてはいないという指摘もある。特定のパレスチナ地区ではヨルダンが支配権をもつ案など、別の選択肢を推す声もある。パレスチナ国家をヨルダン川西岸とガザ地区の二つに分けて、イスラエルと事実上の三国共存にする案や、パレスチナ人がイスラエルで永住権を取得する、またはイスラエル国民となって、イスラエル一国にするという案もある。一国案については、イスラエルのユダヤ民族同一性や民主主義への脅威になるのではないか、という懸念も聞かれる。こうした案はいずれにも何らかの短所がある。少なくとも当面は、現状の占領が継続する可能性が限りなく高い。もしくは、イスラエルの入植地が集まっている地域はイスラエルが併合し、残りのヨルダン川西岸とガザ地区の土地ではパレスチナ人が一定の自治権をもつといった形で、現状を継続すると考えられる。

イランとイラク

近代の中東について語るにあたり、イランとイラクという存在の重要性に言及せずに済ますことは不可能だ。中東諸国の大半とは違って、イランの国民はアラブ人ではなく、イスラム教スンニ派でもない。ここに住むのはペルシャ人であり、主にイスラム教シーア派だ。シーア派は預言者ムハンマドの正当な継承者をめぐる争いによって分派したが、時代を経るうちに、異なる慣習や伝統を形成するようになった。

第二次世界大戦後の30年間、イランは安定した、どちらかと言えば非宗教的な国家だった。ソビエトの野望を恐れるイラン人が多かったこと（それは当然の心理だ）が一因で、国として親西欧、親米でもあった。中東諸国の大半と同じく、率いていたのは権威主義的な人物だ。レザー・パーレビが指導者として約40年にわたって統治していた。ペルシャ語で「王」を意味する「シャー」という呼称で知られるこの王を、英米の政府は支持していた。イランでは1950年代初期に、選挙によって首相の座に就いたモハンマド・モサデクが、シャーの役割を弱体化し西側世界と距離を置く方針を進めていたが、シャーは英米のひそかな支援[18]を得てモサデクを失脚させることに成功した。

しかし、イランの政治的安定と順応は一時的なものだった。1979年には革命でシャーが失脚[19]する。革命を率いたのはシャーよりも年上の宗教的指導者、アヤトラ・ルーホラー・ホメイニだ。ホメイニは、宗教的権威と政治的権威を融合した独自の神権政治体制を敷き[20]、コーランの厳密な解釈に沿った社会構築を目指した。議会制や大統領選挙など、民主的な要素も含まれているのだが、宗教と軍事的権威が政治に対して過大な役割をもっている点と、反体制派に武力行使を厭わない姿勢を考えれば、イランの制度は民主主義とは言い難い。

その点でイラクは、少なくとも名目上は、あらゆるものを手にしたアラブ国家だ。石油があり、水資源があり、耕作可能な土地がある。人口は膨大で、教育も受けている。オスマン帝国とイギリスによる数十年間の支配から脱したこの国は、中東の「虎」に進化するはずだった。アジアに見られる同程度の中規模国家と同じく、目覚ましく経済が発展し、全面的ではないにせよ、権威主義体制から民主主義体制へと移行していくはずだった。

だが、実際にはそうは進まなかった。非難の矛先を向けるべきは、もっぱらこの国のリーダーシップだ。とりわけサダム・フセインである。フセインは四半世紀(1979年から2003年まで)にわたり、スンニ派の指導者として暴力的な統治を行い、多数派のシーア派と、国内人口に少なからぬ割合を占めるクルド人に対し、そして近隣諸国にも甚大な被害をもたらした。ただし、フセインの台頭前からイラクには圧制的政府が存在し、さまざまな派閥間・派閥内に頻繁な紛争が起きていた点に鑑みれば、この惨憺たる状況はイラクの政治文化および伝統も一因と言えるかもしれない。

イランとイラクの歴史は、いずれも互いの存在と分かちがたく結びついている。冷戦中に起きた紛争、ただし冷戦とはほとんど関係のなかった紛争も、双方の歴史に重大な意味をもつ。1980年、イラクによるイラン侵攻で始まったイラン・イラク戦争のことだ。後世から振り返ってみても、イラクの動機はよく理解できない。考えられる可能性としては、開戦の数カ月前にイランで新しく過激なイスラム主義政権が成立し、中東全体で革命を起こすことを主張していたので、そのアピールと影響力を削ぐ狙いがあったのかもしれない。サダム・フセインにしてみれば、イランにおける革命の主張は扇動的なものであり、イラク国内に少なからず存在するシーア派人口が蜂起して、フセインおよびスンニ派に歯向かうのではないかという懸念があったのだろう。動機が何だったにせよ、こうして始まったイラン・イラク戦争は8年間続き、100万近い人命が失われ[21]、イラクが化学兵器を使用したことも一因となって両国に甚大な被害をもたらした。戦争は停戦状態で終わったが、1990年にイラクが行ったクウェート侵攻は、このときタネがまかれていたと言える。イラクはイランを獲得できなかったのだから、アラブ諸国にその埋め合わせをさせる必要があると感じたフセインが、クウェートを手中に収めようとしたからだ。一方で、イラン・イラク戦争の際にイラクの武力侵攻に対する国際的な抗議がなかったことに多くのイラン国民は憤りをおぼえ、イランを守り抜いた自国指導者への支持を強めることになった。

冷戦終結は、中東にとっては、それまでと違う時代の幕開けだった。残った超大国一国、すなわちアメリカの支配で始まる時代だ。皮切りとして起きたのが、サダム・フセインによる1990年8月のクウェート侵攻と占領だった。イラクにクウェートのエネルギー資源を握らせてはならない、武力で国境改変が可能だという前例を作ってはならない、という考えから、ジョージ・H・W・ブッシュ政権下のアメリカをはじめとして、全世界各国がイラクの行動を批判した。経済制裁を伴う外交努力では、サダム・フセインに撤退を納得させることができなかったため、アメリカが主導し数十カ国が参加した多国籍軍が75万人の兵を投入し、わずか7週間の戦争でクウェートを解放した。[22] しかしフセインは権力を維持し、数年後のさらなる決戦の準備を進めていたのだった。

ジョージ・W・ブッシュ政権下のアメリカが2003年にイラク戦争を始めた要因については、さまざまな分析がある。[23] イラクが秘密裡に核開発プログラムを進めているという懸念が引き金だったという分析。あるいは、イラクを民主主義国家にさせられれば、それが模範例となって、世界の他の国々が追随するだろうという確信が要因になったのだという分析。私はイラク戦争間近の時期に国務省高官という立場にあり、イラクとの戦争には反対していた。アメリカの国益を守るためにはほかにもっとよい選択肢があると訴え、イラクを民主主義国家に転じさせることはきわめて難しく、高くつく試みとなることも主張した。

だが、戦争支持派の意見が通った。結果として、この戦争は間違いなくあらゆる尺度で見て高くつくものとなった。[24] 数十万のイラク人が命を落とし、4000人以上のアメリカ人が、私が前著で使った表現を用いれば「浅はかな選択による戦争[25]」に散るはめとなった。一つの政府を失脚させることと、そこに持続可能なよりよい政府を置くことは、まったく別の話であり、後者のほうがはるかに困難だ。この例で言えば、政権交代は確かに可能ではあったが、国家形成、すなわち政治、経済、安全保障、そして社会に対する機能的な制度を構築するというのは、手に負えることではなかったのである。この戦争がもたらした莫大な人的損失と財政的コスト、そして同時進行のアフガニスタン紛争——この紛争の結果も、支払った代償にはとうてい見合わないものだった——のせいで、多くのアメリカ人は、軍事介入はもちろんのこと、世界においてアメリカが積極的な役割を果たすことに対しても後ろ向きになった。皮肉なことに、この戦争の主な受益者はイランだった。天敵イラクの弱体化と分断が進み、イランと角を突き合わせる力を失ったからだ。一方イラク国内では、強い中央政府が存在しなくなり、かといってフセイン後のイラク国内の共存についてコンセンサスがとれていなかったことで、国内のクルド人、スンニ派、シーア派による衝突が起きた。こうしてイラクは疲弊していった。

アラブの春

2010年末、アラブ世界の各地で市民が権威主義的指導者に抗議して立ち上がったとき、多くの国々が、これで中東の状況は一気に改善されるだろうという希望を感じた。アラブの春と呼ばれた多数の抗議運動[26]に共通していたのは、腐敗し、独裁的で、国民の大多数に質素な生活水準すらもたらさない政府に対する民衆の不満だ。中東の活動家たちはもちろんのこと、それを世界から見守る識者たちも、一様に同じ期待を抱いた。チュニジアで始まりエジプト、リビア、シリア、バーレーン、イエメン、その他各地に広がった民衆の抗議運動の波がついに政治改革を導き、自由も民主的参加もほとんど存在しなかった社会を変えていくだろう、と。新しいテクノロジー、とりわけ携帯電話とインターネットとソーシャルメディアがコミュニケーションと情報の流れを支えることで、権威主義的政府から個々人へ、パワーバランスの傾きを変えられるだろう、と。

だが、事態はそんなふうには進まなかった。エジプトとリビアでは統治者を失脚させたが、エジプトでは1年後に権威主義体制が復活した。政治における宗教の役割を大きく拡大し、個人の自由を制限することを目指す運動「ムスリム同胞団」が、初めて選挙によって政権を掌握したのである。しかし、この政権も、その後に民衆の激しい抗議の中で軍によって倒された。エジプトでは人口が年100万人以上のペースで増えており、経済はそれだけの人口を支える力がなく、政治システムは国民の生存を支えると同時に抑圧することで成り立っている。こうした条件に鑑みると、エジプトがこれから向かう未来にも、明るい気配は感じられない。そしてリビアでは、長期にわたる支配者ムアンマル・アル＝カダフィを排除したことで、その後は混乱が長引き、国は実質的に三つに分断された。エジプトとリビアの双方において、抑圧でも混乱でもない新たな道が生まれなかったことは明らかだ。一方で、アラブ系ではないイランでも抗議運動は起きたが、政府の武力行使によってあっというまにつぶされてしまった。

シリアでは、バッシャール・アル＝アサド政権に対する抗議が短期間のうちに暴力に発展し、政府が反対派を容赦なく取り締まった。アサド政権は当時も現在も、イスラム教シーア派と連携する少数派のアラウィー派が支配的なのだが、その政権を倒したいと考える過激なスンニ派が中東内外から数十万人も集まるようになっていた。政府がしだいにイランとロシアの支援に頼る一方で、アメリカやその他の国が反体制派を支援する有効な介入をためらっていたため、本格的な内戦が続いた。およそ50万のシリア人が命を落とし[27]、人口の半分以上が住まいを追われた。国家再建のコストは甚大だが、それなりの政治的妥協もなく、その気配も見られない状況では、国際的な支援が得られる可能性は低い。

アメリカはシリアに軍事介入してはいるのだが、それは政権転覆のためではなく、シリアに武力侵攻したテロリスト集団、イスラム国（ＩＳＩＳ）を攻撃するためだった。この文脈におけるアメリカの政策は、何をしたかという点ではなく、何をできなかったかという点で、非難すべき余地がある。バラク・オバマ大統領は、２０１２年にアサド大統領に対し、化学兵器の使用はアメリカの「レッドライン」（越えてはならない一線）だと公に警告した。1年後、アサド大統領は明らかにその一線を越え、自国民に対して化学兵器を使用したが、オバマ大統領は軍事行動に踏み切らなかった。その点でロシアは対照的だ。即座にシリアに軍事介入し、アサド政権の持続を事実上保障していた。アメリカが行動しなかったことは、シリアのみならず、中東全体と世界にも影響をおよぼすものだった。アメリカの信頼性と、行動を起こす意思について、アメリカの友好国や同盟国のあいだでも疑念が生じたからだ。こうした疑念が生じれば、敵対する国はもちろん同盟国も、アメリカの影響力を前ほど重視しなくなる。中東におけるアメリカの支配的優位が終わった時期を特定しろと言われたら、２０１３年がそうだったと言えるだろう。シリア政府がふたたび化学兵器を伴う攻撃を行ったとき、オバマの後を継ぎ大統領となったドナルド・トランプは形ばかりの軍事攻撃をしたが、前述のような疑念は払拭されなかった。さらに、２０１９年9月にサウジアラビアの石油施設に対してイランが攻撃を仕掛けた際、トランプ政権が武力を伴う対応をしなかったことと、シリア北部でＩＳＩＳ弱体化のために尽力していたクルド人を支援しなかったことも、アメリカは及び腰だという認識を強めた。その後にトランプ大統領が、イランのイスラム革命防衛隊で国外活動を指揮していたガーセム・ソレイマーニーに対する標的殺害を認めたことで弱腰という印象は一時的に返上されたが、中東におけるアメリカの関与範囲については、今も妥当性が疑問視されている。

２００３年のアメリカによるイラク侵攻、そして最近のシリア崩壊を受け、近頃あらためて浮上しているのが、クルド人の運命をめぐる問題だ。クルド人はほとんどがペルシャ（イラン）にルーツを持つスンニ派ムスリムの集団で、独自の伝統と言語があり、国家として独立を望んでいたにもかかわらず、第一次世界大戦後にそれが実現しなかった。外交の椅子取りゲームが行われていたようなもので、音楽が止まったとき全員が座れる椅子は用意されておらず、クルド人が座れずに終わってしまったのだ。クルド人の人口は現在では全体で３０００万人を超え、主にトルコ、イラン、イラク、シリアに住んでいる。この４カ国の政府はいずれも、クルドが独立すれば自国の団結に対する脅威になるという考えから、クルド独立を阻止する姿勢を固めている。クルド人に民族自決と独立国を与えないのであれば、別の選択肢として、4カ国に住むクルド人の自主裁量を広げるという方法もある。自治、クルド語使用の支援、クルド文化の尊重を含め、彼らの決定権の範囲を広げるという判断なら、既存の国境を引き直すことなく実現できるし、実現すべきとも言える。ただし、その案も、少なからぬクルド人を抱える国（1カ国か、4カ国すべてか）は許容しない可能性は否めない。

ヨルダン、クウェート、モロッコ、サウジアラビア、アラブ首長国連邦といった君主国は、中東の他の政権と比べればよい状態だ。国民の大多数が自国のリーダーを合法的な指導者と認識していることが一因である。だが、その状態が今後も続くかどうかは、あやしいと言わざるをえない。特にサウジアラビアは、かなりのエネルギー資源があり、イスラム教の聖地をもつ国としての責任があり、ゆたかで、比較的人口も多いので、必然的に懸念も大きい。サウジアラビアのリーダーたちは現在、自国の安定を維持しつつ、必要な政治改革と社会改革を導入していく方法を探っている。国内の最も保守的な層がそうした改革に反対しているので、あくまで限られた範囲での導入だ。また、石油と天然ガスにほぼ全面的に依存した経済を多角化し、もっぱら王室の一派だけで継承されている政権の次世代への移行を成功させ、さらには軽率かつ見込みがないと言われるイエメンでの戦争から段階的に撤退することについても、手探りが続いている。サウジ政府は批判派を抑圧したり、時には殺害したりすることが不名誉な評判となっており、これが政府の取り組みをいっそう厄介にしている。リーダーシップを担う新たな世代が生まれても、こうした課題のすべてを解決できるとは考えにくい。問題は、解決できないとすれば、その先はどうなってしまうか、という点だ。

イランは、現在では敵の強国イラクと拮抗する存在ではなく、中東の地域大国として台頭している。イランは野心的な国だ。独自の軍事力のみならず、ヒズボラ（シーア派を基盤とする民兵組織兼政党で、レバノンを支配している）などの民兵組織や、イラン国内のシーア派人口の支援を活用して、自国の影響力を中東全域に広めたいと考えており、実際にイエメンとイラクに対してそのような行動に出た。シリアにも直接的・間接的に介入している。こうした経緯で、イランはサウジアラビアやスンニ派のアラブ諸国にとっても、イスラエルにとっても、そしてアメリカにとっても、中東最大の懸念対象となった。これまで何十年もイスラエルとアラブ諸国間の動向が中東を左右していたが、今はイランと他の国々との競争が多くの面で中東全体を左右するというわけだ。この競争の今後のなりゆきは、中東の未来に大きな影響をもたらす可能性がある。

地域機関もいくつか存在しているが、中東の安定または繁栄にはほとんど貢献していない。たとえば1945年に結成されたアラブ連盟は、現在ではアラブ諸国22カ国が加盟しているが、大半の国が悩んでいる内政問題には基本的に関与せず、対イスラエル、そして最近では対イランの共同戦線を維持することに主眼を置いている。主にペルシャ湾岸のスンニ派アラブ諸国で構成されている湾岸協力理事会（GCC）も、今ではサウジ主導の対イラン戦線と変わりがない。アラブ諸国にイスラエル、トルコ、イランを加えて成立している地域組織は一つもない――言い換えれば、中東地域全体の問題に取り組むための機関が存在していないのである。

今後の見通し

もう一つ考えておきたい問題がある。中東には核兵器保有国が一国存在しており、それがイスラエルであるという点だ。イスラエルは1960年代に核兵器開発を行った。もっぱら自力での開発だったが、フランスからの補助も受けている。近隣諸国の多くがイスラエルの存在を敵視していることを踏まえて、究極の自衛手段という位置づけなのだろう。ただし、経済制裁を避けるため、そして近隣諸国が自前の核開発に意欲を増すのを避けるため、わざと詳細を明かさない政策をとっており、核開発プログラムの内容は知られていない。そして近隣諸国の追随を防ぐ狙いで、イスラエルは過去に少なくとも2回、他国を攻撃している。1981年にはイラク、2007年にはシリアの原子炉施設を空爆した。その数年後には、イランの核開発を遅らせる目論見で、アメリカとイスラエルが共同でイラン核施設にマルウェア攻撃を仕掛けたと広く言われている。

問題は、中東が今後も危険な核開発競争を回避できるのか、という点だ。イランは核兵器開発に近づいたが、経済制裁を受け、そのうえ攻撃されるリスクも考えて引き下がった。その後、イランと、アメリカ、中国、フランス、ロシア、イギリス、ドイツによる交渉が、2015年に包括的共同行動計画（JCPOA）[28]への合意という形で結実している。この合意でイランは一時的ながら核兵器開発に必要な燃料を蓄積する能力を制限し、引き換えに、経済制裁の大幅な緩和を受けた。しかし2018年に、ドナルド・トランプ政権下のアメリカはこの合意を離脱する。合意の条件（オバマ政権下で交渉された内容）は重要な部分が10年ほどで有効期限切れとなることから、イランに対する要求として十分ではないという理由だ。また、イランのミサイル開発プログラムや中東での有害活動を制限していないというのも、離脱の理由だった。離脱と同時にイランへの新たな経済制裁が発動された。イランはこれに対し、包括的共同行動計画で取り決められていたウラン濃縮制限を反故にした。また、代理勢力を使ってエネルギー供給の重要なルートであるホルムズ海峡の航行を阻止し、サウジアラビアを攻撃し、イラクの米軍駐屯基地に攻撃を試みるという行動に出た。現時点で懸念すべき点は多い。アメリカの経済制裁は、包括的共同行動計画よりも効果的に、イランの核およびミサイル開発を制限できるのか。あるいは、イランは今後、警告もなしに数多くの核兵器を作れるだけのウラン濃縮を目指すのか。イランが核能力の獲得に成功したら、近隣諸国も後に続くのか（サウジアラビアがそうなる可能性が高いが、トルコやエジプトでも考えられる）。もしくは、アメリカとイスラエルが軍事力を行使して、イランの核施設が本格稼働する前に、その重要な部分を破壊することになるのか。

イラン関連で何が起きるにせよ、確実に言えるのは、中東には情勢安定につながる条件の多くが欠けているという点だ。地図を見ているだけではわからないが、現実として中東地域に引かれている国境は、その多くの部分で正当性を争っている。そして大半の国の政府は自国内の状況を掌握できていない。勢力均衡は成立していないし、中東はどうあるべきか、どう変化していくべきかという点でも、共通認識は成立していない。その一方で、中東における強国、すなわちイラン、サウジアラビア、トルコ、イスラエル、エジプトは、頻繁にこの地で暴力的な対立を起こしているし、世界の主要国——主にアメリカ、ロシア、そして米ロと比べれば影響力はやや小さいながらも中国——も、それぞれに中東で利権を狙っている。さらにはアルカイダ、ＩＳＩＳ、ヒズボラ、クルド人のさまざまな民兵組織など、多数の厄介な非国家主体の行動も、事態をいっそう複雑にしている。これらのすべての要素から導かれる予想として、中東はこれまでどおり、国内および国家間の暴力と、自由や民主主義の欠如、世界の大半から大きく差のついた生活水準といった特徴を抱えたまま、未来に突き進んでいく可能性が高い。

アフリカ

アフリカの特徴は描写が難しい。この大陸は、さまざまな矛盾、成功と失敗、経済発展と極度の貧困、広がりつつある民主主義と古めかしい専制政治、安定した国と紛争に苦しむ国が入り混じっている。土地が広大であることも、要約が難しい理由の一つだ。国の数は49カ国[1]で、全体では、アメリカと西欧とインドを合わせたよりも広い領土を占有している。

本論の目的上、ここで言うアフリカは、サハラ砂漠よりも南のアフリカを指している[2]。サブサハラ・アフリカと呼ばれる地域だ。地理的名称として正確でないことは認めるが、アフリカ大陸の大半を構成する国および国民を、大陸北部の数カ国とその国民とは区別するために、この呼び方が使われる。北アフリカの国々は、言語（アラビア語）、宗教（イスラム教）、そしてアイデンティティを踏まえると、中東の一部として論じるのが一般的だからだ。アフリカの地域機関（アフリカ連合）に加わってはいるものの、彼ら自身も自分たちをアラブ世界の一員と見ている。さ

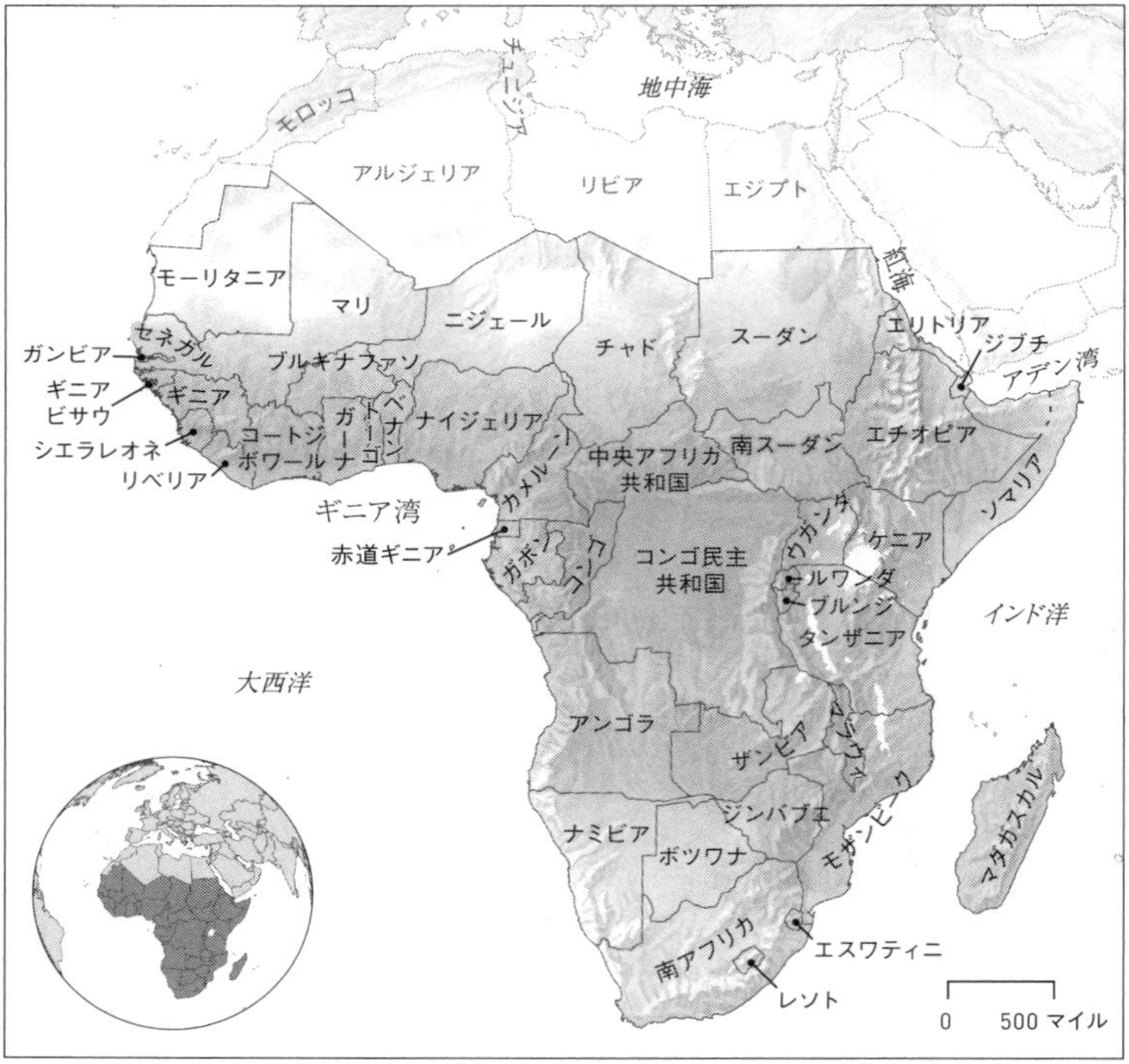
地中海
チュニジア
モロッコ
アルジェリア
リビア
エジプト
紅海
モーリタニア
マリ
ニジェール
チャド
スーダン
エリトリア
ジブチ
アデン湾
ガンビア
セネガル
ギニア
ビサウ
ギニア
ブルキナファソ
ベナン
トーゴ
ガーナ
ナイジェリア
コートジボワール
シエラレオネ
リベリア
中央アフリカ
共和国
南スーダン
エチオピア
カメルーン
ギニア湾
ソマリア
ウガンダ
ケニア
赤道ギニア
ガボン
コンゴ
コンゴ民主
共和国
ルワンダ
ブルンジ
インド洋
タンザニア
大西洋
アンゴラ
ザンビア
マラウイ
マダガスカル
ジンバブエ
モザンビーク
ナミビア
ボツワナ
エスワティニ
南アフリカ
レソト
0
500 マイル

らにややこしい点として、スーダン、ソマリア、ジブチなど、サブサハラに含まれる国の中でも数カ国は、言語的または宗教的に、北アフリカの「マグレブ」と同じグループとして扱われることもある。

歴史

恣意的なグループ分けはさておき、サブサハラ・アフリカ——このあとはシンプルに「アフリカ」と呼ぶ——の歴史を振り返れば、数世紀も前からヨーロッパ人がこの地に来て[3]天然資源と人的資源の搾取・収奪を始めていたことがわかる。ヨーロッパ諸国は１０００万人以上のアフリカ人を奴隷にして西側世界へ運んだ。この奴隷貿易は16世紀に始まり、19世紀に非合法となるまで続いた。それと同時進行で、サハラ砂漠を挟んだ南北での奴隷交易も行われ、アラブ人が数百万のアフリカ人を奴隷にして北アフリカや中東に輸出していた。この交易は、奴隷をヨーロッパに運ぶ大西洋横断交易よりも長期にわたって続いている。具体的には中世に始まり20世紀まで継続した。

奴隷貿易が始まってから、ヨーロッパ諸国がアフリカに植民地を作るまで、長くはかからなかった。フランス、ポルトガル、イギリス、そのあとにドイツ、ベルギー、イタリア、スペインが、いずれもアフリカ大陸に拠点を作った。20世紀初頭になる頃には、ヨーロッパがアフリカ大陸のほぼすべての土地をおさえていた。

アフリカ大陸における分割・植民地化の詳細は、アフリカの現実よりも、ヨーロッパ諸国の国益を反映したものだ。その地で暮らす民族、宗教、部族に結びついたアイデンティティや商業のパターンには、まったくと言っていいほど関心を払わずに、植民地の境界線を引いた。つまり、植民地化政策によって生じた各国内および国家間の不安定さは、このときにタネがまかれたのだった。

アフリカの植民地時代は結果的には短命で、1世紀も続かなかった。第二次世界大戦と、その後の冷戦の始まりを受けて、アメリカもソ連もアフリカ植民地にはさほど興味をもたなかった。特にアメリカは、ヨーロッパ植民地政策の拡張にはいかなる形でも反対だった。ソ連がナショナリスト勢力を支援して介入するきっかけになることを恐れたからだ。それに加えてヨーロッパ諸国自身も、アフリカ植民地を維持する費用の増大と、そうした犠牲で得られる恩恵を疑問視する国民の目を意識して、ほとんどが植民地支配の継続に後ろ向きになっていた。フランスは、植民地を植民地ではなく本国の一部と認識する傾向があり、アルジェリアでもその方針を貫こうとしたが、8年にわたる悲惨な戦争で1万5000人以上のフランス人と数十万人のアルジェリア人の命を犠牲にし、本国の政情不安も招いた挙句に、ようやく1962年に植民地支配をあきらめた。

中東や南アジアと同じく、第二次世界大戦後におけるアフリカの植民地時代の唐突な終焉も、往々にして紛争を伴った。ベルギー領だったコンゴ、イギリス領だったナイジェリアなど、新たに独立した国々の多くにおいて、独立後も戦争が続いた。植民地だった国々のほうに、自治の要求に応えられる体制ができていなかったことも事実である。独立以降のアフリカ諸国の大半にとっては、優れた統治の確立が最大の課題であり、成功している国のほうが例外的だ。独裁的で腐敗した政府になることが多く、安定を欠き、国民の大多数が経済的機会をつかめない国となってしまうのだった。

アフリカ近代史の中でも屈指の印象的かつ重要なエピソードとして、南アフリカがたどった経緯が挙げられる。この地域は、まずオランダの植民地になり、次にイギリスの植民地となった。英蘭と、英蘭それぞれがアフリカに来た時点で現地に住んでいた部族とのあいだには、武力を伴う広範囲な紛争がたびたび発生した。その最後となったのが、イギリスと、オランダ人入植者の子孫であるブール人〔訳注：ボーア人とも呼ばれる〕とで繰り広げられた、第二次ブール（ボーア）戦争である。１９０２年に終結し、勝ったのはイギリスだったが、多くの面で割に合わない勝利だった。現在ではアフリカーナーと呼ばれるようになったブール人のほうは、その後20世紀の年月を通じて、少しずつ立場を強めていった。

そして１９１０年[5]に、現在の私たちが南アフリカと呼ぶ地域が、大英帝国の自治領として南アフリカ連邦になった。約40年後の１９４８年、国民党が政権を握り、以前から横行していた人種隔離政策を公式に推進し始めた。アフリカーンス語で分離を意味する「アパルトヘイト[6]」と言われるこのシステムのもと、市民は白人、有色人種（カラード）、黒人に分類された。少数派である白人が、経済的、社会的、政治的にあらゆる面で不利な立場に置かれた多数派である黒人を支配した。

この残酷な現実は、二つの反応を引き起こした。一つは、体制転覆を狙う政治活動や軍事活動[7]の台頭である。最も有名なのが、のちにネルソン・マンデラが率いることとなるアフリカ民族会議という団体だった。そしてもう一つは国際社会の反応だ。国際社会は、多数決原理によらず少数だけが支持する政権が権力をもつことを認めず、これを弱体化するために、最終的には経済制裁と政治的制裁を行った。すると南アフリカ側は、国民投票を受けて１９６１年に、イギリス女王を儀礼的な国家元首とする自治領という立場をやめて共和国になった。そして、イギリス連邦加盟諸国がアパルトヘイトを非難していることを理由に、同年のうちにイギリス連邦からも脱退した。その後も情勢は悪化し、１９９０年代初めには反アパルトヘイト運動が激化する一方、制裁措置も要因となって経済低迷が深刻さを極めていた。

しかし、変化は起きた。しかも、起きるときには一気に、そして大筋では平和的に起きたのだ。歴史上の前例を踏まえれば、さぞ暴力的な転換だっただろうと思えるかもしれないが、そうではなかった。暴力を回避できた理由は、二人の注目すべき人物の統率があったからだ。一人は前述のネルソン・マンデラである。反アパルトヘイト活動家で、[8]政治犯として27年間にわたり投獄されていた。そのうち18年間は、ケープタウン郊外のロベン島で、囚人に採石所で過酷な労働をさせる強制収容所に収監されていた。にもかかわらず、釈放後の彼が掲げたメッセージは、復讐ではなく和解を訴えるものだった。このマンデラと並んで注目すべきもう一人の人物が、フレデリック・ウィレム・デクラークである。結果的にアパルトヘイト時代の最後の大統領となったデクラークは、多数決原理による改革は不可避であると理解していた。だが、改革がいつ、どのように実施されるか、それが暴力的なものとなるか平和的なものとなるか、その点で懸念を抱いていた。マンデラとデクラーク、どちらか片方の活動だけで、その後の成果が導かれたとは考えられない。私は数十年前に紛争成熟度に関する著書を書いているのだが、一言で言うならば、駆け引きの成否は衝突する双方に、妥協してもよいという意思と、必要な妥協をすることのできる力をもったリーダーがいるかどうかで決まる。それに当てはまるリーダーがいたことは、南アフリカにとって幸運だった。最終的に、長期的な暴力も大規模な暴力も起きることなく改革が進み、マンデラが1994年にアパルトヘイト撤廃後の最初の南アフリカ共和国大統領となった。何をなしえたかという点でも、何を避けられたかという点でも、この発展が重要であったことは確かだが、このあとで論じていくとおり、だからといってこの国の順風満帆な未来が保証されたわけではなかった。

地政学

現代のアフリカにおいて、地政学的な影響力の競争は——近隣諸国間でも、外の世界の強国とのあいだにも——あまり見られない。特に、中東や南アジアおよび東アジア、そしてヨーロッパと比べれば、かなり少ない。現在のアフリカが形成された歴史の第一フェーズが植民地政策の時代だったとするならば、第二フェーズは脱植民地化と冷戦の時代、そして現在は第三フェーズにあると言えるだろう。ヨーロッパやアメリカから、アフリカのインフラや鉱物に対する投資が行われており、最近では中国の投資も増えている。断続的にテロも起きているのだが、前述したように、地政学的競争が比較的ないことのほうが、この大陸の重大な特徴と言えるだろう。争いは国家間ではなく国内で起きることが多いし、外的な要因で紛争がそそのかされる場合であっても、もっぱら難民の流入や民族関連の暴力が理由であって、抑圧や征服ではないことが多い。

経済

アフリカのほかの特徴と同じく、経済の状況も混然としている。アフリカ全体のGDPは年々急速に伸びているが、それでもまだ規模は小さく、世界GDPの2%程度だ。[10]近年のGDP成長率は平均3－4%程度だが、アフリカ人の大多数が貧しく、そして人口急増が進んでいることに鑑みると、彼らを中間層に押し上げるには十分な成長率とは言えない。貧困と判断される暮らしをするアフリカ人の割合は縮小しているが、絶対数で見れば増える一方だ。[11]世界の貧困層のうち、半分がサブサハラ・アフリカに住んでおり、具体的に言えば4億人[12]以上が一日2ドル以下という生活をしている。同様に、日常的に電気へのアクセスをもたない層を全世界で集計すると、その半分が[13]サブサハラで暮らしている。徴税も最低限となることが多く、[14]汚職も広範囲に広がりやすい。[15]識字率は改善しており、[16]現在ではアフリカ人の60%に読み書き能力があるが、実のところ読み書きができない人の絶対数は増えている。

アフリカ域内貿易はきわめて小規模[17]だ。アフリカで消費されているモノのうち、少なからぬ割

極貧生活をする人々の地理的分布

1日1.90ドル未満で生活する人の数

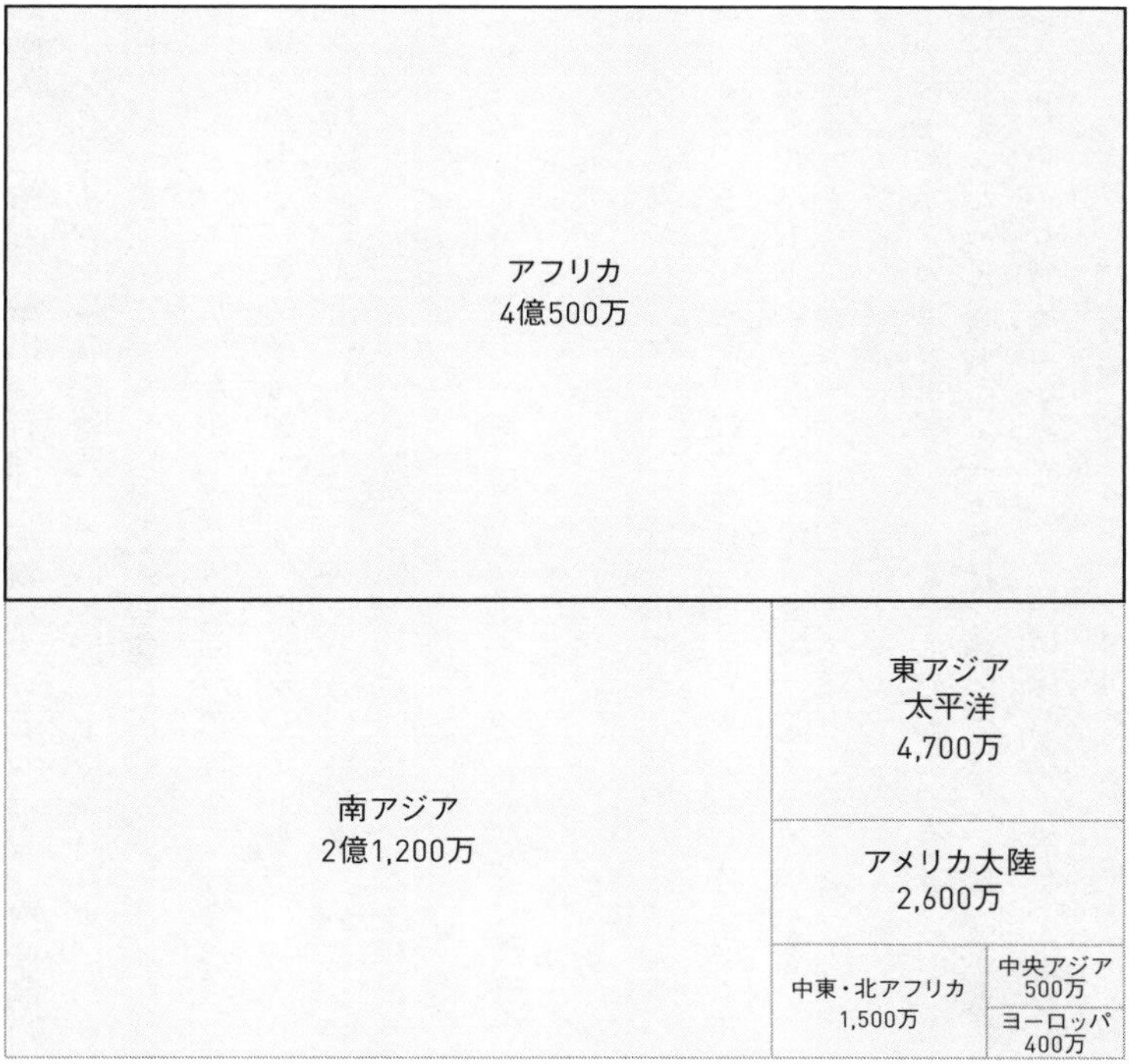

注：データは2015年現在、もしくは各国の最新のデータ。

出所：世界銀行

合が、域外からの輸入品である。輸出は石油や鉱物など、もっぱら一次産品[18]だ。インフラは整っていない[19]。世界でインターネット接続が普及している国、上位100カ国のランキング[20]を見たとき、サブサハラの国で入っているのはナイジェリアと南アフリカのみである。多くの国が入国に査証（ビザ）を要するので[21]、アメリカ人がアフリカ域内を移動するほうが、アフリカ人の移動よりも簡単だという場合が多い。製造業も振るわず、成長スピードも遅い。2018年に成立されたアフリカ大陸自由貿易協定（AfCFTA）で何らかの効果が出るかどうか、現時点ではまだ判断できないが、導入に対する障害の多さに鑑みると、あまり期待はできない。

人と社会

健康の分野では大きな改善が見られる。ここ数十年間で、平均寿命は大陸全体で伸びた。世界の平均寿命は72歳なので、まだ平均を下げる数値ではあるものの、それでも現在では60歳を超えている[22]。乳児や妊産婦死亡率[23]も下がった。HIV／エイズとマラリアを含め、感染性疾患の多くがおおむね制御下にある[24]。

しかし、エボラ出血熱の流行が断続的に起きていることからもわかるとおり、アフリカは現在でも感染性疾患に対してきわめて脆弱だ。エボラほど劇的ではないが、重要性の面では引けを取らない問題として、肥満、心臓病、がんといった伝染しない病気、すなわち非感染性疾患（NCD）[25]も増えている。運動量の少ないライフスタイルや、健康的でない食事習慣、喫煙など

アフリカの人口は現在の11億人から、39億人に増える見込み

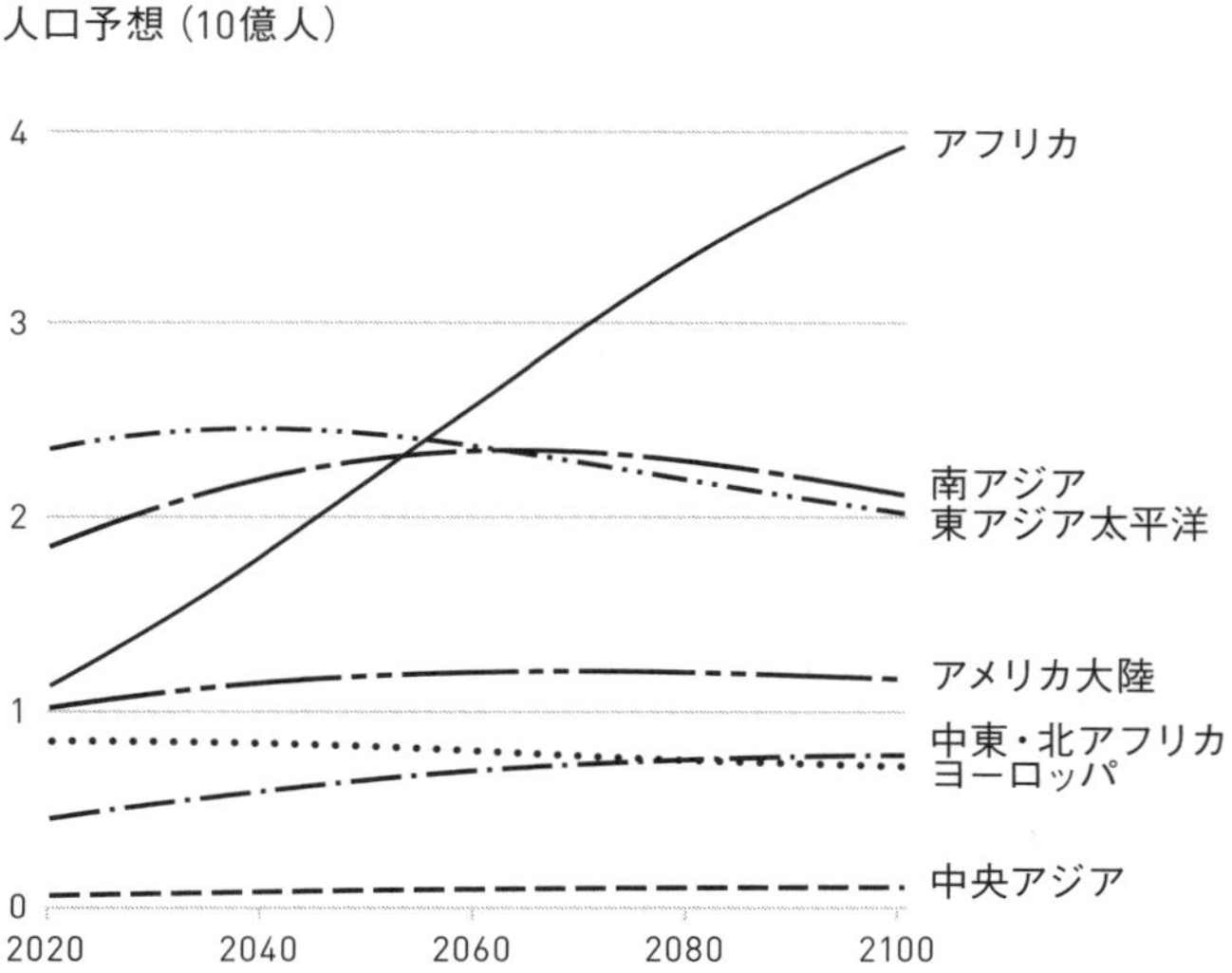

出所：国連経済社会局人口部

に関連して発症しやすい病気だ。そして医療制度は整っていない。

アフリカの人口は現在では10億人を上回り、世界で最も急速な勢いで増加している。平均年齢で見れば世界で最も若い。[26] 人口は過去50年間で4倍になり、21世紀半ばまでにはさらに倍の20億人に届く見込みだ。[27] 都市化も着実に進んでいる。[28] ただし、こうした人口増加は資産というより負担となっていく可能性が高い。労働力に流入する人口に対して、十分な雇用があるとは考えにくいからだ。特に危険な予想として、生活必需品を入手できるアフリカ人が増えているとはいえ、人口増加のせいで、今後も多くのアフリカ人が基本的な生活ニーズを満たせないと考え

られる。アフリカの人々に関する見通しの暗さに拍車をかけるのが、人口増加の背景にある技術革新だ。技術革新が進めば、多くの場合、既存の雇用が脅かされる。新規に創出される雇用もあるが、それはごく限られた人々しか受けられない訓練を要する仕事である可能性が高い。

政治

アフリカにおける政治的進歩については、有意義な事例が何点か見られており、今後も維持される傾向のようだ。民主主義は多くの国で根づきつつある。[29]全アフリカ人の半分以上[30]が、自由、もしくは部分的に自由が保障されており、完全ではないにせよ機能的な民主制と呼べる国で生活している。長らく居座ってきた権力者も続々と権力の座を追われているし、国家元首の在任期間に制限を設ける憲法が定められることも増えている。それでも、アフリカの歴史の流れがはっきり民主主義支持で動いているとか、各国に導入された民主主義がこれからも定着するとか、そういった結論を出すのはまだ早い。[31]国内紛争を抱えている国が多すぎるからだ。1990年代初めに起きたルワンダ内戦では、80万もの人命[32]が犠牲になったと言われる。その多くが、少数民族ツチ族を標的とした大量虐殺の被害者だった。最近では、スーダン、中央アフリカ共和国、コンゴ民主共和国において、暴力的な内紛が起きている。そうした紛争の頻度や深刻さがこれから改善されていくという予兆は見られない。

アフリカにおける最も重要な二国と言えば、間違いなく南アフリカとナイジェリアだ。二国合わせた人口はアフリカ全体の5分の1以上[33]、経済生産高では45%以上[34]を占める。大陸の二つの錨のような存在だ。

先にも述べたように、1994年は、アパルトヘイトが撤廃され[35]多数派である黒人が統治する南アフリカが誕生した年だった。だが、多くの例がそうであるように、一党支配（この場合はアフリカ民族議会）は結果的に期待外れとなっていく。不平等は深刻なまま持続しており、多くの黒人にしてみれば、政治改革は経済的変化をもたらしていない。汚職も著しく広がっている。世界で最もＨＩＶ／エイズ患者が多い国は南アフリカだ。結論から言えば、アパルトヘイト撤廃後の南アフリカで掲げられた約束は実現していない。

一方、ナイジェリアはイギリス領だった[36]が、1世紀も経たずに1960年に独立を果たした。その後の歴史を語るとすれば、ひどく混乱している、としか言いようがない。独立直後は、内戦と、分離独立運動と、軍事政権を特徴とする時代が数十年ほど続いた。政治は、文民指導者が軍部を政治から切り離したことで、安定しているように見える。ただし、宗教、部族、地理、言語が分断され、国としてのインフラも整っていないせいで、この国が抱える課題は大きい。ＨＩＶ／エイズを筆頭とする疫病の問題も深刻だ。

ナイジェリアの人口は2億人に届こうとしており、アフリカ大陸で最大である。経済もアフリカ最大の規模だが、年間経済生産高のうち大半を占めるのは雇用集約型の製造業やサービスや農業よりも、石油生産だ。汚職は以前から著しく、現在でも解消されていない。テロも大きな問題で、しかも広がっている。暴力的なイスラム組織ボコ・ハラムが、現在の民主的で非宗教的な政権を転覆し、厳格なイスラム法（シャリーア）による統治に替えることを狙っているからだ。ムスリムの一部がシャリーアを支持しているが、それは過半数ではない。規模の多いキリスト教徒たちは、この統治に強く反対している。また、ナイジェリア人の多くが首都アブジャの政府および連邦に対して忠誠心を抱いていないことが、さらに大きな問題と言えるかもしれない。

地域機関

地域機関はアフリカでは小さな役割しか果たしていない。最も有名なのはアフリカ統一機構（ＯＡＵ）で、脱植民地化が行われたすぐあとの１９６３年に設立したが、これといった成果もなく、40年後にアフリカ連合（ＡＵ）に引き継がれる。ＡＵになったのは書類上では正解だった。ＡＵがさまざまな条件を定め（たとえば大量虐殺に関して）、その規定のもとで、加盟国が他国の出来事に介入することが許されることになったからだ。だが、ほとんど無力だったＯＡＵよりも、現実的にＡＵのほうが大幅に優れているかと言えば、それはかなり不透明である。平和維持を筆頭として、求められている使命を実行するため必要なリソースや能力には欠けている場合が少なくないからだ。

今後の見通し

結論として、アフリカの未来は近年のような不均一な状況が続くだろう。優れた統治と、広く共有される経済成長に彩られる国がある一方で、非正統的な独裁者、汚職、暴力で苦しむ国も引き続き存在する。おそらくアフリカ諸国に共通する最大の問題は、人口増大である。それが経済を著しく圧迫するため、適切な教育、医療、住宅、食糧、そして毎年数百万人の若者が流入する労働市場に十分な雇用を提供していくことは難しい。ほかのどの問題にもまして、この人口増大問題に首尾よく対策をとっていけるかどうかで、21世紀におけるアフリカ大陸の軌道は決まってくるだろう。

アメリカ大陸

地球の西半球を見れば、そこにあるのがアメリカ大陸——具体的には、北アメリカ、南アメリカ、中央アメリカ、そしてカリブ諸島を含む——だ。この地域に含まれる国の数は38カ国[1]（そのほかに、主にイギリスやフランスの海外領土などもある）で、10億人を超えるほどの人々が住んでいる。カナダとアメリカという、陸地面積で測れば世界第2位と第3位の国もある。二国はいずれも中国よりはわずかに大きいが、ロシアと比べれば半分程度だ。ロシアはタイムゾーンが11もある広さで、今のところ世界最大の国である。

アメリカ合衆国のＧＤＰは20兆ドルをやや上回り——全世界の生産高の4分の1を占める——世界最大の経済圏であり、アメリカ大陸における支配的な国家である。アメリカ大陸全体に対する人口の割合はおよそ3分の1で、経済生産高では4分の3[2]を押え、域内の他国とは異なる規模でパワーと影響力をもつ。多様な天然資源、農業に適した土壌と気候、二つの海に守られた一定

カナダ
アメリカ合衆国
大西洋
メキシコ
バハマ
キューバ
ジャマイカ
ドミニカ共和国
ベリーズ
ホンジュラス
ハイチ
グアテマラ
カリブ海
エルサルバドル
ニカラグア
パナマ
コスタリカ
ベネズエラ
スリナム
仏領ギアナ
ガイアナ
コロンビア
エクアドル
ブラジル
ペルー
太平洋
ボリビア
パラグアイ
チリ
アルゼンチン
ウルグアイ
フォークランド諸島
0
1,000 マイル

の安全性、そして自国の南北両方に友好国が存在するなど、アメリカは数多くの有利な点を享受している。土地や気候に恵まれているだけでなく、人間が作ってきた有利な特徴もある。政治的安定、法による支配、順応力、世界一流の大学機関、移民を受け入れる伝統（守られないこともあるが）などだ。移民を受け入れる姿勢のおかげで、優れた人材を獲得し、国として人口統計学的不均衡を回避できている。人口統計学的不均衡とは、労働年齢人口に対して高齢者層が多い状態のことで、国家の維持が難しくなる。

だが、アメリカ大陸の歴史は、アメリカ合衆国だけを語って終わるものではない。ブラジルの人口は2億人以上、メキシコは1億人以上で、いずれも経済の規模が大きく、成長している。そしてアメリカ大陸全体がエネルギー資源の宝庫だ。ベネズエラには世界最大の石油確認埋蔵量がある。石油埋蔵量の上位10カ国のうち、3カ国[3]がアメリカ大陸の国だ（ベネズエラ、アメリカ、カナダ）。アメリカ合衆国を除いて考えたとしても、この地域は輸出市場の規模でも、また一次産品の豊富さという点でも、世界経済に対して重要な位置づけにある。

アメリカ合衆国にとって、アメリカ大陸に位置するという要素は、戦略的にきわめて重要性が高い。この地域が比較的安定していて、アメリカ合衆国と域内諸国とのあいだに全体的に良好な関係性が保たれていることが、アメリカが大国でいられる後押しとなっているからだ。アメリカ合衆国は、域外にも自国の関心とエネルギーを注ぐことができるという、たぐいまれな贅沢を享受している。たとえば中国は、国境を挟んで四つの核保有国とつきあっていかなければならないが、アメリカはアメリカ大陸における唯一の核保有国だ。また、域内における脅威の抑止・対応のために大規模な軍事力を備える必要がなく、かわりに、必要だと判断すればヨーロッパや中東やアジアに自国の軍を送ることができる。

そもそもアメリカ大陸の特徴として強調すべきなのは、地政学、つまりは政治的な動機をもった国家間の相互作用が比較的少ないことだ。領土紛争はほとんど見られないし、国家間の戦争もないに等しく、軍事力も小さい。核拡散の見込みも薄いようだ。ヨーロッパやアジアと違って、アメリカ大陸はほとんどの面において、大国間の対立や紛争という伝統をもたない（冷戦中はそうした場面もあったし、現在では中国がアメリカ大陸における経済的プレゼンスの拡大を目指しているように見えるが）。また、中東と違って、アメリカ大陸は世界を脅かすテロの発信地でもない。

だが、国家間が安定しているからといって、それぞれの国内が安定しているというわけではない。アメリカ大陸に含まれる国の多くが、ギャングや、犯罪カルテルや、殺人や、家庭内暴力など、暴力の蔓延に苦しんでいる。軍や警察はこうした国内の問題に首尾よく対応できないことが多い。法と刑務所の制度も力不足だ。メキシコ、そして中央アメリカに含まれる多くの国々は、国家の統治機能が弱い（弱い国家）という問題を抱えている。アメリカ大陸の中にあって国家が脆弱だというのは、不釣り合いに国家の統治機能が強い国よりも、安全保障や安定にとって深刻な課題である。

アメリカ大陸内では、民主主義体制と権威主義体制の対立が折に触れ起きている。目下のところは民主主義体制が有利だ。チリ、ブラジル、アルゼンチンといった国々も、独立した司法制

アメリカ大陸における殺人発生率は世界で群を抜く
人口10万人当たりの殺人発生率（2017年）

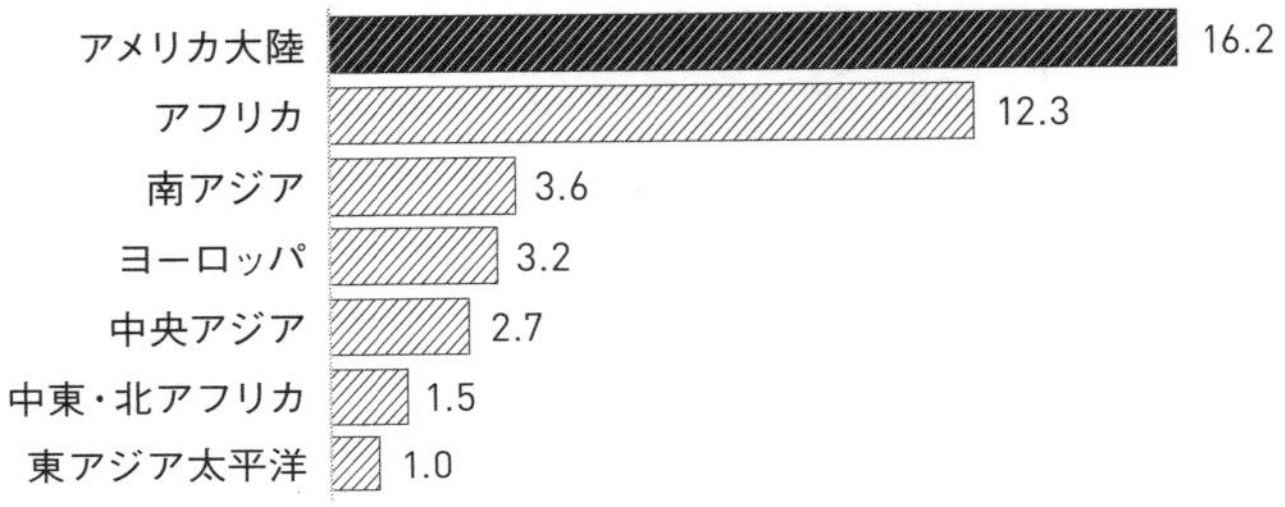

注：殺人とは、「死に至らしめる意図もしくは重傷を負わせる意図をもち、法を犯して人を死なせること」と定義される。戦争関連の死者は含まれない。

出所：国連薬物犯罪事務所

度、報道の自由、公正な選挙など、強い民主主義を構成する特徴の一部を導入できている。だが、以前からずっとそうだったわけではないし、今後も維持される保証はない。実際に20世紀後半まで、文民統制型にせよ、軍主導型にせよ、役人の数が多い権威主義的政権のほうが圧倒的に優勢だったのだ。メキシコは数十年にわたり一党支配が特徴だった。現在でさえ、汚職や、薬物とギャングに関連した暴力、深刻な不平等、不十分な教育制度、与党に対する不十分なチェック&バランス、そして多くの場合、低成長の長期化と、不十分または維持不能な政府支援に対する国民の期待が低い点など、多数の課題が民主主義体制の足を引っ張っている。ポピュリスト政府（個人の権力と認識が、ルールや制度よりも優先される）や、非自由主義的政府（権威主義に近い）に逆戻りする危険性も現実味を帯びている。

歴史

アメリカ大陸を理解するためには、「大航海時代」と呼ばれる15世紀から16世紀初期を振り返ってみるのがよいだろう。この頃はスペインとポルトガルという二国が新世界の大半を分け合って支配していた。だが、中東やアフリカの大半と比べて早く始まった植民地時代は、終わりも早かった。19世紀初頭にヨーロッパを荒廃させたナポレオン戦争のせいで、スペインもポルトガルも弱体化し、植民地管理に集中できなかったからだ。結果として今から200年ほど前に、現在のアメリカ大陸を構成している国々の多くが近代史の始まりを迎えることとなった。

200年前頃のアメリカ合衆国は、アメリカ大陸の状況に対し、以前よりも深く関与するようになっていた。主に、国益を脅やかしかねないヨーロッパの関与を牽制する必要があったからだ。このアプローチが顕著に表れたのが、1823年に第5代大統領ジェームズ・モンローが宣言したモンロー主義である。ナポレオンと対峙する必要のなくなったヨーロッパ諸国がアメリカ大陸で進める植民地化について、今後はすべからく反対するという、アメリカの立場を明確にした。1898年には、アメリカ自身も植民地政策を試す一環として、スペインと戦争をしている。短い戦いで、キューバがスペインから独立し、アメリカはプエルトリコとフィリピンとグアムの領有権を獲得することで終わった。数年後、大統領セオドア・ルーズベルトはパナマ運河建設に着手した。運河は1914年に完成し、大西洋と太平洋にまたがる物資輸送の時間とコストが劇的に削減された。

セオドア・ルーズベルト大統領がアメリカ大陸およびアメリカ合衆国の外交政策におよぼした影響は、パナマ運河だけではない。ヨーロッパからアメリカ大陸への干渉を拒否したモンロー主義を拡大解釈し、1904年、ルーズベルトの系論と呼ばれる方針を打ち出している。アメリカは、アメリカが必要と判断するならば、大陸内で干渉をする権利があるという宣言だ。30年のちにセオドアのいとこフランクリン・ルーズベルトがこの「権利」に回帰するまで、一時期は孤立主義に戻るのだが、それでも大陸内の干渉は実際に行なっていたのだった。

冷戦中、アメリカ大陸は冷戦の重要な舞台となり、この時期の代表的な危機のいくつかが起きる場所となった。キューバでは1959年に、フィデル・カストロが共産主義者のゲリラ活動を率いて、腐敗した権威主義的政権の転覆に成功した。そして自らを首相とする、ソ連との結びつきの強い反民主主義の共産主義政権を打ち立てた。アメリカは2年後にCIA（中央情報局）の主導で、親ソ・反米のカストロ政権を打倒する秘密作戦を実行し、失敗して、惨憺たる敗北を喫している。アメリカに亡命したキューバ人で構成される小部隊を侵攻させたのだが、この部隊がピッグス湾で追い詰められてしまった。「解放軍」である彼らを民衆が支持して蜂起するだろうと期待していたのだが、それも実現しなかった。このとき就任直後だった大統領ジョン・F・ケネディは、約束していた米軍による支援を出さなかったが、たとえ支援を承認したとしても、見当違いかつ無様に実行された作戦の運命は変わらなかっただろう。

1年後の1962年秋、アメリカの諜報部が（このときは空中偵察を駆使して）、ソ連がキューバに核弾頭を搭載できる弾道ミサイル設置の用意を進めていることを発見した。ソ連の動機が何だったかは定かにはなっていない。交渉材料と考えていた可能性もある。キューバに核弾頭を設置しないことと引き換えに、アメリカに対して、西ベルリンに対する関与や、トルコに設置したミサイルや、何らかの新たなキューバ侵攻計画をあきらめさせることを、ソ連は期待していたのではないか。あるいは、核の勢力均衡を動かそうとした可能性も考えられる。また、ケネディ大統領は就任から日が浅く、真価が発揮されておらず、ピッグス湾事件では指揮を誤ったという評価が広がっていたので、相手がケネディならば勝てるとソ連は賭けていたのかもしれない。

だが、動機が何だったにせよ、一つだったにせよ複数だったにせよ、ソ連は計算違いをしていた。それ以前からソ連に設置されたソビエト製ミサイルがアメリカに届く威力を備え、アメリカは攻撃を受けうる状態だったにもかかわらず、ケネディ大統領とその顧問団は、キューバというアメリカの縄張りに近すぎる場所にミサイルを置くのは容認しがたい政治的・軍事的挑戦だとみなしたからだ。ソビエトがミサイル攻撃をした場合の警告時間が短くなること、また、ソ連の判断をアメリカが容認すれば弱さの表れとみなされる可能性が高いことなどが理由だった。

アメリカは、核兵器撃ち合いにエスカレートして双方の社会が破壊されることを恐れ、軍事攻撃は行わなかった。かわりに、ソビエトのミサイルがキューバに持ち込まれることを防ぐ手段として、海軍による選択的な検疫（実質的な封鎖）を実施した。最終的にソビエトは直接対決のリスクを避けて引き下がる。これに応えて、アメリカはキューバ侵攻を行わないと公に約束するとともに、ソビエトに届く位置であるトルコに配備していた中距離弾道ミサイルの撤去を非公式に約束した。半世紀以上が経ち、冷戦が終結し数十年が過ぎた今、キューバはいまだに非民主的な共産主義国家で、アメリカや近隣諸国の多くとは相いれない外交政策を行使している。

中央アメリカも、１９７０年代後半から１９８０年代前半にかけて、冷戦の主な舞台となった。当時国務省に所属していた私は、中央アメリカで繰り広げられる競争への対応にエネルギーを吸い取られていた。典型的な代理戦争で、ソビエトが左翼のゲリラ運動や政府を支援し、アメリカは反共産主義の政府（民主主義であるとは限らないが）や、共産主義政権の弱体化を目指す団体の力を強めるべく働きかけていた。エルサルバドル、ニカラグア、ホンジュラスが主戦場だ。１９８０年代半ばには、非共産主義の政府が支配している地域に、おおむね平和が訪れていた。

もう一つ、ぜひ着目しておきたいエピソードがある。アルゼンチン沖合の小さな島々をめぐって、本格的な紛争が数カ月も続いたことがあった。この島々はフォークランド諸島と呼ばれ、１００年以上イギリス支配下だったが、アルゼンチンにとってそこはマルビナ諸島と呼ばれる土地であり、自国の領土だった。１９８２年にアルゼンチンの軍部主導政権が、おそらくは世論をまとめる狙いで、防衛力をもたない諸島に侵攻し一気に占領した。イギリス首相マーガレット・サッチャーは、これを容認しがたいと判断し、軍を遠征させ、たちまちイギリスの支配権を回復した。この紛争が後押しとなってアルゼンチンの軍事政権が倒れ、結果的にフォークランド紛争[5]は法治と民主主義の両方をもたらすこととなったのだった。

現代の問題

アメリカ大陸の域内で、もしくは主要国とのあいだで、競争優位を争う地政学的攻防が比較的見られないからといって、この地域が課題を抱えていないという意味ではない。[6] すでに考察したように、国家としての能力不足が広がっているし、民主主義の持続も危うい。一番深刻なのはベネズエラだ。「弱い国家」を通り越した「失敗しつつある国家」の状態で、専制国家に近い。石油生産高は大幅に減少している。[7] 食料供給も不十分で、医療制度も整っていない。ハイパーインフレも進んでいる。[8] 毎月数万人がこの国を離れており、[9] 国家としての人的資源が枯渇する一方で、脱出先である近隣諸国、特にコロンビアにとっての負担が増大している。[10] 仮に政治改革が行われ、現政権にかわって合法的な政府が成立したとしても、国家再建の課題は山積みで、ベネズエラ国民および外部の莫大なリソースと数十年の努力を要することとなるだろう。

ブラジルは、汚職が蔓延し（ただし裁判所は今のところ、基本的には汚職問題に対処している）、国民のための公共サービスおよび福祉給付も経済的に支えきれていないという、ブラジル固有の問題を抱えている。アルゼンチンでは、[11] 民主的で実行力があり、なおかつ国民に支持される指導者がなかなか登場していない。メキシコは薬物や組織犯罪関連の暴力が蔓延しているし、北部三角地帯と呼ばれる諸国（グアテマラ、ホンジュラス、エルサルバドル）も同様だ。殺人発生率[12]は世界でも最高レベルである。治安の悪さは地元経済の足を引っ張り、人々の流出につながり、アメリカなど近隣諸国にとっては移民問題の増大となっている。こうしたプレッシャーはアメリカが国境ではねのければ解決できるというものではない。むしろ求められているのは、「原因に対処」〔訳注：レーガン政権で、キューバの問題に関して使われた表現〕し、人々が身体的・経済的安全を理由に国外脱出する気を起こさないような現地環境を作っていくことだ。[13]

カナダもアメリカ大陸の一部だが、アメリカ合衆国と同じく、アメリカ大陸以外にもっぱらの関心を向けている。カナダ経済は世界第10位の規模を誇り、人口一人当たりGDPでも上位15カ国に入る。人口はおよそ4000万で、堅牢な民主主義が根づいている。中国とメキシコと並んで、アメリカ合衆国の三大貿易相手国だ。NATOとG7とG20にも加盟している。そのため、世界で起きる脅威や、北米に対する脅威に関して、アメリカと手を組むことが多い。前述したように、アメリカが世界各地に自国の力を注ぐことができるのは、隣国がこうした友好国だというのも理由の一つだ。歴史上の大国は大半が持っていなかった強みである。

地域機関については問題もある。米州機構（OAS）は、決議に全会一致を要し、同機構の権限で動かせる軍および経済的リソースもないため、大きな成果を出せていない。ベネズエラに平和的解決をもたらすという狙いで、十数カ国が加わるリマ・グループという組織も作られたが、さほど影響力を示せていない。それよりも重要なのが、各種の貿易グループで、なかでもアメリカとメキシコとカナダによる北米自由貿易協定（NAFTA）だ。1994年に発効し、三国間の貿易量の増加と、特にメキシコの発展と成長を促し、その過程で多くのメキシコ人に国外脱出の願望を薄れさせている。ただし、NAFTAはアメリカ人労働者にとって不利で、アメリカ国

NAFTAは北米域内貿易を大幅に増やした

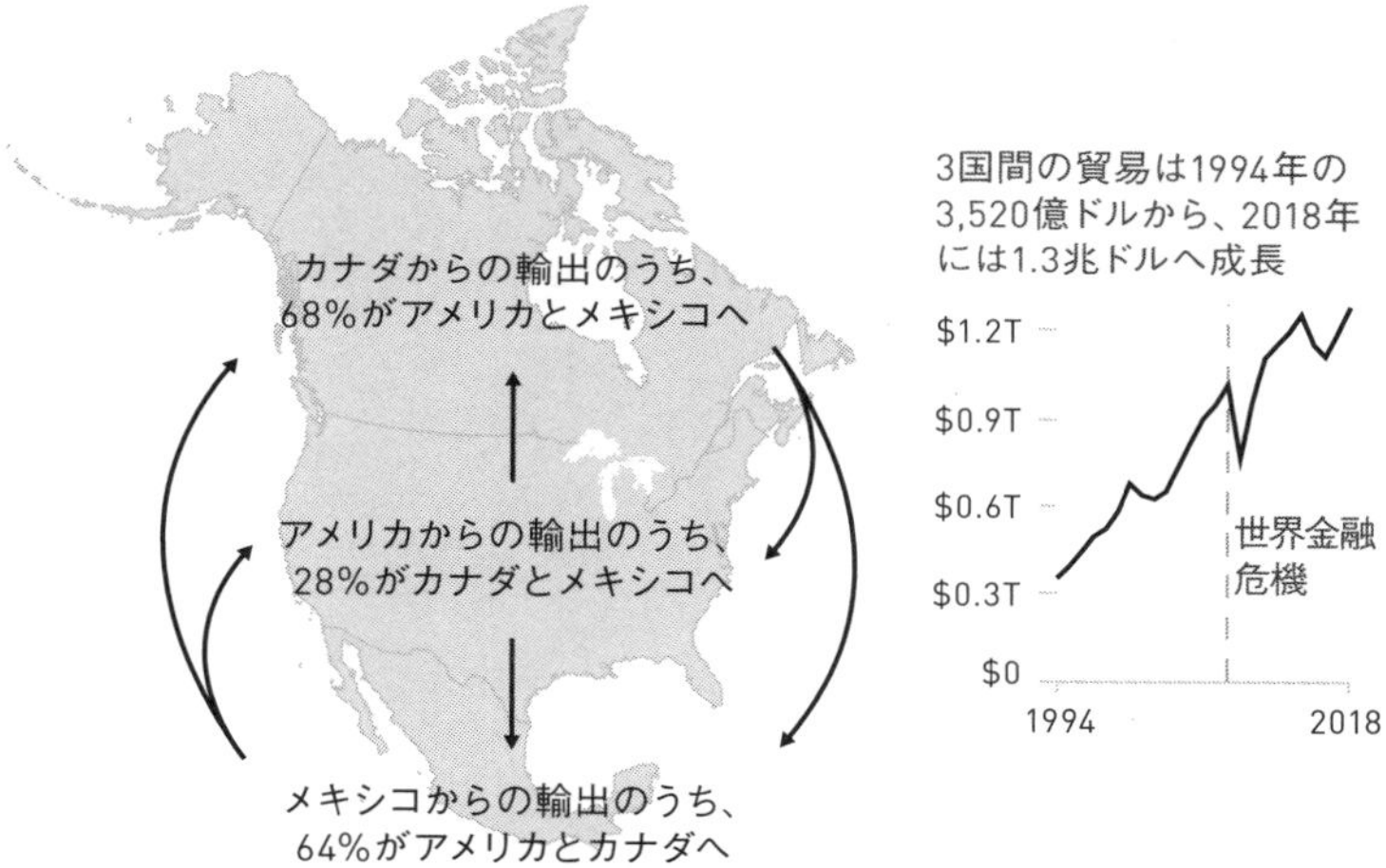

カナダからの輸出のうち、
68%がアメリカとメキシコへ
アメリカからの輸出のうち、
28%がカナダとメキシコへ
メキシコからの輸出のうち、
64%がアメリカとカナダへ
3国間の貿易は1994年の
3,520億ドルから、2018年
には1.3兆ドルへ成長
$1.2T
$0.9T
$0.6T
$0.3T
$0
1994
2018
世界金融
危機

2018年の輸出量

出所：国際通貨基金

内の雇用減少につながっているという意見もある。一部の特殊な状況においてはその通りだったのだが、全体に当てはまることではない。トランプ政権はカナダおよびメキシコとＮＡＦＴＡの再交渉を行い、新たに米国・メキシコ・カナダ協定（ＵＳＭＣＡ）を成立させた。この協定は２０２０年１月にアメリカ議会を通過している。名称や政治的思惑を別とすれば、新しい協定は多くの面で古い協定と似通ったものだった。

　アメリカ大陸全般が直面している課題として、各国政府の統治能力の向上が必要だ。たとえば、国内の安全保障上の問題を解決する。公教育を改善して、国際的に競っていけるスキルを労働者たちが備えられるようにする。市民社会を育てて民主主義を確固たるものにする。公的債務、汚職、そして経済に対する国家の役割を、持続可能なレベルで縮小する。域内貿易の増加にいっそうの力を入れる。それから、地政学的な競争が域内で起きないよう目を光らせる力も必要だ。気候変動に対する世界的な取り組みとして、アマゾンの熱帯雨林の保護がきわめて重要な意味をもっているが、ブラジルがそれについて責任ある行動に出るのかどうかも疑わしい。さらにもう一つ指摘しておきたいのは、強制移住問題の深刻さだ。ベネズエラからは毎日何千人もの人々が国外に逃げ出している。それほどの数ではないにせよ、北部三角地帯と呼ばれる国々からも、多くの人がやむにやまれず脱出している。近隣諸国が受け止めきれない負担が生じているのは明白で、これは喫緊の課題と言えるだろう。

第 3 部

グローバル時代

どんな時代も、その時代を代表する勢力、パワー、試練と、そうした問題に直面した人々や政府の行動によって形成されていくものだ。たいていは大国の存在が、その対立関係や支配をもって物語の中心となる。これまでの歴史においてもそうだったし、おそらく現在と今後の歴史においても当てはまるだろう。考えられるのは米中の競争拡大だ。だが、米中が新たな冷戦、第二次冷戦に突入するかどうかはわからない。仮にそうなるとしても、その二国間関係が時代を決定づける要因になるとは言い切れない。

別の可能性としては、グローバル化が、この時代を決定づける特徴となっていくと考えられる。グローバル化とは、一言で言えば、およそ思いつく限りのあらゆるものの流れのことである。人、メール、ウイルス、そして二酸化炭素に至るまで、たいていは広大な規模で、急速なスピードで、国境をまたぎ世界中を駆け巡る。自国からの出入りを政府が把握していない場合もあるが、把握していても規制しない判断をする、あるいは規制したくてもできない場合もある。

越境は昔からつねに起きている。では、現在のグローバル化の何が特別なのかというと、越境する現象の規模と多様さと、その重要性、そして考えられる可能性が、これまでとは違うのだ。今のグローバル化は、私たちが知るところの人間の生活というものを劇的に変えるポテンシャルをもっている。

「グローバル化とは何か」だけでなく、「何ではないのか」という点も明らかにしておきたい。グローバル化とは――少数の例外を除いて――政策としてグローバル化を好むかどうかという問題ではない。グローバル化は現実だ。よいものでもあり悪いものでもあり、無害でもあり有害でもある。分野によっては国がグローバル化を支持したり推進したりするが、反対にグローバル化に抵抗する道を選び、一部またはすべてを拒絶する場合もある。グローバル化せざるをえず、ほかに選択肢がないという場合もある。

第3部の最初の章では、グローバル化そのものに焦点を合わせる。その後に続く章では、グローバル化が顕在化した多様な現象を考察していく。具体的には、テロ、核拡散、気候変動、移民、サイバースペース、健康、国際貿易、通貨・金融問題、開発である。

各章でグローバル化の形態を一つずつ説明し、原因と結果に着目し、国および世界全体がその問題に取り組むにあたって考えられる選択肢を論じる。いずれの問題も、その対応が成功するか否かが、どんな要素よりも大きくこの時代を決定づける可能性がある。

グローバル化

労働者、観光客、アイディア、eメール、石油と天然ガス、テレビ信号とラジオ信号、データ、処方薬と非合法薬物、テロリスト、移民と難民、武器、ウイルス（コンピューターウイルスと生物学的ウイルス）、二酸化炭素をはじめとして気候変動に寄与するガス、工業製品、食料、ドルなどの通貨、ツイート……実に多種多様なものが、国境を越え、過去とは比べものにならない規模で行き来している。この密接に結びついた世界の出現は、グローバル化の顕在化[1]であり、今の世界を特徴づける現実の一つだ。

もちろんグローバル化は今に始まったことではない。かつてアジアではシルクロードを歩き、あるいは外洋へと船を出して交易していたように、大昔から人とモノは世界中を動いてきた。だが現在は、国境をまたぐ規模、スピード、範囲が桁違いだ。海外を訪れる観光客の数は、たった25年前は年間6億人だったというのに、現在では15億人を上回る。[2]難民の数は２５００万から

コミュニケーションスピード

グローバル化はコミュニケーションの速度を変えている

1カ月 3,546マイル	10時間 3,669マイル	0.2秒 3,787マイル	即座 世界のどこへでも
1776年 アメリカ独立宣言のニュースが郵便でロンドンに届くまで	1858年 初の大西洋横断の電報交換で、アメリカのジェームズ・ブキャナン大統領が、イギリスのヴィクトリア女王に送った返信が届くまで	1928年 カルビン・クーリッジ大統領がヨーロッパのリーダー、スペイン国王アルフォンソ13世にかけた初めての電話がつながるまで	2015年 バラク・オバマ大統領が、アメリカ大統領から外国のリーダーへの初のツイートとして、ローマ教皇に送った称賛が届くまで

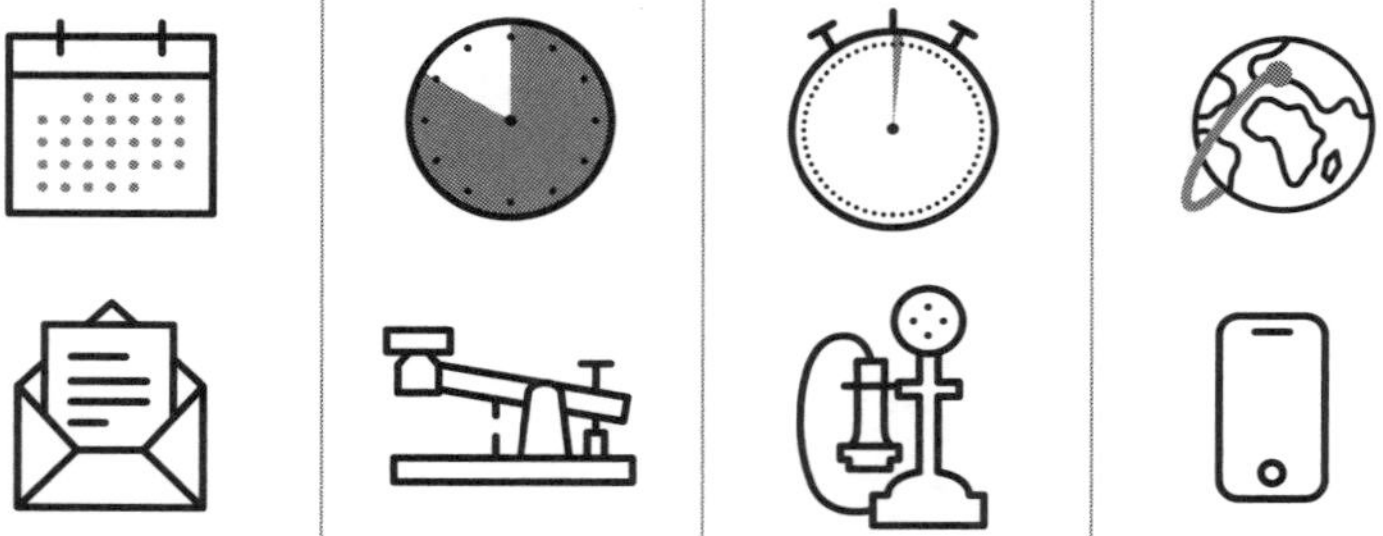

出所：The London Gazette; *The New York Times*; Smithsonian.com.

3000万人[3]ほど。外国直接投資は年間1兆ドル[4]に達する。商品の貿易[5]は約20兆ドルで、30年前の7倍[6]、50年前のおよそ100倍[7]に増えている。

移動は広範囲であるだけでなく、たいていスピードも速い。場合によっては光の速さか、それに近いスピードで動くので、ニューヨークと日本でのビデオチャットや、ロンドンから香港への送金なども、ほぼ即座に行うことができる。数時間あるいは数日かかる長距離移動を要することもあるが、いずれにしても、速度と規模が組み合わさることで、政府にとっては国境をまたぐ人やモノのすべてをコントロールできないのはもちろん、たいていは把握すら難しくなっている。

この現象を導いた要因は何だろうか。テクノロジーが少なからぬ影響をおよぼしたことは間違いない。インターネット、ジェット機、携帯電話、輸送コンテナ、人工衛星などはいずれも大きな役割を果たしてきた。だが、貿易と市場へのアクセスを支える政策の役割も見逃せない。アメリカ企業が中国で製品を生産できるのも、中国で店舗を開けるのも、それを可能にする政策があればこそだ。

パワーと影響力をめぐる国同士の競争、すなわち地政学もグローバル化にかかわっているのだが、実のところ正反対の動きが同時進行で生じている。20世紀に起きた世界大戦ほどの大型戦争がなく、安定しているおかげで、国をまたぐ貿易、投資、移動が大幅にやりやすくなっている一方で、国内の情勢不安定や問題が国民の流出を招き、難民の増大に寄与している。

ビジネスの判断もグローバル化を促進する。たとえばアメリカの人口は世界の5%未満[8]だ。つまり、残りの95%の潜在顧客へのアクセスを求めて海外に展開していくアメリカ企業にとっては貿易が重要になる。非合法な薬物や銃器の売買、人身売買なども含め、さまざまなビジネスが国境の向こうの市場を必要とする。これもグローバル化の表れだ。

グローバル化の根幹にある性質は「相互連結性」である。すべてのものがつながった網、ネットワークが形成されているという意味だ。同様の概念として、「相互依存性」があると言うこともできる。国も人も、程度の差はあれ、よその地域やよその人の活動に何らかの形で支えられているからだ。多くの工業製品や農業製品、石油、投資、そしてコンピューターやスマートフォンの技術サポートのようなサービスにも、グローバルな市場が広がっている。このように世界が相互に連結し、依存しているということは、すなわち、ある場所の出来事が他の場所の状況に影響するという意味だ。地域レベルで起きたことが、あっというまにグローバルレベルになる。感染症（たとえば２０１４年から２０１６年に起きたエボラ出血熱の流行）、金融危機の波及（２００８年にアメリカで起きた金融危機が、世界中に不況をもたらした）、そして動画がバイラルになるのは、その典型的な例と言える。多種多様な形で頼り合い、お互いに得をしているが、依存のせいで脆弱にもなりうる。

グローバル化は、よい影響と悪い影響を同時をもたらすことがある。貿易がその一例だ。輸出ができるおかげで、関連した雇用が創出されるし、輸入ができるおかげで、国内では作れない財を仕入れることができる。本来だったら国内の消費者には手の届かない製品を、それなりの品質（場合によっては高い品質）かつ低価格で提供することもできる。しかし、人件費や生産コストに差があったり、政府補助金や為替操作があったりするせいで、国内の雇用消失にもつながる。

情報やアイディアの広い流れも同様だ。情報が流れるのは素晴らしいことだと言われるが、立場によっては中身が問題視される。国内政治の安定や現在の支配体制に対する脅威だと政府が確信し、情報拡散を阻止することも考えられるし、実際にそれを行う国もある。

海、砂漠、壁によってグローバル化の影響を遮断することは不可能だ。しかし、グローバル化の多様な側面をどう扱うかという点では、政府の手に多くの選択肢が握られている。グローバル化の進行を遅らせたい、あるいは自国の関与を減らしたいと考えるなら、そのための方策も無数に存在している。

実際によくとられる方策が関税だ。自国民が輸入品を買う際に払う金額を強制的に高くする。もしくは別の障壁を作って、外国がこちらに対して行う輸出のハードルを高くする。これは典型的な保護貿易主義だ。外国からの投資をしにくくする手続きを整えるという手もある――同時に、一度入ってきた投資が簡単に引き揚げられないようにする。それから国境に物理的な壁を建設し、警備員を常駐させ、むやみに入国させない。海岸線は船で、領空は飛行機やミサイルで守ることで、同様に出入りを防ぐ。空港を通る合法的な入国については、入国人数または滞在日数に制限をかける。体温を検知し、発熱している場合は、感染性の疫病を運んでいる可能性を考えて入国を拒否する。荷送品や手荷物、輸送コンテナやトラックも検査する（ただし、ビジネスと観光が立ち行かなくなるため、ごくまれに実施するしかないのだが）。必要ならば放送信号の妨害やインターネットの遮断をすることもできる。

だが、政府や人々がグローバル化に対抗する手段がこのように多々考えられるとはいえ、グローバル化にそっくり背を向けることが可能な国など、はたして一つでもあるだろうか。たとえば気候変動に国境は関係ない。原子力事故が起きた際の放射性物質拡散も同様だ。ある国で始まった景気後退や経済危機は、あっというまに他国に広がる。こうした金融危機の伝播を、病気の伝染と同じ言葉（contagion）で表現するのは、きわめて筋が通っているというわけだ。インターネットにつながっていれば得をすると同時に脆弱性も生じる。閉ざされた社会でも、思想やアイディアはたいてい何らかの形で入ってくる。人間が一人でも入国するならば、感染症が持ち込まれる可能性はゼロにはならない。自国で必要なものをすべて国内で保有・生産できる経済、あるいは自国で生産したものすべてを国内で売れる経済など、どこにも存在しない。

さらに、外国に対して門戸を閉ざすこと自体が、代償を伴う。たとえば北朝鮮は、ほぼすべての指標において、世界で最も閉鎖的な国だ。そして世界で最も貧しい国のくくりに入る。輸入を受け入れないせいで国民は消費財を入手できないし、一種の報復措置を受けるので輸出も難しい。そして雇用と経済成長が犠牲になる。人の流れも遮断しているので観光業が存在せず、ビジネスや投資もないに等しい。

そのため、結果的にはほぼすべての政府が、グローバル化の要素を受け入れつつ抵抗するという道を選んでいる。別の言い方をすると、自国にとってマイナスもしくは脅威だと見る部分ではグローバル化に抵抗を試み、プラスだと判断すれば推進するというわけだ。グローバル化への対応は、どの政府にとっても難しい課題である。移民、気候変動、疫病の流行など、グローバル化の影響は、たとえ制御不能なものであったとしても、往々にして政府が説明責任をもたねばならない。

一国ではなく数カ国で合同してグローバル化に対応するという道もある。これが多国間主義の本質だ。どんな国でも、グローバル化の負の側面を自国だけの力で防ぐことはできないし、グローバル化の利点を自国だけで享受することも不可能だ。こうした考え方の結果として、健康、貿易、インターネット、気候変動、そして核物質や人間や薬物の売買に至るまで、あらゆる問題に対する一連の国際的取り決め——法、政治、商業面での協定——が作られている。世界全体を単一の組織で支配する世界政府（グローバルガバメント）などは存在しないが、国境を越えて国同士が協力し合う一定のグローバルガバナンスで、グローバル化の事実上すべての側面に対応するのである。だが、政治の現実として、グローバル化のさまざまな現象のとらえ方については、共通見解が得られにくい。そのため、グローバル化を統治または制御すべきなのか、するとしたらどのようにすべきなのか、意見の一致はほぼ見られていない。

グローバル化には批判もある。理由の一つは、前述したとおり、雇用消失だ。外国との競争（そして輸入）のせいで雇用が減ると非難されることが多い。確かにそうなる場合もあるのだが、実のところ雇用消失の本当の原因は、技術革新だ。財やサービスをより安価に、より高品質に、もしくはその両方を満たして作り出す技術が登場することで、人間の雇用が減っているのである。にもかかわらずグローバル化に非難の矛先が向きやすい一因は、グローバル化の恩恵は大きく広がっているものの、本質的には積み上げられていく恩恵であるのに対し、グローバル化の欠点のほうは過度に集中しており、痛みを強く実感させるからだ。たとえばアメリカ人全体としては、安価な車という恩恵にあずかっている。輸入車を買うことでお金を節約したり、同じ金額でも高品質な車を手に入れたりしている。ところが、安価または高品質な輸入車のせいで勤めていた工場が閉鎖し、職を失ったアメリカ人にとっては、生活がひっくり返されたことになる。国全体の生活は向上していると経済学者が請け合ったとしても、一部の人々にとっては、暮らしが悪くなっている。

また、グローバル化が現地のアイデンティティや文化に対する脅威とみなされることもある。たとえば中小企業にとっては、規模の経済性とブランドネームという武器をもつ大手のグローバル企業と競うことは難しい。マクドナルドやスターバックスは世界中に店舗を開いている。伝統的な生活様式を続けようにも、テレビや映画やインターネットで流れ込んでくる胸躍る新しいイメージやアイディアの魅力には、なかなか逆らえない。競争の土俵は平坦ではないのだ。多くの場合、グローバル化が個人や社会に影響することのほうが、個人や社会がグローバル化に対して働きかけることよりも、やすやすと行われるのである。

こうした点を考慮に入れると、やはり、グローバル化は近代世界に大きな影響をもたらすという認識に戻ってくる。グローバル化は恩恵も課題も同様に生み出す強力な力だ。各国政府と世界全体にとっての課題は、グローバル化が最大の善をもたらす側面を推進しつつ、最大の害をもたらす側面を押し返し、同時に、最も苦しい立場に置かれた個人と国を支えていくことなのである。

テロと対テロ作戦

テロリズムの定義[1]とは、非国家主体が政治的目的を追求するため、民間人に意図的に暴力を行使することである。この定義には、テロの条件として欠かすことのできない説明が含まれている。まず、テロと認定するためには、その行動が何らかの形での暴力、もしくは暴力の脅しを伴ったものでなければならない。そして意図的で、政治的目的のためで、非国家主体が実施するもので、民間人を標的としているのがテロだ。そのためテロは一般の犯罪とは大きく異なる。一般の犯罪はたいてい政治が動機ではないからだ。そして、テロは一般的な戦争行為とも異なる。戦争行為や武力衝突というものは、主権国家が実施し、多くの場合は制服を着た兵士によって遂行されるものだからだ。民間人を標的にしたわけではなく、結果的に民間人が犠牲になったという場合は、テロ行為とは言わない。

テロは個人またはグループが行使する手段であって、国が行う手段ではないという点については、疑問に思う人もいるかもしれない。国家が意図的に、他国の市民に対して暴力行為を仕掛けるとしたら、その行為にはすでに名前がある。戦争だ。しかし、国がテロリストを都合のいい道具とみなし、テロリストを支援することはある。この場合はテロ支援国家とみなされ、他国から攻撃や制裁を受ける可能性がある。2001年9月11日の同時多発テロのあと、アフガニスタンのタリバン政府に起きたのは、まさにそうしたことだった。アメリカと、その同盟国は、同時多発テロを実行したアルカイダのテロリストをタリバン政府がかくまっていると認識し、タリバンを排除しなければならないと判断した。

ただし、テロの定義としては今説明した内容が最も一般的なのだが、広く普遍的に受け入れられている定義は存在しない。個人も政府も、自分が賛同する目的のための行為に対しては、テロというレッテルを貼りたがらないので、主観を完全に取り除くことは不可能だからだ。昔から言われる表現として、こちらから見ればテロリストでも、あちらから見れば自由の戦士という場合もある。だが近年では、いかなる原因や理由があろうとテロは正当化されないという点で、全員一致とは言えないものの、多くの政府の認識が統一されつつある。

テロ自体は目新しいものではない。数百年前、数千年前にもテロと呼べる出来事は起きた。たとえば100年前には、ハプスブルク家の皇位継承者フランツ＝フェルディナント大公が、テロリストによって暗殺された。この事件が引き金となって生じた外交と軍事の活動が、第一次世界大戦につながった。ヨーロッパが世界中の土地と人々を支配していた植民地時代が終わりを迎えたときも、テロが中心的な手段となっている。1960年代から1970年代にかけて、アイル

テロの影響を最も受けている国々

テロ攻撃の数（2017年）

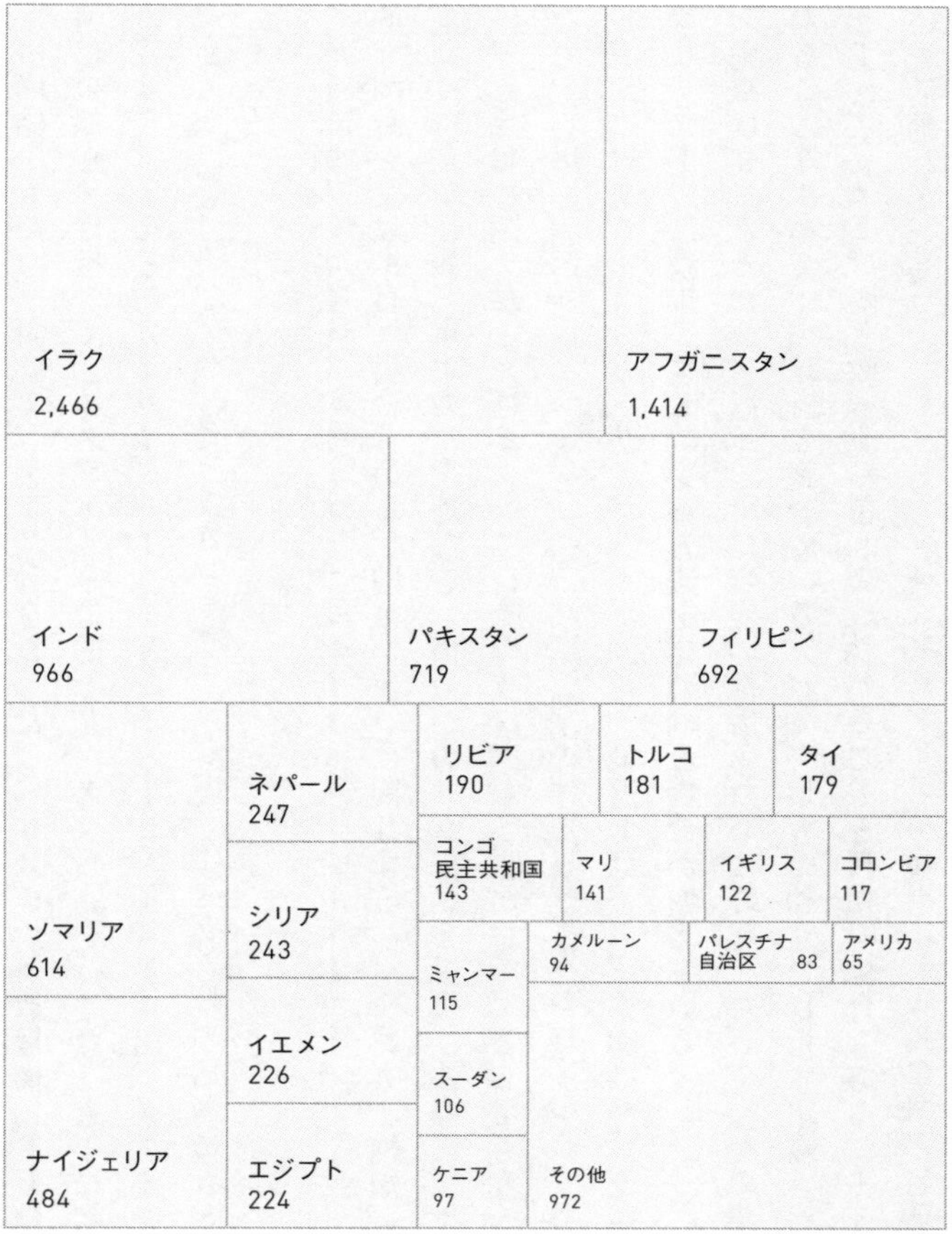

注：テロ攻撃とは、「非国家主体が、恐怖、強制、脅迫を通じて政治的、経済的、宗教的、社会的目的を達成するために、非合法の武力または暴力を実際に行使する、または行使すると脅すこと」と定義される。

出所：National Consortium for the Study of Terrorism and Responses to Terrorism （START）, University of Maryland （2019）. The Global Terrorism Database retrieved from www.start.umd.edu/gtd August 22, 2019.

ランド共和軍（ＩＲＡ）暫定派[2]は、イギリス軍を北アイルランドから追い出すため、そしてアイルランドの団結をもたらす狙いで、テロ活動を行った。パレスチナ解放機構（ＰＬＯ）[3]も、パレスチナ国家の独立を目指して、イスラエルを標的としたテロ行為を行った。近年に起きている国際テロの波[4]は、ほとんどがアルカイダ、ＩＳＩＳ（ＩＳＩＬ、イスラム国、ダーイシュと呼ばれることもある）、ボコ・ハラム、ラシュカレ・タイバなど、イスラム教の信念にもとづく活動に関連している。

　テロリストは個人の場合もあればグループの場合もある。命じられて行う場合もあるし、誰かに精神的な刺激を受けて行う場合もある。国家がテロに関与するパターンも2種類あって、一つはテロ集団に資金や情報、軍事力、土地など、何らかのリソースを提供するパターンだ。前述したように、そうした国（たとえばイラン）はテロ支援国家と言われる。そしてもう一つは、意図的ではなく、立場が弱いせいで、テロ集団に国内の土地や資源を使われてしまうパターンである。ＩＳＩＳに対するイラクとシリアがそうだった。最近では、テロ集団はテロ支援国家に頼らず、必要なリソースに直接アクセスする方法を見つける場合が増えている。

　テロの動機はさまざまだ。スペインでは特定の地域のために蜂起したいくつかの集団が、独立国家となることを求めて中央政府と戦っている（バスク地方の独立を目指す組織「バスク祖国と自由〈ＥＴＡ〉」など）。既存政権を転覆し入れ替わることを目指す場合もある（ＩＳＩＳもそうした狙いで活動している）。コロンビアでは、コロンビア革命軍（ＦＡＲＣ）と名乗る武装ゲリラが、現政権とは大きく政策の異なる新たな中央政府の設立を試みた。苦しみや損害を与えることが主たる目的となる場合もあるようだ（アルカイダもその一つだ）。これまでに確認されている証拠を見る限り、近代のテロリストは、貧困や経済的不平等の解決を望む気持ちよりも、もっぱら政治的アジェンダのほうが動機として強い。

手法も多種多様である。９・11の実行犯はカッターナイフを使って客室乗務員の動きを封じ、機内を制圧して、結果に差はあったものの大勢の人が中にいる建物に衝突させようとした。そのほかでは、車やトラックに爆弾や銃器を積んで攻撃したり、トラックで群衆に突っ込んだり、爆発物を身体に巻きつけて突入したりという例もある。２００５年から２０１７年には毎年平均およそ2万人がテロで殺されており、[5] ２０１７年にはその数が2万６０００を上回った。[6] ほとんどのテロリストが[7]中東、南アジア（特にパキスタン）、アフリカ（特にナイジェリア）で確認されている。

今後の懸念として、先ほど説明したような「通常の」手法ではなく、大型テロ（グランド・テロリズム）と呼ばれるやり方が現れる可能性も否定できない。たとえば「汚い爆弾」、すなわち通常の爆弾に放射性物質を組み合わせた兵器が使われれば、標的となった地域は何年も人が住めない場所になる。なお悪いのは、その攻撃が引き金となって、本物の核兵器が使用される可能性もあることだ。非国家主体がそうした兵器を製造することは基本的に不可能だが、盗む、購入するなど、何らかの手段で入手することも考えられる。化学兵器や生物兵器、あるいはサイバー兵器を開発・使用して、標的の社会に住む人々が頼っているダム、発電所、水処理施設を破壊する、あるいは機能停止にするというやり方もある。

テロとテロリストをくじく活動のことは、反テロ作戦（カウンターテロリズム）という。[8]新たなテロリスト要員の募集をさせない、既存のテロリストの行動を防ぐなど、内容はさまざまだ。方法も多岐にわたっており、学校や宗教施設で指導する、ソーシャルメディアや従来型のメディアで伝えるといった手段もとる。各国政府、もしくは複数国の政府が合同で動けば、テロリストやテロ組織にとって必要な人材、資金、物理的リソースの入手を困難にすることもできる。そのほかにも、包括的な対テロ方針の一環として、法執行機関や諜報部門を投入してテロ計画の情報を収集する、国家に経済制裁などの圧力をかけてテロ組織の支援を阻止・中断させる、テロ以外で希望を満たす案を提示するといった手段を行使する。

もう一つ別の選択肢もある。テロリストを直接攻撃するのだ。やるとすれば、法執行機関や軍や諜報機関が行うことになる。たとえば、具体的な行動を今にも起こそうとしているテロリストに先制攻撃をする。あるいは、テロリストの存在が判明していても、具体的に差し迫った行動に対する関与は不明という状態で、予防措置として攻撃をすることもある。該当者の逮捕（逮捕すれば、情報や機密情報も得られる）を目指すときもあれば、アメリカ特殊部隊がオサマ・ビン・ラディン殺害の使命を負ってパキスタンに入ったときのように、該当者の殺害を目標とするときもある。ドローン、巡航ミサイル、戦闘機などを利用して遠隔から攻撃を仕掛けることもあるし、特殊作戦部隊を現地に侵入させることもある。小規模で短期の作戦もあるし、大規模で長期の作戦もある。後者はたとえば、イラクとシリアにおけるイスラム国に対し、アメリカの諜報部と兵士が現地の協力者とともに行っている作戦だ。サイバー関連のテクノロジーも、テロの計画や実行を阻害するために利用される。

阻止に失敗しテロが起きてしまった場合にも、その効果やインパクトをできるだけ抑えられるよう、とるべき対策はさまざまに考えられる。たとえば、２００１年の同時多発テロ後のアメリカのように、政府は対テロ能力を整備し、テロリストの脅威に巧みに対応できるようにしておく。社会がテロ攻撃に脆弱とならないよう、あらゆる階層の政府機関で対策をとる。法的執行力を行使する、標的となりうる対象を物理的およびサイバー面で強化する、テロを成功させにくい手続きを導入するなど、防衛のための策をとるのである。空港、庁舎、職場などの検査や捜索が含まれることもある。また、予防策の増強だけでなく、テロが起きてもできる限り影響が少なく済むように、社会のレジリエンスを高めておく。たとえば攻撃を想定し、被害者を出さないよう訓練をしておくこともできるだろう。医療用品を備蓄したり、電力網の必須部品など高額で迅速に製造できないものを余分に保管したりするなど、攻撃を受けても復旧しやすいように備えておくことも対策の一つだ。

政府はテロ活動の終結や排除を目標として掲げたがるが、それは不可能というものだ。既知のテロリストの特定・逮捕または殺害が難しいだけでなく、新たなテロリストの出現を完全に防止することはできない。現状に不満を抱き、目的のために暴力を行使しようと考える人間はつねに存在する。特定のテロリストやテロ行為は阻止できるが、テロリズムそのものは今後も折に触れ起きるだろう。多くの個人や集団が固い決意を抱き、大義のために自分の命を捨てることも厭わない場合には、阻止も難しいかもしれない。たとえテロが起きるとしても、それによって国が倒れたり、市民の命と経済の安定が決定的に破壊されたりすることのないよう、政府と社会は脅威の低減に取り組んでおかねばならないのだ。そして現実問題として、対テロ作戦もコストを伴う場合が多い。対テロ作戦のせいで経済成長や効率が犠牲になったり、市民のプライバシーや自由がないがしろにされたりすることも考えられる――場合によっては、テロ対策のせいで起きたこと（たとえば、武力攻撃で、罪のない人間を死傷させるなど）を見て、むしろテロリストを支持する人間が増え、より多くのテロを生むことにもなりかねない。

核拡散

拡散や増殖という言葉は、細胞からアイディアまで、あらゆるものが増えて広がっていく状況を指して使われる。だが、外交政策や国際関係の文脈で拡散という言葉が出てくるときは、ほぼ例外なく、軍事的な技術やシステムが広がるという意味を指す。とりわけ多いのは大量破壊兵器についてい使われる場合だ。大量破壊兵器とは、核兵器、化学兵器、生物兵器といった武器と、弾道ミサイルのような、それらの武器を標的に当てる手段のことを指す。非拡散や拡散防止と言えば、そうした兵器が広がることを食い止めるために行使される政策や手段を指す。

国が大量破壊兵器の拡散を行う方法は、原理上では2種類考えられる。一つは垂直的拡散だ。自国の核兵器を増やす、または威力を高めることである。冷戦中にはまさにこれが起きていた。米ソがそれぞれに核兵器の性能を高め、保有数を増やし続けていたからだ。現在、核兵器とミサイルを保有している9カ国も、程度の差はあれ垂直的拡散として、兵器の性能向上または数の増

世界の核兵器数は減少している

核弾頭保有量

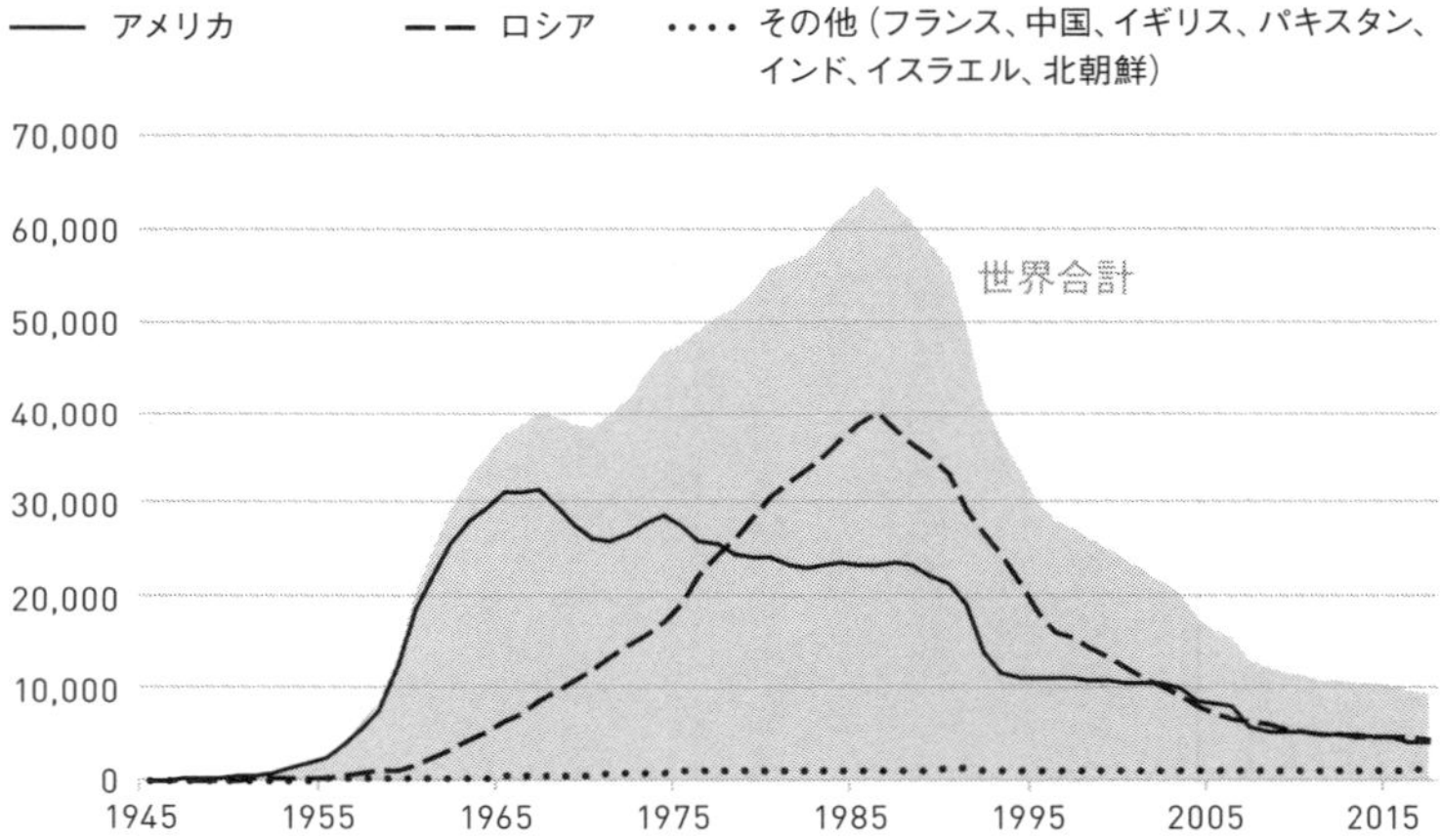

出所：Bulletin of the Atomic Scientists; Federation of American Scientists.

加を進めていると見られる。

　しかし、ほとんどの大量破壊兵器拡散は、水平的に起きる。国や、何らかの主体が、それまで持っていなかったレベルやカテゴリー（核兵器、化学兵器、弾道ミサイルなど）を新たに保有する。これが水平的拡散だ。核拡散と言えば、たいていはこの状況を想定する。そして非拡散政策と言えば、こうした武器の広がりを阻止する手段を想定する。

　核拡散は恐れるべきではないという考え方もある。特定の状況では支持できる、むしろ支持すべきだ、とも言われる。この見解の背後にあるのは、核兵器のおかげで冷戦が「熱い戦争」にならずに済んだのだ、という確信だ。別の言い方をするならば、紛争がエスカレートしたら想定以上の壊滅的な核戦争になりかねないという懸念があるからこそ、一定レベルの慎重さと抑制が保たれるのであって、その心配がなければ慎重さも抑制も成り立たないという考え方である。それが米ソ間の平和を維持したことから、インドとパキスタン、中国と日本、イスラエルとイランといった対立国同士のあいだでも、同じ力が平和を維持するとも言われている。著名な学者においても、[1]核保有国が増えれば増えるほど世界は平和で安定するという、極論とも言える結論を主張する声もある。核保有国が互いを攻撃し報復されるリスクをあえて冒すはずはないからだ。

当然ながら、これは絶対的に少数派の意見である。核保有国が増えれば、安定よりも危険が高まる可能性のほうがずっと高いし、紛争が生じて大量破壊兵器による恐ろしい結果を招く可能性も高い。米ソの冷戦中は、先に攻撃を仕掛けるインセンティブがないという抑止的状況が成立していたが、この状況を作るのは難しいことなのだ。最初の攻撃を受けても完全には破壊されず、破壊的な報復措置を行う力が残存するような、強固な武器を双方がもっている必要がある。そうでなければ、危機が起きたら先に攻撃すべき強いインセンティブがあることになるので、核を保有する二つの主体のバランス関係はきわめて危うい。攻撃能力の出現を阻止するための攻撃――予防攻撃と言われる――や、大量破壊兵器が使用されるという情報がないうちから所在地をつぶすための攻撃を行うというインセンティブも働きうる。核兵器が事故で使用されてしまう危険性や、兵器や核物質を奪われたり、あるいは使えなくさせられたりするなど、テロリストのような「悪人の手に落ちる」〔訳注：オバマ政権下の国務長官が、パキスタンの核保有について懸念を示したときの表現〕危険性も考えられる。さらに、終末思想で救世主を待望する世界観から、理念実現のために核兵器を使用して自分たちが犠牲になることが必要だと考える国もあることを考慮すると、そうした政権に対する抑止にはならない[2]と論じる意見もある。

こうした懸念がきっかけとなって、核兵器の不拡散に関する条約、一般的には核兵器不拡散条約（ＮＰＴ）[3]と呼ばれる国際合意が１９７０年に発効された。この条約は、締結当時に核兵器を保有し、条約によって合法的な「核保有国」と認められた5カ国（アメリカ、ソ連、中国、イギリス、フランス）に対し、非核保有国への核兵器の譲渡、開発支援、奨励、誘導を禁じている（ソ連の義務は１９９１年にロシアに引き継がれた）。また、こうした国々は核兵器開発競争を避け、保有する全核兵器の廃絶へと進まねばならないことを、原則として定めた。[4]そして非核保有国に対しては、製造・取得をしないことを求めている。平和利用のために原子力にアクセスすることは認めた。非核保有国には「保障措置」の受け入れも求めている。保障措置とは、基本的には国際原子力機関（ＩＡＥＡ）が査察を実施し、条約の順守状況を確認することだ。

しかし、核兵器不拡散条約の効力は限られている。まず、署名を強制することはできない。実際、核を保有する3カ国――インド、イスラエル、パキスタン――が、この条約を批准していない。また、北朝鮮の脱退で明らかになったとおり、離脱に対して制裁もない。アメリカとロシアの核備蓄は冷戦中の最盛期と比べればわずかになっているが、それでも非核保有国からは、保有国は廃絶に向けた取り組みが不十分であるという批判が頻繁に上がる。加盟国は平和のための原子力の開発技術を有する権利があるが、それは核拡散防止という狙いと矛盾していると言えなくもない。核兵器開発に必要な物質の多くは、平和利用の原子力開発にも必要だからだ。さらに問題を厄介にしているのは、査察制度に従うのは義務ではなく協力なので、ＩＡＥＡは対象国が許可した施設しか査察できないことだ。世界は必ずしも良心に従う人間ばかりではないというのに、これは良心や倫理観を頼りにしたシステムなのである。

核兵器不拡散条約のほかにも、数多くの政策や手段が核拡散阻止のために導入されている。安全保障のように、プラスの方面に働きかけるものもある。たとえばアメリカは「核の傘」のもと、同盟国である日本と韓国に安全を保障しているが、その目的の一つは、自前の核兵器を開発する必要性が生じないようにすることだ。

だが、核拡散を防ぐ、または遅らせる目的で利用されている政策の大半は、核兵器に使われる部品を政府が大量獲得することを阻むという、マイナスの方面に働きかけるものだ。たとえば、特定の技術やシステムの輸出を禁じ、横行している不法輸出を断つために、それらの管理を目的とした、いわゆる原子力供給国グループもいくつか結成されている。ウラン濃縮の遠心分離機を制御するコンピューターをウイルスに感染させ、機能を破壊する狙いで、サイバー攻撃という手段がとられることもある。核兵器開発に転用することが不可能な状態で核エネルギーを獲得できる手段として、「核拡散防止型原子炉」の開発を進める動きもある。同じく核エネルギー関連では、原子力をもつ国が使用済み核燃料を再処理に出すことで、兵器用核分裂物質として秘密裡に濃縮される可能性をつぶすという取り決めも作られている。

制裁措置を警告または発動することによって、核開発技術や核物質の供給・入手を思いとどまらせる場合もある。軍備管理を理由に垂直型拡散を遅延または無効化する（アメリカと、ソ連またはロシアで、お互いにその策をとった)、あるいは水平型拡散を阻止する(主にイラン)こともある。

イランの近年の経緯については特筆しておきたい。アメリカ、中国、フランス、イギリス、ロシア、ドイツは、主に経済制裁という形でイランに圧力をかけ、核開発活動の制限を受け入れさせようとしている。2015年のイラン核合意(正式名称は包括的共同計画〈JCPOA〉)で、イランは、核爆弾開発に必要な燃料の製造・貯蔵の能力を一時的に制限することに合意した。引き換えに、それまでイランに対して発動されていた制裁の大半が解除された。確かにイランはこの合意を守っていたのだが、アメリカが2018年に離脱した。イランの核開発活動に対する制限期間が短すぎること、また、イランの弾道ミサイル開発プログラムや、中東全域で展開している有害な活動と見られるものに対し、この合意が解決になっていないというのが、離脱の理由だ。イランは核兵器の製造・獲得を行わないと合意したとはいえ、濃縮した核燃料の製造・貯蔵に関連する活動に対する主な制限は、2025年または2030年に解除される。つまりそれ以降のイランが、核兵器開発を水面下で急速に進め、世界に「既成事実」として突きつけようと決心したならば、そのために必要な材料を多く集めることは可能というわけだ。果たしてイランは、核兵器保有国になることを目指すのだろうか。仮にその試みが進行した場合、他の国々は、それに対してどう反応するのか。現時点ではわからない。外交によって、イランの核開発能力に新たな天井を設け、長期的または永続的な核兵器保有を認めさせないことは原理としては可能だろうが、そうした取り決めが現実的に交渉可能とは言い難い。

核弾頭保有量（2019年）

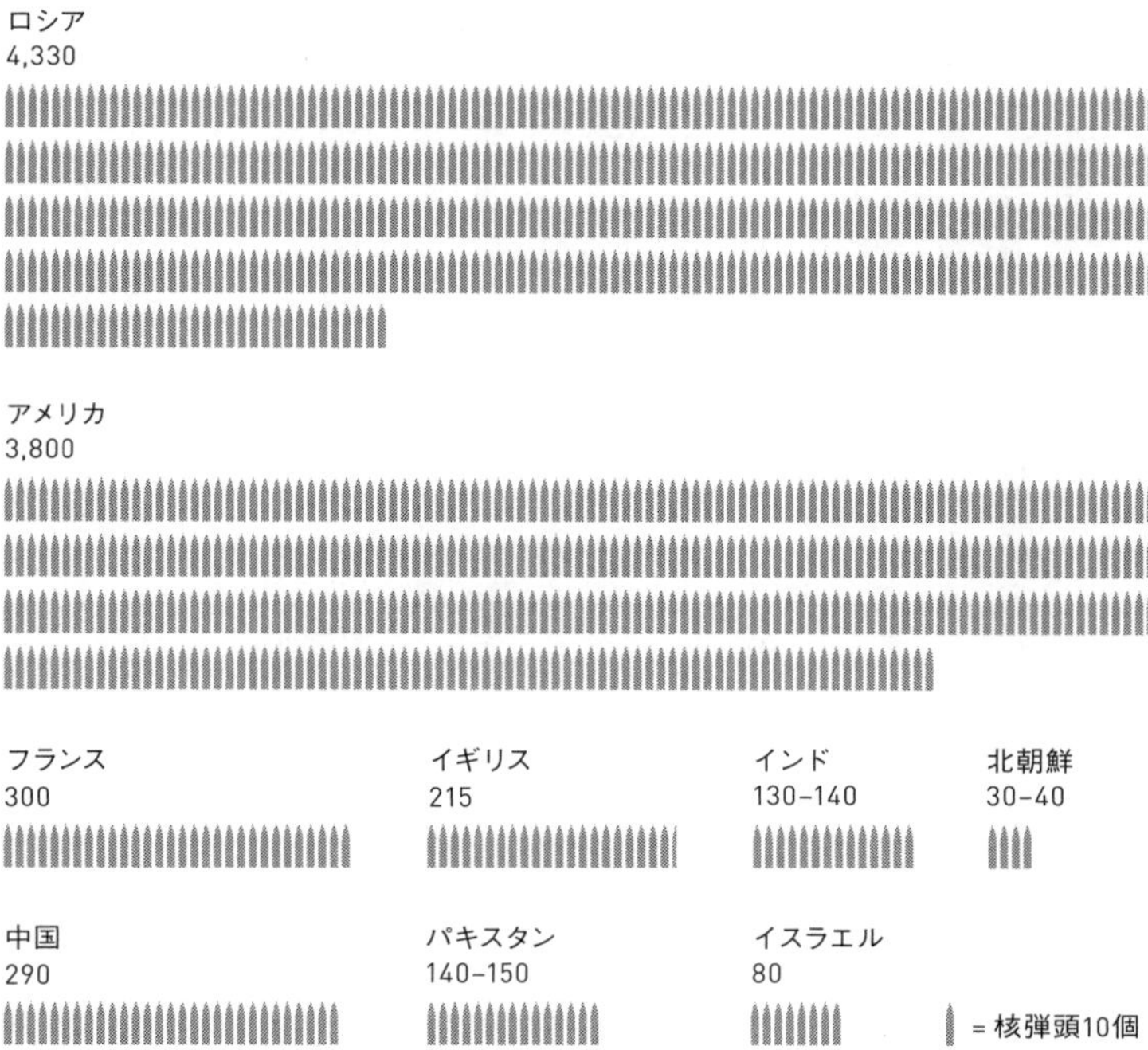

出所： Federation of American Scientists; Institute for Science and International Security.

現在、核兵器を保有していることが知られている国は、世界に9カ国。当初の5カ国が核兵器不拡散条約のもとで保有を続けているほか、インド、イスラエル、北朝鮮、パキスタンが加わった。各国政府が核兵器保有を追求する理由はさまざまだ。たとえば国家の安全や威信が挙げられる。前者で言えば、核保有国同士が戦争になった例はないので、究極の安全保障であると見られている。後者で言えば、核兵器は一種のステイタスシンボルにもなる。国際連合安全保障理事会の常任理事国5カ国がすべて各兵器を保有しているのも偶然ではない。どこかの国が核兵器開発を決意したとき、必要な科学力や生産能力を有し、経済制裁や、一定レベルの国際的孤立という形で代償を払う覚悟もあるならば、開発を阻止することはきわめて難しい。

ある国が核兵器を開発もしくは獲得したら、それに対する選択肢はいくつか考えられる。一つは、核兵器保有をあきらめるよう、制裁によって圧力を加えることだ。南アフリカに対して、実際にその方法がとられた。南アフリカは1980年代後半に、経済制裁を受けて核開発プログラムを解体している。ウクライナも、ソ連崩壊後に受け継いだ核兵器の多くを、自主的に放棄した。リビアとイラクは核兵器開発プログラムの初期段階にあったが、同じく経済制裁と、攻撃の脅迫を受けて、それぞれの野望をあきらめた。だが、先ほど指摘したように、核兵器を重視する国は多く、経済制裁で放棄を納得させられる可能性は低い。そして経済制裁の維持も、場合によっては難しい。経済的または戦略的利害の不一致により、制裁維持に反対する意見がかならず生じるものだからだ。

北朝鮮に対しては、経済制裁も脅迫も誘導も、核兵器を放棄させる役割としては力不足のようだ。アメリカは中国、日本、ロシア、韓国と連携しつつ、制裁と軍事攻撃の脅迫、経済的インセンティブを組み合わせて、北朝鮮政府に核兵器および関連システムの放棄（「非核化」という）の説得を試みている。しかし、核兵器が授ける威信と安全を考えると、はたして北朝鮮が非核化という大がかりな方策に踏み出すかどうか、観測筋からは懐疑的な声も多い（私も懐疑的に考える一人だ）。ロシア、ウクライナ、イギリス、アメリカが署名した１９９４年のブダペスト覚書[6]は、ウクライナがソ連から受け継いだ核兵器数百個を放棄することを条件に、ウクライナの安全を保障するという内容だったにもかかわらず、ウクライナは結局ロシアに侵攻されクリミアを奪われた。この事実が北朝鮮に、ウクライナの二の舞にはなるまいという決意を抱かせていることは、疑いようもない。イラクとリビアが核開発プログラムを放棄したとき、直後に外国の介入によって双方の政府が排除されたという事実も、いっそう北朝鮮の確信を強めている。今後の外交政策で、北朝鮮の核ミサイル開発プログラムの質と範囲を制限できるのか。何らかの交渉が実現し、状況が確認できたとして、その内容を踏まえて各国は北朝鮮に対してどう対応することを選ぶのか。あるいは、自国の核開発に関して、どんな道を選ぶのか。こうした疑問の答えは今も見えていない。

　ある国の核開発を予防・制止できなかった場合でも、使用を未然に防ぐためにとるべき対策がある。これは必然的に、抑止力を確立して[7]、核兵器を使用すれば壊滅的な反応が起きることを明白にするという策になるだろう。ただし、行動を起こそうとする個人または政府が、一般の目から見て非理性的であるとしたら、抑止力が奏功するとは限らない。誤認、誤算、誤解が起きる危険性もある。核兵器を有したことで、どんな行動に出ても罰など受けないのだ、と政府が自信をもってしまうかもしれない。また、先ほども述べたように、別の国やテロ集団に譲渡したり、兵器の物理的なコントロールを奪われたりする可能性も考えられる。

核弾頭を運ぶ飛行機やミサイルが標的に到達することを難しくするシステムを導入する、いわゆるミサイル防衛も、非拡散のために行う選択肢の一つだ。とはいえ、効果的な対ミサイルシステム開発の技術的な難易度に鑑みると、そうした防衛力があっても1個ないし複数の核弾頭が到達し、大きな破壊と人命の損失が生じる可能性もある。核に対して完全防備になることはありえないのだ。また、ある国が防衛力を高めたことで他国が核戦力をアップグレードし、防衛力を突破できるようになったという自信をつけ、それが軍拡競争の引き金となることも考えられる。

サイバー攻撃を含め、通常の（つまり核兵器ではない）軍事力や、その他の手段を使って、核関連施設や核物質、兵器、またはその運搬システムなどが使用可能になる前に妨害・破壊するという選択肢もある。そうした能力がまだ開発中、貯蔵中のうちに破壊することは、予防攻撃という。たとえばイスラエルは、１９８１年にイラクの核関連施設、２００７年にはシリアの核関連施設に対して予防攻撃を行った。それとは違って、すでに使用へ向けて準備が進んでいる最中に核兵器システムを破壊する場合は、先制攻撃と呼ぶ。予防攻撃も先制攻撃もコストとリスクを伴う。たとえば、攻撃で当該のシステムを破壊できず、残存したシステムが使用される可能性がある。予防攻撃・先制攻撃が引き金となって報復が起き、状況がエスカレートして、より大きな紛争になる可能性も考えられる。

核兵器の広がりをあきらめさせるのも、挫折させるのも、おそらく困難で、もしかしたら不可能ですらあるのかもしれない。だが、アメリカが第二次世界大戦の終盤で日本に対し初めて核兵器を使用したのを最後に70年間――そして、若き大統領候補だったジョン・F・ケネディ[8]が討論会において、1964年末までには20カ国もの国々が核をもてるようになっているだろうと予見してみせてから60年間――核兵器を保有していることが知られている国はたった9カ国であるという事実は決して軽視すべきものではない。広島と長崎に対する攻撃以降、核兵器は一度も使用されていない。複数の国（ウクライナと南アフリカを含む）は自主的に核を放棄しているし、核開発能力をもつ多くの国が、開発しないことを選んでいる（たとえば日本、韓国、台湾）。今後は核保有国が備蓄を制限する、あるいは減少に努めること、そして非核保有国が保有の選択をしないことを、引き続き課題として追求していかなければならない。これは片付く気配のない課題である。

気候変動

グローバルな気候変動[1]――地球温暖化とも呼ばれる――とは、気温上昇が原因で世界各地の気候パターンに生じている観測可能な変化のことを言う。これを引き起こしているのは基本的には人間の活動だ。主に化石燃料の使用、特に石炭と石油と天然ガスの燃焼によって、二酸化炭素をはじめとする温室効果ガスが排出される。温室効果ガスは大気中で太陽の熱を吸収するので、高濃度となれば気温が上昇する。

したがって、気候変動は環境汚染とはまったく性質が異なる。環境汚染は主に（必ずではないが）原因と結果が地域レベルで発生するものだ。汚染が大気や水の質を悪化させ、人間の健康や海洋生物に影響を与えるほか、橋などの建造物のさびや老朽化も進行させる。気候変動は、それとは対照的に、グローバルなレベルで起きる。気候変動に寄与していない地域を含め、あらゆる土地が影響を受ける。気候変動に国境はない。

また、気候が変動することと天候が変わることとは根本的に別の話を指している。天候や天気というのは日々の気温、降水量、風向き・風力などのことだ。日によって寒かったり暑かったり、湿度が高くなったり空気が乾燥したりする。一方、気候とは、降水量や風力などの継続的な傾向と変化のことだ。全体の傾向とそぐわない天気の日もあるが、長期で見れば、日々の天候はもっぱら気候の変動を反映したものとなる。

気候が変化している証拠として、平均気温[2]に明らかな上昇が確認されている。世界の平均海水温[3]も同様だ。北極・南極の氷が溶けつつある[4]という確かな兆候が見られ、海水位も上昇[5]している。火山の噴火など、自然現象によって地球の大気中に含まれる二酸化炭素が増える場合もあるのだが、産業革命以降における炭素濃度の異常な上昇の理由は、科学で答えが見つかっている。大気中の二酸化炭素に関する詳細な調査により、現在の炭素量の増大は人間の活動が原因であることが判明しているのだ。二酸化炭素やメタンガスなど、特定のガスの濃度がとりわけ上昇[6]していることも、データに表れている。特に2010年以降[7]の10年間は観測が始まってから最も暑い時期だったこともわかっている。2019年には観測史上2番目の暑さを記録した。1番目は2016年だ。2015年から2019年は、近代において最も暑い5年間だった。世界の海水位の上昇も、ここ数十年間で加速度的に進んでいる。[8]

気候変動の結果として、沿岸部の海水位が上昇し、猛烈な嵐が多発し、各地で平均気温が上昇し、砂漠化が拡大している様子を、私たちは実際に目の当たりにしている。こうした現象のせいで、人間が暮らしていける地表面積も減りつつある。エネルギーが使用されてから、排出された

海水位上昇によって最も危険にさらされる人口

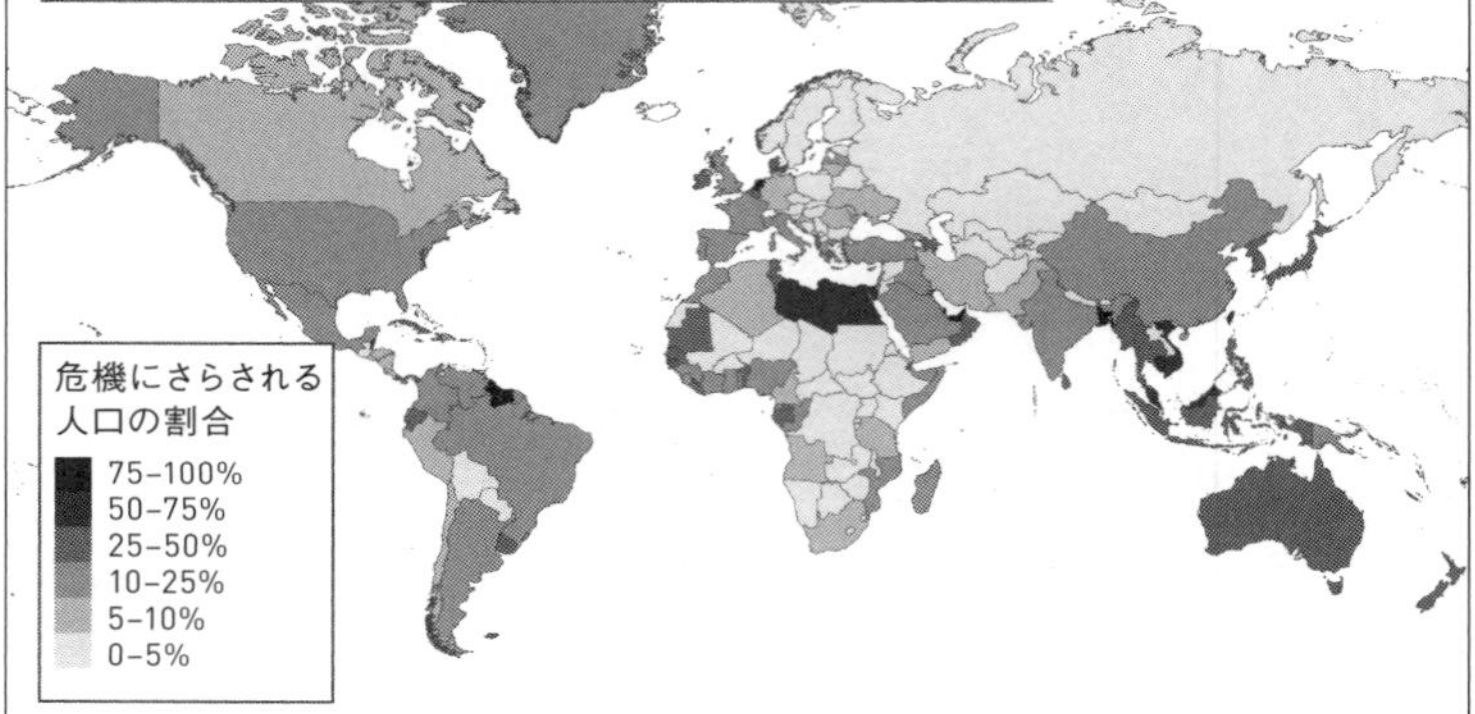

出所：Peter U. Clark, et al. "Consequences of Twenty-First-Century Policy for Multi-Millennial Climate and Sea-Level Change." *Nature Climate Change* 6 （2016）: 360–69.

炭素の影響が生じるまでのあいだにタイムラグがあることを考えても、また、気候変動を引き起こす二酸化炭素などのガスが今も膨大に排出されている現実を考えても、気候変動の影響は今後いっそう深刻化すると思われる。

　海水位上昇と洪水の多発[9]は、海抜の低い沿岸地域や島全体を危機に陥らせる。気温が変化したり、海水が侵入したりすることで、多様な動植物、海洋生物、昆虫にとっても不可逆的な脅威をもたらす。それが穀物生産量を左右するほか、病気の蔓延を招くなど、多数の影響につながる。

　淡水資源の減少、猛暑、広範囲で起きる洪水、被害の大きい嵐の多発が長期にわたって続くせいで、各国の国土の大半が居住不可能となる[10]のは、「起きるかどうか」ではなく、「いつ起きるか」という問題だ。おそらくバングラデシュが世界で最初に[11]、人口の大半がこの問題に直面することとなるだろう。人間が住める陸地面積は縮小しており、今後も減り続けると予想されている。その一方で世界の人口は増え続けていくので、食料不足と水不足[12]が進行し、政情不安も招く。海水面上昇のせいで沿岸部が居住不可となり、国内で別の地域に移らざるをえなくなる人々（国内避難民）の数が、統計値として今後は確実に増えていく。国が国民を支えられなければ、国外へ脱出する難民の数も増大する。気候変動は重大な人道的および経済的問題であり、健康に対する大きな危機であるだけでなく、国家の安全保障に関する問題[13]でもあるのだ。

気候変動がこれほど深刻に起きている背景には、化石燃料の消費量における急激な増加がある。過去50年間で化石燃料の消費量はほぼ3倍[14]に増えた。後押しとなっているのは人口増加と経済成長だ。当初はアメリカをはじめとする先進国で起きる現象だったが、その後に中国とインド[15]を筆頭とする途上国でも見られるようになった。大半は輸送[16]、建物、工業生産に関連した化石燃料の消費だ。

消費されるエネルギーのうち、最大の割合として約3分の1を占めるのが石油[17]である。2番目が石炭の燃焼で、30％に近い。3番目が天然ガスで、20％をわずかに超える程度だ。つまり化石燃料全体でエネルギー消費のほぼ85％を占める。水力発電は一次エネルギー消費の7％、太陽光、風力、潮力といったその他の再生可能エネルギーは4％、そして原子力発電が4％だ。最後の二つの違いとして、再生可能エネルギーの使用量は絶対的にも相対的にも増えているのに対し、原子力発電はコストおよび政治的な理由から縮小しつつある。

温暖化の重大な原因となっているのが、森林破壊[18]だ。森林破壊のせいで世界の炭素量が増加[19]する。健全な熱帯林は炭素を吸収するが、農地を拓くため、あるいは木材確保のために森林が伐採されると、効果的な炭素吸収ができなくなるだけでなく、木の中にため込まれていた炭素も大気中に放出される。特にブラジルとインドネシアで森林縮小が進行しており、政府が森林保護に動かない限りは、気候変動への対応はますます困難になることは間違いない。

温暖化は人間の活動のせいだ。その点は科学者が広く同意している。[20] あくまで少数派の異論として、[21] これが化石燃料使用を原因とする持続的な傾向なのか、それとも地球という惑星が過去にも体験した温暖期と寒冷期のサイクルの一部にすぎないのか(ただし、過去にはもっとゆっくり進行していたのだが)という点で、見解の違いが存在している。とはいえ、気候変動が起きていること自体は否定のしようもなく、人間の活動が主たる原因であるということも、科学コミュニティにおいて認識は一致している。確認されているエビデンスの圧倒的な確実さと、その意味するところの重大性に鑑みれば、エビデンスが100%確実ではないという理由で対策を講じないのは許されることではない。私たちは誰でも、自宅が浸水したり火災で倒壊したりすると思っていなくても、住宅保険には加入するではないか。たとえ気候変動に懐疑的だとしても、気候変動が現実に起きて莫大なコストをもたらす可能性に備えると考えれば、リスクヘッジとして一部の政策に同意することはできるはずだ。気候変動が本当に起きているかどうかではなく、それに対して何をすべきかという点を、私たちは急いで話し合っていかなければならない。

炭素をはじめとする有害ガスの排出総量をできるだけ減少させ、気候変動の速度と規模を抑え込んでいく方法を、国の政策として特定していく必要がある。これは緩和策と呼ばれ、燃料の使用効率を向上する技術の開発や導入を進めていく。たとえば燃費のよい自動車を製造する。飛行機にも燃費のよいジェットエンジンを開発する。排出ガスを濾過して、温室効果ガスの大気放出を少なく抑える。炭素などのガスを「回収」し、大気に放出させず、（一案としては）地中に埋める、あるいは利用可能な製品に転換する技術もある。こうした緩和アプローチにはコストも伴うが、そこに雇用を創出できるし、クリーンエネルギーの市場が成長して利益も生まれる。環境保護政策と経済成長は両立しないという意見もあるが、それは科学的エビデンスに裏づけられていない。

同じく緩和策として、温室効果ガスを排出しない燃料、もしくは比較的排出量の少ない燃料に移行するという道がある。原子力発電のほか、風力、水力、太陽光発電など、いわゆる再生可能エネルギーに切り替えていくのだ。再生エネルギーの使用は、現在、あらゆる燃料の中で最も急速に成長している。[22] ガソリンを使わない電気自動車の開発も、効果の高い緩和策の一つだ（電気自動車を走らせる電気が、温室効果ガスを排出する燃料で発電されたものだったとしても、全体としては二酸化炭素排出量が減少する）。化石燃料のままだとしても、温室効果ガスの排出量は比較的少なく、それでいて同等のエネルギーを生成する燃料に切り替えるという策もある（たとえば石炭から天然ガスに移行する）。新しいテクノロジーを採用してエネルギー効率を高める（経済生産高とエネルギー投入量の関係性を示す尺度「エネルギー・インテンシティ」を下げる）のも効果的だ。森林が炭素を吸収し、気候変動を緩和するので、植林を奨励する、または森林伐採を抑制するのも効果が高い戦略となる。

こうした対策はいずれも実行に移されているし、そのほかにもさまざまな策が導入されている。だが、結果に過大な期待を抱いてはいけない。予想される世界人口の増加と経済成長を踏まえると、化石燃料によるエネルギー消費量を低減するのは著しく困難なことになるからだ。国際エネルギー機関（ＩＡＥ）の推算によれば、石炭による温暖化ガス排出が、世界の平均気温１℃上昇のうちの3分の1[23]に寄与している。そして西欧と北米における石炭消費量の削減は、これまでのところ、アジアにおける増加で相殺されている。いまや中国が世界の石炭消費量の約半分[24]を占めるため、中国がどのような政策をとるかで、展望は劇的に変化する可能性が高いのだ。例によって中国とインドが規制を強化せず、現状の方針を続けると仮定したシナリオでは、生成するエネルギー量に対して発生する炭素が最も多い石炭は、２０４０年にはエネルギー総使用量[25]の20%を占めていると予想される（現在は27%）。そのとき石油は28%で、今と同じく世界で最も広く使われているエネルギー形態だ。増えるのが再生可能エネルギー（風力、太陽光、潮力、地熱など）で、２０４０年には15%前後に到達する見込みだが、まだ石炭や天然ガスを抑えての中心的エネルギーにはならない。原子力は、立ち上げ費用が高く、政治的反発もあるため、５%程度にとどまると予想されている。一言で言えば、エネルギー効率はこれからも向上し、使用するエネルギー源の組み合わせも改善されていく見込みだが、それでも世界のエネルギー消費量が増えるので、当面のところ気候変動の問題は深刻化が進む。

　気候変動の緩和対策を義務づける世界的な機関やメカニズムは存在していない。気候変動に寄与するガスの排出削減のため、各国がより野心的な取り組みを実行していくよう、強制力のない国際的合意を広める世界的努力は進んでいるが、対策そのものは国または地域レベルが自発的に行うという位置づけだ。

それでも、気候変動に関する世界規模の政策を作るアプローチは、すでにいくつか議論されている。「キャップ&トレード方式」と呼ばれる手法は、各国政府の合意のもと、世界全体の排出量を定めるというものだ。そして各国に排出の割り当てを行う。原理としては、割り当てを超過して炭素排出をしたい国が、割り当てよりも少なく抑えられる国から、排出権をお金で買うという市場が作られる。世界の排出量全体に上限を設けると同時に、国レベルでの排出削減にインセンティブが生じることが狙いだ。外国との排出権取引をしない場合でも、国内で同じアプローチを導入することもできる。

別の案として大きな関心を集めているのが、炭素排出に税金をかけ、それによって排出量削減を奨励するという方法だ。一般的に「炭素税」と言われている。課税することによって、温室効果ガスを大量に生成する活動を控えさせ、よりエネルギー効率のいい燃料や、温室効果ガスの排出が少ない燃料への切り替えを促していく。

ほとんどの政府は、キャップ&トレード方式も、炭素税方式も、まだ公式に承認していない。富裕国は、より厳しい排出目標を満たすために経済成長が鈍化したり、途上国に対して巨額の支払いが発生したり、その両方を背負ったりすることを警戒している。ビジネスによっては、コストが増えて利益が目減りすると受け止めている。ただし、この懸念は大袈裟であることも少なくない。たとえば自動車産業は、自動車の燃費効率向上と電気自動車の導入で問題に適応できてい

地球は温暖化している

産業革命前と比べた世界の気温変化（摂氏）

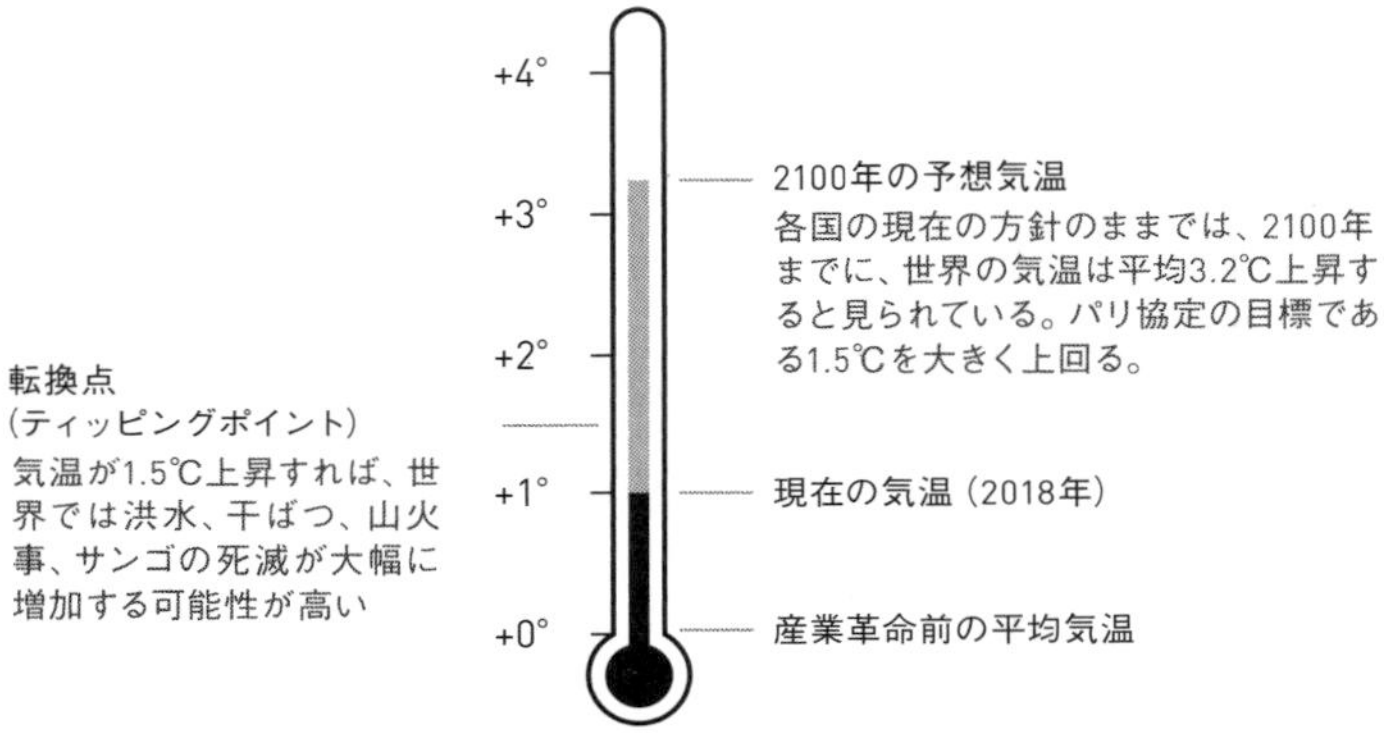
+4°
+3°
+2°
+1°
+0°
2100年の予想気温
各国の現在の方針のままでは、2100年までに、世界の気温は平均3.2℃上昇すると見られている。パリ協定の目標である1.5℃を大きく上回る。
転換点
（ティッピングポイント）
気温が1.5℃上昇すれば、世界では洪水、干ばつ、山火事、サンゴの死滅が大幅に増加する可能性が高い
現在の気温（2018年）
産業革命前の平均気温

出所： Climate Action Tracker; *The New York Times*.

る。太陽光や風力などグリーンテクノロジーの分野でも、気候に対する懸念が後押しとなって、機会と成長が刺激されている。

　途上国のほうは、どんな形であれ炭素排出に対する制約には警戒心をもっているし、課税を導入されても払うことができない。むしろ気候変動に対処するための資本が必要なのだ。先進国はそのための基金を用意しているが〔訳注：2010年のCOP16で設立が決まった「緑の気候基金（GCF）」のこと〕、途上国が自由にアクセスできるものでもない。中国やインドのような国は石炭使用量の大幅な削減に積極的ではなく、自国の平均的市民が欧米の平均的市民と同じ生活レベルを享受するための発展がなぜ許されないのか、と疑問を呈している。世界各国で、炭素税に対する政治的反発は強い。こうした意見の不一致を見る限り、1995年に始まった国際的取り

組み〔訳注：気候変動枠組条約締約国会議（COP）のこと〕は、必要な行動を実現するには程遠い状態だ。

そのかわり、排出上限値に対する各国それぞれの目標（「自国が決定する貢献案」）を決める期日については、世界で合意がとれているようだ。2015年にパリで開催された会議（第21回気候変動枠組条約締約国会議〔COP21〕）で、世界のほぼすべての政府がこの点に合意した（いわゆる「パリ協定」）。加えて、世界の平均気温の上昇を産業革命前と比べて2℃（華氏3・5度）までに抑えるという全体目標も定めた。しかし問題は残っている。一つは、会議の場で明示された各国目標は厳密な公約ではなく、そうしようという意図を表したものであること。そしてもう一つは、たとえ各国がそれぞれの排出目標を達成したとしても、気温上昇は全体の上限を超えると考えられることだ。しかも悲しい真実として、この控えめで、十分ではないと認めざるをえない目標ですら、おそらく達成されない。各国政府は5年ごとに気候目標の見直しをすることに合意しているので、より野心的な目標が採用される余地もあるが、状況を複雑にしたのが、ドナルド・トランプ政権下のアメリカによるパリ協定離脱の判断だった。世界第2位の炭素排出国が気候変動の解決にどう取り組むつもりなのか、疑問が生じている。

こうしたことを踏まえると、気候変動は今後ますます深刻になり、制限や阻止を試みる国際的取り組みではおそらく追いつかないと考えられる。そこで、既存または予想される影響は避けられないものとみなして、それに対する脆弱性を低減させるために地方自治体や国家政府が努力をするという、第二の国家的・国際的活動も行われている。こうした努力は、緩和策ではなく適応策と呼ばれる[26]。たとえば、洪水の被害に弱い沿岸部や、山火事が起きた際の影響が大きい地域への居住を非推奨または禁止にする。海水面の上昇や洪水に備えた防波堤を作る。地方、国、あるいは国際レベルで基金を設立し、気候変動による被災者の支援や被害低減のために投じる。住宅建設可能な地域や建設方法に規制を設ける。こうした策で気候変動の試練を解消することにはならないが、最悪の結果は避けられる。ただし、適応策の金銭的コストが莫大なものとなるのは間違いない。

緩和策、適応策に続き、提案され始めたばかりの政策として、気候変動を逆転させる試みもある。たとえば大気中に、太陽光の一部をブロックする粒子をまく。こうした行動（「気候工学」と言われる[27]）は、効果が確実には予測できないため、導入については賛否が分かれている。科学的研究がまだ初期段階なのだ。広大なインパクト、あるいは不可逆的なインパクトをもたらすかもしれない気候工学の手段は、まだ一つも承認段階には進んでいない（１９７８年の国際会議[28]で、他国に害を与える意図で環境を改変する行動は禁じられている。ここで述べているのは、そうした手法ではない）。だが、技術が進歩すれば、気候工学が有効な政策の選択肢として浮上するかもしれない。気候変動が進行し、予想されているような壊滅的事態をもたらすとすれば——そうなる確率は高いが——緩和策と適応策に加えて、さらに気候工学で補完していくことも考えられる。

世界のエネルギー使用状況を転換する技術革命がまだ登場していないことを考えれば、気候変動が世界にもたらすインパクトについて、私たちは憂慮するべきであり、不安を感じるべきとも言える。これはまさしく世界的危機にほかならず、一国が自力で解決することはできないし、自国だけは影響を受けないよう身を守ることもできない。しかし、必要とされている集団的対策行動が実行される可能性もかなり低いようだ。だとすれば、今世紀は「気候変動」の一言で語られる時代となっていくのかもしれない。

移民・難民問題

国内で、あるいは国境を越えて人が移動するという動きは、昔から国際関係の一要素だ。経済的なチャンスを追い求めるなど、自発的に移動する場合もあるし、武力紛争や迫害から逃れるなど、移動せざるをえない場合もある。「移民（migrant）」という言葉の意味は国際法で定められているわけではなく、広く共有された定義があるわけでもない。国連の定義[1]では、移民とは「国内で、あるいは国境を越えて、一時的または永久的に、さまざまな理由から、自らの常在地を離れる人」の全般を指す。国連の別の定義では、「自分が国民ではない国に、一時的または永久的に居住している人[2]」のことで、移住するという判断が「当人によって自由に決定されたもの」である場合を指す。このような狭く絞った定義なら、強制的に居住地から移動させられた人と移民を区別することになるので、より実用的と言えるだろう。自分ではどうしようもない理由で住まいを離れさせられた人のことは、その移動が同一国内であれば国内避難民と呼ぶ。国境を越えた

世界人口の1%が強制的に移動させられている

7,100万人	4,100万人	37,000人
紛争により強制移動させられた人の数。第二次世界大戦以降で最多。	7,100万人のうち、国内避難民の数。残りは難民もしくは亡命者。	2018年には、1日に平均してこれだけの数の人が、強制移動を余儀なくされた。

出所：国連難民高等弁務官事務所（2019年6月）

移動の場合は、難民（場合によっては「亡命者」「強制移民」）と呼ぶ。

現在の統計によれば、世界の国際移民の数はおよそ2億5000万人。[3] その圧倒的多数が[4]経済的理由から自発的に母国を離れている。平均所得が比較的高い国に移る傾向があり、[5] 特にアメリカには5000万人にわずかに届かないほどの移民[6]がいる。こうした数字は、国際移住における経済的側面と、多くは自発的であるという現実を強調するものだ。

だが、2019年の時点で7100万人以上[7]が非自発的、つまりは選択の余地なく居住地を離れている。世界で100人に1人に近い割合だ。この中で4100万人は国内避難民（IDP）で、同じ国の別の場所に移り住んでいる。そして2600万人は難民[8]で、迫害や暴力から逃れるために母国を離れている。350万人は亡命者だ。

移民であるかどうかを決めるのは、彼らが入国・居住を希望する国の判断と入国管理法だ。移民認定と入国条件はそれぞれの国に決定権がある。カナダ、オーストラリア、ニュージーランド――そして程度の差はあるがアメリカ――などの国は、学歴、職能、あるいは財産といった条件で選抜する。多くの移民が仕送り（移民送金）を通じて母国の経済に貢献しつつ、入国した国の経済に貢献できているのは、そういう条件を満たして入国しているからだ。

アメリカには[9]世界中のどの国よりも多くの移民がいる。[10]毎年およそ100万人がアメリカの永住権を取得する。[11]ほとんどは家族再統合という理由[12]で認められた移民だ。家族の一人がアメリカに合法的に移住すると、その人物が保証人となることで、残りの家族もアメリカへの移住が可能になるからである。世界各国から年間に発生する移民のうち、7％未満の規模で[13]アメリカが受け入れており、主な「送り出し国」であるインド、中国、メキシコ、フィリピンといった国々に対して、受け入れ上限を設けている。全員ではないが、たいていは前述のように職能、教育、富といった基本的条件を満たして入国し、[14]多くの移民がいずれかの時点でアメリカ市民となる。たとえば、2017年には100万人近い移民がアメリカ国籍の取得[15]を申請した。

歴史を振り返れば、移民が来ることで労働年齢の男女が増えるので、社会の助けになりうることがわかっている。人口比率が若年層または高齢者層に偏っている社会と比べて、労働人口の維持が困難になりにくいのだ。現在、アジアの国々の多くが急速な高齢化問題を抱えているが、これは移民受け入れを制限する姿勢をとっていることが一因である。また、アメリカのテクノロジーセクターが証明しているとおり、移民はイノベーションと人材の大きな源泉[16]ともなりうる。2019年に「フォーチュン500」――アメリカの大手企業ランキング――に載った企業のうち、約45％[17]が、移民、または移民の子どもが創業者もしくは共同創業者となって誕生した企業だった。

移民に負の側面がないわけではない。教育水準が低く、高度なスキルをもたない移民と、同程度の教育水準とスキルの一般市民とのあいだに、雇用をめぐって競争が発生すると[18]、移民が労働者として入れ替わっていくことになりやすい。教育や医療など公共サービスの負担増ともなりうる。移民が移住先の社会への同化を拒否した場合、一部の国民から見て、文化が移民によって変えられてしまうという懸念（ヨーロッパで指摘されることが多い）もある。

受け入れる移民の数（難民の数も）は、世界で国によって大きな差がある。まったく受け入れない国もあれば、年間100万人以上を受け入れる国もある。受け入れ国の安全、雇用、アイデンティティに対する影響を懸念し、あるいは影響が生じるという想像から、ヨーロッパの多くの国と日本やアメリカでは、難民受け入れを含む移民政策は厳しい政治的争点となっている。

移住（入国管理）に関する方針を決めようとする国際的な取り組みは、今のところ限定的な成果を出している。2018年には「移住グローバルコンパクト」が世界で多くの国（ただし、アメリカを含む25カ国ほどは含まれていない）によって採択され、移民の扱いに関する拘束力のないガイドラインと基準が設定されたが、自国の方針決定は各国政府にゆだねられている。

自発的な選択ではなく、必要に迫られて移住した人の地位と扱いについては、国際的取り組みの重要性はいっそう大きい。国際避難民と難民の数は、第二次世界大戦以降で見ても、おそらく過去全体から見ても最多を更新しており[19]、その増加の大半は国内紛争が原因だ[20]。実際のところ、やむを得ず居住地を離れる人の数は、この10年間でほぼ2倍になった。世界の難民の85%[21]は途上国にいる。現在、すべての難民のうち約60%は、[22]シリア、アフガニスタン、南スーダンで発生している。

この問題——より正確に言えば、こうした一連の問題——が、なぜ重大なのだろうか。一つは人道的理由だ。何しろ驚異的な数の命が影響を受けている。そして経済的側面もかかわっている。コストという点でも影響があるが(住居と衣服と保護を与え、教育と医療を提供するコスト)、機会が生じるという影響もある。移住者(難民でも移民でも)は往々にして、イノベーションの大きな源泉となり、貴重な労働力ともなることがわかっているからだ。

国内避難民と難民の多さは、政治および国家の安全に大きな影響をもたらしかねない。難民流入の阻止が理由で戦争が起きたことも、歴史上に何度かあった。1971年にインドとパキスタンが衝突し、バングラデシュの独立につながった戦争も、東パキスタンの弾圧から逃げ出した大勢の人々がインドに流入したことがきっかけとなって発生した。そうした紛争の引き金にはならないとしても、難民の大量流入が政治的反発を招き、関連国の政策変更をもたらすこともある。現在のヨーロッパで成立している政策は、その一例だ。2010年代からポピュリズムが台頭してきたのは、中東やアフリカからの移民に対する反発によるところが大きい。

1951年の外交会議で採択された「難民の地位に関する条約」は、難民に特定の権利と庇護を与えると定めている(のちに、さまざまな地域機関が内容の修正や補完をしている)。難民とは、[23]「人種、宗教、国籍、特定の社会集団または政治的見解を理由に迫害されるという、根拠が十分にある恐れ」があって母国を離れている人、また、そうした理由から母国へ帰る意思がない、もしくは帰ることができない人を指す。国連難民高等弁務官事務所（ＵＮＨＣＲ）のもとにある機関が、難民に対する庇護の確保と、彼らの問題についての永久的な解決策追求の責任を担っている。難民支援を使命として掲げる民間組織も多数存在している。

こうした一連の取り決めは有益ではあるのだが、十分ではない。１９５１年の条約で重要な意味をもっている「迫害」という言葉は、難民の地位を決定する根拠として、あまりにも狭い。たとえば、迫害そのものは受けていないが、戦争やギャングの抗争を避けて故郷から逃れようとする人も、難民としての地位と権利を与えられて当然ではないか。難民という地位を与えるかどうかの判断が、各国政府にゆだねられているというのも、難しい問題である。政府にとっては、難民と認めればその人々を入国させ、援助を与えなければならないのだから、往々にしてこうした判断を避けたがる。にもかかわらず、この判断を行う国際的な審査員も機関も存在していない。

この点から明らかなように、難民は自分が入国したい国に対し、難民としての扱いと庇護を受ける資格があると納得させなければならない。理屈としては、経済的理由で移住したいのに難民を装っているということもありうるからだ。合法的に正当な難民として在留を認めるかどうか、政府が判断するまでの期間は、その難民はたいてい「亡命者」と呼ばれる（トランプ政権は、審査中は何年でも在留できてしまうことを問題視して、判断が下るまでは亡命者をアメリカに入国させないという方向を模索している）。難民という地位を与える判断や、受け入れる難民の数、居住場所の問題、また難民資格とは異なる永住資格で在留を認めるかどうか、さまざまな判断の方針やメカニズムは国によって異なる。母国の状況が、暴力や迫害を受けずに生活できると期待できるレベルまで回復していないのであれば、難民を元いた国に強制的に送り返すことはできない。

難民支援の国際的取り組みは、主に四つの方向に分かれている。第一に、最も基本的な取り組みは、難民が発生する状況を予防する（発生しているのであれば改善する）ことだ。大規模な難民発生の最も一般的な原因は紛争である。しかし、紛争や戦争を終結させるためには多大な関与が必要だ。上首尾に戦争終結を導くことなど、ほとんどの国、関連する地域機関、あるいは国連にとって手に余る課題だし、それほどの関与をする意欲ももちにくい。近年のシリアに関して起きているのは、まさしくそういうことだ。

紛争のほかにも大規模な難民発生が起きる理由はあるのだが、同じく対応が難しい。たとえば気候変動のせいで、広大な土地が居住不可能になってしまうことがある。これが難民発生の最大の原因となるのは時間の問題だろう。また、同じく対応が難しいのが、国内における武力抗争や犯罪である。戦争と同じく、人々は安全を求めて逃げ出さざるをえない。しかし、中央アメリカで蔓延する暴力と犯罪のせいで膨大な難民が発生している様子からも明らかなように、こうした状況は往々にして国家が制御できる範囲を超えている。近年では、犯罪、政治的弾圧、経済的苦境が組み合わさって、何百万という大人や子どもがベネズエラから脱出している。

国際的取り組みの第二の方向は、難民を一時的に受け入れることだ。ただし、永住とならないにしても、結果的に無期限となることが少なくない。トルコ、パキスタン、ウガンダ、スーダン[24]など、近年に多数の難民を受け入れている国は、いずれも紛争のせいで多数の難民が発生している国と隣接している。

第三の方向は、多数の難民を受け入れている国への支援だ。たいていは経済的支援で、もっぱらアメリカ、カナダ、ヨーロッパの各国とEUが送り手となっている。自国でも難民を受け入れつつ、民間団体とともに多額の補助を行う。

第四の方向は、難民の扱いに関する支援だ。難民の権利は1951年の条約をはじめとする公文書で細かく規定されているものの、不幸な現実として、受給資格があるはずの医療、教育、その他の身体的保護を受けられていない難民は、大人、子どもを問わず、非常に多い。

国内避難民については、1998年に国連が発行した文書「国内強制移動に関する指導原則」がこう定義している。[25]「武力紛争、暴力が一般化した状況、人権侵害、自然災害または人為的災害を受けた結果として、あるいはそれらの影響を避けるために、住居や居住地から逃れたり離れたりすることを強制または余儀なくされた人々のことであり、国際的に承認された国境を越えていない場合を指す」。この文書は国際避難民の権利も特定しており、市民とほぼ同等と定めているのだが、現実として法的執行力を伴わず、強制力がない。各国政府が公式に署名しているわけでもない。それどころか、国内避難民の存在はさほど注目されず、保護もされない傾向にある。国内避難民は、そもそもの定義として自国内に住み続けているので（つまり、その国の政府の主権的管轄のもとにあるので）、国際法の適用範囲が制限されてしまうのだ。

はっきりしていることがあるとすれば、世界的な移民・難民問題に対する解決策が何であるにせよ、基本的には国家および地域レベルで取り組まなければならないという点だろう。一貫した世界的な対策行動がとられるとは考えにくい。人が個人または家族単位で移住する判断をする（選択であったとしても、必要に迫られたものであったとしても）状況は、どうしても住んでいる場所の状況や見通しに左右される。そして、強制的に住まいを捨てさせられたとしても、たいていは国内または近隣の国にとどまる。入国を認める基準や、移住に伴う負担を軽減するためのリソース提供については、今後も各国政府がそれぞれに方針を作っていくだろう。新たに定住できる場所を求める人々の数は、おそらく今後は確実に、利用可能な住居の数を上回っていく。そもそも難民が発生する状況を解決することで、難民発生による多大なコストを削減できるはずなのだが、これまでの経緯を見る限り、移民の原因も、移民による影響も、解消は引き続き困難であるようだ。

インターネット、サイバースペース、サイバーセキュリティ

インターネットは現代における生活の中心だ。20年ほど前から開発が進み、驚くべきスピードと規模で進化して、生み出した者たちも想像していなかったほど重要な存在になった。今では1日のメール送信件数がおよそ3000億件だ。[1] 個人、ビジネス、政府、その他の機関など、数十億人のユーザーのあいだを膨大な情報が驚異的な速度で行き交っている。サイバースペースに地理と距離は関係がない。

サイバースペースにかかわる技術は、建設的に使用される場合もあれば、破壊的に使用される場合もある。各カテゴリーでとるべき対策について、国際的なコンセンサスはとれていない。インターネットが基本的には円滑に機能し、情報とコミュニケーションの世界的な流れを支えていることは確かだ。その一方で、金銭搾取や知的財産の窃盗（製造の秘密や最先端技術の漏洩など）、なりすまし、個人と企業のプライバシー侵害、政治的プロセスへの影響、テロリストの勧

誘・訓練・指示、軍事作戦の指揮に欠かせない通信の妨害など、インターネットの悪用も横行しており、将来的には、軍事力を伴う場合と遜色ない威力をもった攻撃がインターネットで行われる可能性もある。システムの連結性と開放性は脆弱性も生む。変化のペースが速いことも、必然的にシステムを弱くする。さらに、数十億個ものセンサーとデバイスが[2]「モノのインターネット（ＩｏＴ）」として互いに交信し、今後も続々とオンラインにつながっていくことで、新たな弱点と複雑さは増える一方だ。

生活と仕事の実に多くの側面で必須となった領域や技術に対し、監督も取り締まりも十分に行われていないとは、信じがたいことだ。単一の権威機関は存在せず、あくまで個人の集まりや、市民社会グループ、企業、政府が、時には連携し、時にはそれぞれ並行して、インターネットを「統治」している。場合によってはまったく統治されていないこともある。たいていはフォーマルでトップダウンのプロセスではなく、インフォーマルでボトムアップのプロセスだ。インターネットがまだ新しく、現在のような重要性をもっていなかった時期に取り決められてきた。

インターネットをどう使用するべきか、ユーザーが生成するデータに誰がアクセス権をもつのか、目下のところ議論は紛糾している。インターネットにかかわる政策決定の権限はどこがもつのか、政府や正式な国際機関がインターネットを監督すべきかどうかという点でも、答えは出ていない。

誤解のないよう明示しておきたいのだが、インターネットに対する国際的なガバナンスはいくつかの形で行われている。カオスとなりかねない領域に一定の秩序をもたらすために、１９９８

海底インターネットケーブル

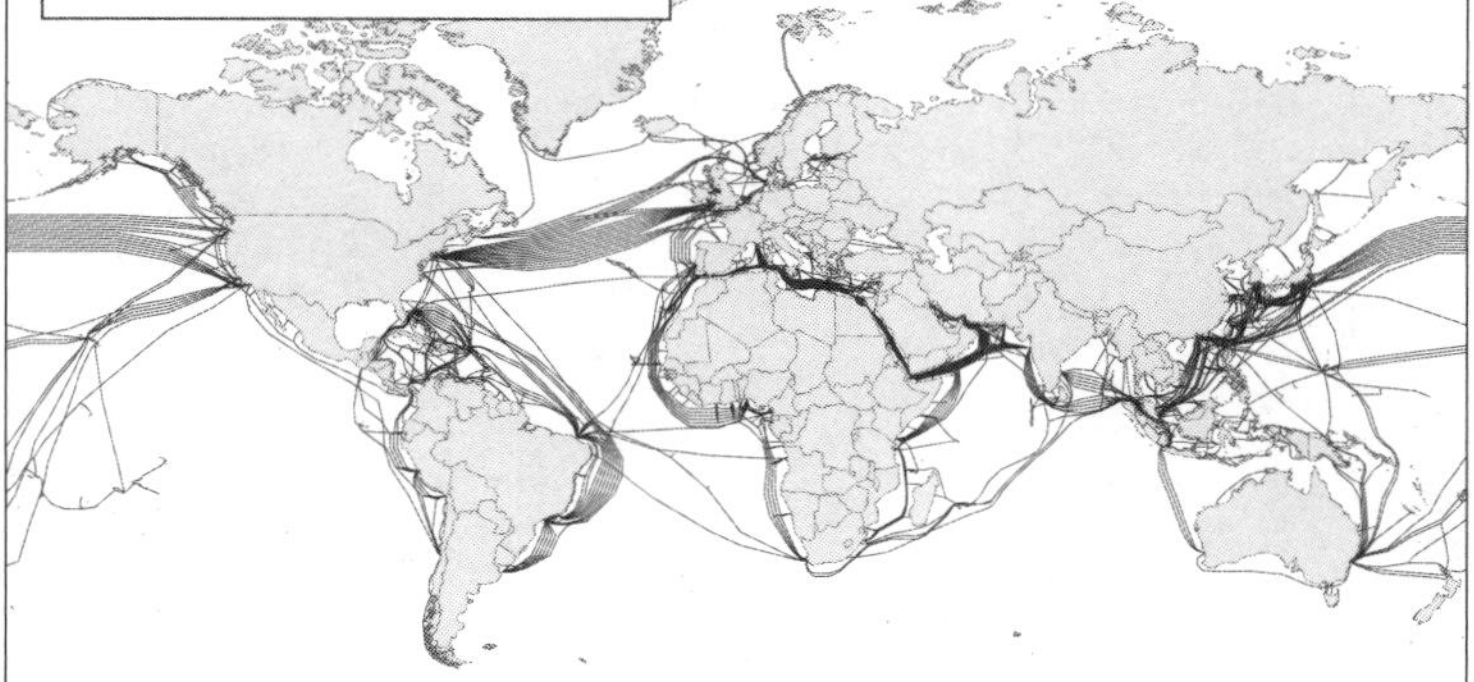

出所：TeleGeography, August 2019.

年には、インターネット・コーポレーション・フォー・アサインド・ネームズ・アンド・ナンバーズ（ＩＣＡＮＮ）という機関が非営利団体として設立された。名称が示すとおり、ＩＣＡＮＮは、ドメインネームとアドレス、つまりウェブサイトにアクセスしたいときにブラウザに入力する情報の付与を管理するしくみを確立した。ＩＣＡＮＮのほかにも、サイバースペースにおける商業の促進、人権の向上、プライバシー保護、犯罪やテロ撲滅の方法を話し合う国際会議がいくつも開催され、合意も形成されている。たとえば国連は、人はオンラインでもオフラインと同じ人権[3]を有すると定めた。二国間協議を通じてサイバースペースで許容される範囲を決定する場合もある。アメリカと中国は２０１５年に[4]、商業的利潤のために「知的財産に対して、インターネットを利用した窃盗の実行または故意の援助」をしないと合意した。だが、世界全体での合意形成は存在していないし、ルールもほとんどなく、あるとしても執行する方法がない。実際、中国は2015年の合意内容を守っていない、という認識がアメリカでは一般的だ。[5]

アメリカ政府は2011年に、インターネットはオープンで、互換性があり、安全で、信頼性のあるものでなければならないと宣言した。[6]これについても全員が賛同しているわけではない。インターネットはすでに細分化が進んでいるらしく、[7]異なるインターネットが複数乱立している状態だ（この傾向は「スプリンターネット」[8]〔分断されたインターネット〕と呼ばれることもある）。中国を筆頭とする一部の政府はインターネット主権を主張し、ネット経由で自国に持ち込まれる情報や、自国民同士のコミュニケーション手段に制限をかけようとする。政治的敵対者がインターネットを使って政変を起こすことを政府が懸念する場合もあるし、有害と判断されるコンテンツ（ポルノなど）は制限しなければならないと考える場合もある。テロや民族間紛争への対策として、市民がインターネットで噂を広めたり、炎上をあおったりすることを警戒し、政府がインターネットやソーシャルメディアを完全にシャットダウンすることも、決してめずらしくはない。2019年だけでも、スリランカ、イラン、インドが、いずれも危機中に政府がソーシャルメディアまたはインターネット全体を遮断した。[9]

インターネットに対するグローバルガバナンスを精緻化していくのは、[10]きわめて難しいだろう。ある国が別の国に対して行う諜報活動を予防・阻止する現実的な方法があるとは考えにくいからだ。諜報活動の捜査対象になるという点では、サイバースペースも古くからの郵便や電話といった通信形式とほとんど変わりがない。だが、インターネットを利用した政府活動の中でも、たとえば他国の物理的インフラに対する攻撃の準備・遂行（電力網のシャットダウンなど）、他国の政治への干渉（ロシアが２０１６年のアメリカ大統領選で行ったように）、機密情報の窃盗、企業などの団体に対する妨害（北朝鮮がソニー・ピクチャーズに対して行ったように）は、おそらく禁止にしていかなければならない。

だとすれば、当然浮かんでくる疑問がある。インターネットを他国の攻撃に使うことを禁止した場合、そこに例外は作るべきなのか。大量破壊兵器や、その高度な運搬システムの開発を試みるテロリストや国に対するサイバー攻撃は、例外として認めるべきだという見方もあるだろう。アメリカとイスラエルは、イランの核開発プログラム進行を遅らせる狙いで、そうした攻撃を遂行したと考えられている。[11]アメリカは北朝鮮に対しても、[12]核およびミサイル開発プログラムを破壊するサイバー攻撃を行ったと報じられている。もしくは、サイバー攻撃の禁止を建前上は受け入れつつも、実際には守らない国もあるだろう。通常戦力では太刀打ちできない相手に対する抑止または報復として、サイバー攻撃を戦争の有効な道具とみなすのだ。この意味で、サイバー攻撃は比較的低コストで、武力では上回る敵に甚大なダメージを与えるのだから、弱者の武器と言える。たとえば北朝鮮は、あらゆる指標に照らして世界で最も困窮する国の一つだが、最も高度なサイバー武器をもつ国[13]の一つでもある。選んだ標的と、威力にもよるが、サイバー攻撃のコストと結果は通常兵器を使った攻撃と同等、もしかしたら大量破壊兵器を使った攻撃にも匹敵する可能性がある。

こうした禁止と例外に関する広い賛同を獲得するのはおそらく不可能だろう。「デジタル版ジュネーブ条約」[14]を求める声もあるが、さほど支持を得られていない。それに、仮に何らかの集団的合意の形成が可能だとしても、集団的執行が可能とは限らない。武力行使を認める状況と方法に関する国際的なルールや規範[15]と同じことだ。ルールがあれば、それに沿った行動がとられるかもしれないが、経済的利益や国家安全上の利益が重要だと判断されたときには、ルールは頻繁に破られる。

合意がないこととは別に、現実として、インターネット関連のテクノロジーは今も急速に進化しているし、今後もその勢いは続く。そのため、どんな団体が主導していようとも、遅滞なく国際的なルール形成をしていくのは不可能と言ってもいいほど難しい。実際問題として、ルール作りをしようとすれば、政府だけでなく、インターネット業界の中心的企業を関与させなければならない。しかも、サイバースペースの規制に関しては、利害が衝突し、どちらかを妥協せざるをえない要素が多い。たとえば、個人のプライバシーと集団安全保障だ。インターネットがコミュニケーションの主要かつ広く共有された手段となっている状況において、ある民間人から他の民間人へ、他人は読まないという前提で送信された内容を、どんな状況であれば法執行機関や諜報機関が読むことを認めるのか。それから、個人に付随するデータのうち、企業はどこまでなら収集・保管することを認められるべきなのか。アメリカとEU諸国のように、友好国や同盟国であっても、この問題については見解が大きく割れる。[16]ヨーロッパ諸国は、個人の保護を強化しテクノロジー企業への制限を増やすべきだと主張する。そして実際に2018年にはEU一般データ保護規則（GDPR）を施行した。EUに住む個人に関するデータに対し、一定の保護を確保するという内容で、この規則に違反するグーグルなどのアメリカ企業に罰金を科した。

サイバースペースにおける最善のガバナンスと規制について、国際的なコンセンサスを形成する以外にも、道はないわけではない。公式な合意がなくても、政府の行動を牽制することは可能だ。サイバー抑止を行使するのである。民主的選挙の妨害など、好ましくない行動を事前に阻止する策として、サイバー抑止が検討されることが多い。[17]だが、サイバー攻撃の圧倒的多数は、軍事攻撃や武力行使で反撃するほどの水準ではないため、抑止策に現実味をもたせることは困難だ。制裁を科しても、おそらく望ましい効果は出ない。相手に代償を払わせつつ、不釣り合いまたは過度な危険はもたらさずに、サイバー攻撃を抑止するのは難しいと考えられる。それに加えて、サイバースペースにおける非合法または敵対的行動がどこで起きているか、突き止められるとは限らない。抑止は、攻撃があった場合は必ず報復すると脅すことが中心となるが、相手がつきとめられないのだから、報復は執行不可能となりやすい。

しかし、サイバースペースにおいて非合法もしくは敵対的とみなされる行動の実行者を特定できるなら、政府がとるべき対応はさまざまに考えられる。法に違反しているならば犯罪者として扱い、罰を与える。相手がテロリストならば、物理的攻撃を行う。いずれかの国がサイバー攻撃に直接的に関与している場合や、攻撃を行う個人や集団を援助している場合は、その国に対する経済制裁、軍事行動、あるいはサイバースペース上で何らかの対応を発動することになるかもしれない。

さらに別の手段として――他の対策と入れ替えるというよりも、併用すべき手段として――自衛能力を育てることも必要だ。システムを完全無欠にはできないにしても、脆弱性を軽減する対策をとっておくのである。よくあることだが、サイバーテクノロジーも諸刃の剣だ。攻撃をする力にもなるし、防御する力にもなる。複雑でランダムな文字列をパスワードに使う（「password123」のような文字列ではなく）、パスワードを書き留めた紙をキーボードのそばに貼っておかない、パスワード管理ツールを使う、ソーシャルメディアやメールや銀行口座のログインには2ファクタ認証を用いるといった、危険をできるだけ避ける努力を、感染予防の手洗いなどと同様とみなして、「サイバー衛生」と呼ぶ。個人や中小企業であっても、このサイバー衛生のためにできることは多い。暗号化も役に立つ。最新のソフトウェアを使用し、つねにアップデートを心がけることにも意味がある。トラブルが起きたときに備え、復旧に必要不可欠な部品は余分に備蓄しておく、重要な情報は複数のバックアップをとる、そして重大なダメージが発生したときにもビジネスが継続できるようにしておくなど、レジリエンス確保のためにとれる対策がある。ほかの状況と同じく、効率性とセキュリティ（そして考えられるリスクとコスト）をつねに念頭に置き、その二つのバランスをとっていく必要があるのだ。いずれにせよ、インターネットのガバナンスは、今世紀の最大かつ最も重要な課題であることは間違いない。今のところ、ルールを設けようとする風向きよりも、テクノロジーが急速に変化する動きのほうが優勢だ。核兵器などと違って、インターネットのテクノロジーは限られた者ではなく、ますます多くの人の手に握られていくのである。

グローバルヘルス

グローバルヘルス、つまり世界の健康と医療は、今では人類史に例を見ないほどよい状態にある。[1]それでも、医療が進歩したとはいえ、いまだに多くの課題があり、対策が不足していることを考えれば、市民も政府も決して安心してはいられない。グローバル化がもたらす課題に集団的対応が追いついていない現状は多く見られるが、グローバルヘルスも、その一例に当てはまる。

グローバルヘルスが重要である理由はさまざまだ。わかりやすい理由――私たちは誰でも、長生きして、心身共によい状態で活動できるようでありたいと思っているし、人道的理由から、同じことを他人にも望む――もあれば、一見してすぐわかるものではない理由もある。後者はたとえば、社会全体の健康状態と、経済活動や政治的安定や国家安全保障との関係だ。健康・医療関連のコストや危機[2]のせいで、堅調で繁栄していた社会が、弱く機能不全の社会に変わってしまうことがある。外国で疫病流行が起きたときも、予防し、検知し、対応していく能力があれば、同じ疫病が自国で広がるのを遅らせる、または食い止めることができる。そして医療は世界経済の中心でもある。世界の経済生産高の10%近くが[3]医療に投じられているからだ。アメリカで医療に使われる金額は、現在では国内総生産（ＧＤＰ）の18%[4]以上に相当すると見られている。

世界の人口は80億に近づいている。2世紀前の人口の8倍、1世紀前の4倍、ほんの50年前と比べても約2倍である。これほどの増加の主たる理由は、平均寿命の劇的な上昇だ。今日、世界の一般的な人間は、72歳まで生きると予想される。[5]富裕国の一部では80歳だ。[6]日本が世界的にトップで、84歳。90代や、それ以上の人の数も増えている。1世紀前の平均寿命と比べれば倍以上[7]で、これは貧困国や発展途上国における平均寿命の急激な伸びを反映している。食生活の改善と、医療や健康分野における大幅な進歩──特に子どもと妊産婦の死亡率が下がった──と、大規模な戦争が少なくなったことが大きい。男女別で見れば女性の平均寿命が男性よりも数年ほど長い。[8]５歳未満の死亡率は２０００年以降は下降し、昔だったら亡くなっていた子ども５０００万人が助かっている。[9]

こうした進歩の背景には多くの要因がある。まず、予防、診断、治療に至るまで、医療全般が向上した。医療関連の技術や医薬品にも画期的な発明があった。教育の普及により、個人の生活習慣が変わった。食生活と栄養摂取の状態も改善された。低所得国家の医療体制を増強する支援も行われた。かつて多くの命を奪った感染性疾患のいくつかが根絶、もしくは根絶に近い状態となったことも大きい。たとえば天然痘は１９８０年に正式に根絶された。ポリオの発症数は１９８８年以降で99%減少し、[10]現在ではきわめてまれだ。新たにＨＩＶに感染する件数も減少し、エイズ関連の疾患による死者[11]の数は現在では年間１００万人ほどで、２００４年のピーク時と比べれば半分になった。仮に、人々の生活習慣が変化せず、発症しても抑え込める薬が開発されなかったとしたら、今頃は数倍の患者がいたに違いない。マラリアとはしかの発症[12]も大きく減少している。

こうした成果が出ているにもかかわらず、グローバルヘルスに関する問題は今も山積みで、やすやすと解決することができない。アフリカの数カ国では平均寿命[13]がわずか50歳ほどだ。サブサハラ・アフリカ全体[14]では１９６０年のレベルから20歳分も急激に改善され[15]、今は60歳となっているが、それでも比較的短い。感染症は今でも変わらず脅威だ。グローバル化のせいで（たとえば旅行が簡単になったせいで）病気の蔓延は昔と比べてはるかに容易になった。都市化と温暖化も、病気の流行と感染が起きやすい環境[16]を作っている。難民の多さも、コレラやジフテリアといった病気の流行に対する脆弱性を生む[17]。

既存の抗菌薬に頼りすぎたり、新薬開発に対する投資が足りなかったりすると、薬剤耐性をもった菌[18]が広まり、治療が難しくなる。そしてウイルスの大半は、予防方法も、効き目の高い治療方法も、確立していない。ここ数年でも、重症急性呼吸器症候群（ＳＡＲＳ）、中東呼吸器症候群（ＭＥＲＳ）、ジカウイルス感染症、エボラ出血熱など、命にかかわる病気の流行が起きている。

大規模でグローバルな感染拡大――これをパンデミックという――も軽視できない。インフルエンザも型によってはワクチンで予防できないし、ある年に特に悪性の強いインフルエンザ株が出現し、あっというまに世界に広がることもありうる。特定できた頃には、すでに拡散し定着しているというわけだ。１世紀前に起きたスペイン風邪の感染拡大では、少なくとも５０００万人が死んだ[19]と推定されている。現代に悪性インフルエンザの流行が起きれば、文字どおり数億人（特に子どもと高齢者）に深刻なリスクが生じ、世界経済も大きな打撃を受けるだろう。旅行や出張ができない、医療体制に過度な負担がかかる、感染者との接触を恐れて人々が仕事に行きにくくなるといった状況になるからだ。感染性疾患が一つの地域だけに長くとどまっているとも考えられない。

人から人へ伝染しない、すなわち非感染性疾患[20]（ＮＣＤと言われる）も、グローバルヘルスに対する大きな脅威である。循環器疾患、呼吸器疾患、がん、糖尿病などがＮＣＤに含まれる。１９９０年には、世界の死因上位7件のうち3件[21]が、ＮＣＤに罹患した結果によるものだった。２０１５年には7件のうち6件になった。ＮＣＤは世界全体における死因の代表であり、２０１２年には世界の死者数５６００万人のうち、３８００万人――68%[22]――はＮＣＤが原因だった。２０３０年頃には、世界におけるＮＣＤの死者数が[23]、感染性疾患の5倍になると予想されている。こうした変化は、感染性疾患の対策が成功しているからこそ実現しているのだが（寿命が延びたのが何より大きな進歩だ）、それ以上に、ＮＣＤの蔓延が歴然と広がっていることの結果でもある。

循環器疾患など、遺伝が原因または一因となって発症するＮＣＤもある。一方で、汚染された環境に長期間さらされていた、または接触があったことで発症するものもある。不摂生なライフ

感染性疾患による早期死亡は減少しているが、非感染性疾患による死亡は増えている

70歳未満の死亡者合計（一部の疾患による）

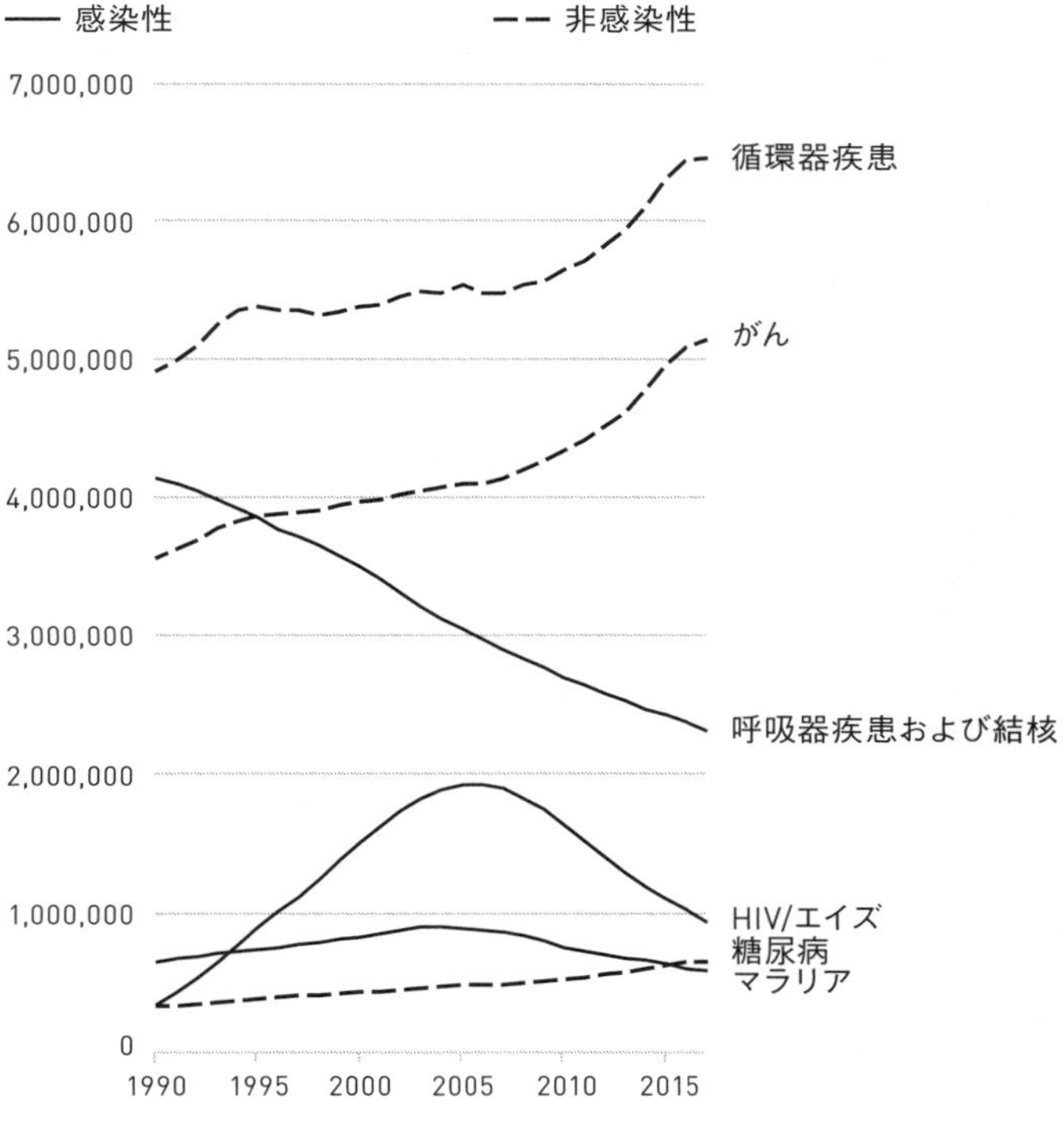

出所：Institute for Health Metrics and Evaluation. 許可を得て使用。禁転載。

スタイル、栄養をきちんととらない食生活、喫煙、酒や薬物の過剰摂取など、個人の生活習慣の結果として発症する場合も多い。認知症やアルツハイマー病を含め、NCDが神経性の疾患や精神疾患につながることもあり、数十年前よりも平均寿命が伸びた現在のほうが影響を受けやすい。

NCDは治療が高額になりやすい。治療薬の多くがきわめて値段が高いのだ。NCD患者は早期に労働から離れることになるので、経済にも影響を与える。ことわざで「1オンスの予防薬は1ポンドの治療薬に値する」と言われるが、まさにその通りだ。たとえば教育や商業を通じて、ある種の消費活動や生活習慣が病気のリスクを高めることを周知する(併せて、リスクを軽減する好ましい生活習慣についても周知する)のは、「1オンスの予防薬」になる。あるいは、規制と課税により、喫煙と飲酒を面倒でお金がかかる行為にしていく。職場や環境に対する監査を実施し、一定の基準を満たすことを義務づけ、違反した場合には制裁や罰金を科す。開発途上国における初期治療へのアクセスを改善するのも、予防効果が大きい。診断が遅れて治療が困難になる場合が多いからだ。とはいえ、こうした制約の適用には、さまざまなレベル(個人からも政治においても)で抵抗がある。

健康という領域でも、世界的な取り組みは[24]一筋縄ではいかない。理由の一つは、関与する主体の多さだ。まず、1948年に設立された世界保健機関(WHO)がある。この機関は名称が示すほどの大きな影響力は発揮できていない。[25]「すべての人間が実現しうる最高の健康レベルを獲得すること」というミッション遂行に必要とされる権限、能力、リソースを十分にもっていいない。[26] WHO以外に世界銀行もグローバルヘルスに関与しているし、多数のイニシアチブや非政府組織が、たいてい特定の疾患のために協力している。それからゲイツ財団をはじめとする慈善団体（グローバルヘルスに対する民間からの寄付の大半はゲイツ財団による）が活動しているほか、製薬会社、病院、医療従事者、国および地方自治体が運営する多数の保健機関がある。実に多くの個人と団体がかかわっているのだが、優先順位を決める手続きが整わず、活動を連携させ目標を達成する状況もほとんど成り立っていない。

たとえば、2005年に世界の多くの国々によって合意された国際保健規則（IHR）では、各国が感染性疾患の発症や状況を監視し、流行に備えることを求めている。理想としては各国政府が、アメリカのアトランタにある疫病対策センター（CDC）をモデルとした専門機関を国内に設立・補助していく。また、地域レベルの救急隊員や病院に、感染拡大に対応するために必要な訓練、器具、施設を確保する。こうした内容を定めた規則の成立から10年以上が経つが、多くの国が経験やリソース不足から、態勢を整備できていない。

なお悪いことに、優先順位に関するコンセンサスもとれていない。国連が2015年に採択した「持続可能な開発目標」（SDGs）では、感染性および非感染性疾患両方への対策を呼びかけている。だが、グローバルヘルスに投じられるリソースの圧倒的多数は、今もHIV／エイズやマラリアや結核のような既知の感染性疾患対策と、妊産婦と新生児・幼児の特別な健康ニーズへの対応に集中している。NCDはそれとは正反対で、グローバルヘルスの予算1ドルのうち2、3セントが充当[27]される程度だが、病気と死の原因となることが大幅に増加してきている。実際、

2017年には、感染性疾患よりも、NCDによる早期死亡のほうが2倍も多かった。[28]多くの社会で感染性疾患への対策は進み、妊産婦と乳児の死亡率が低下し、高齢者の数が増えてはいるのだが、NCDへの対策不足は改善されていない。感染性疾患の流行と比べて、緊急性や危機感が薄く、対策の必要性を喚起していくことが難しいのである。

こうした要素——コンセンサスと優先順位と政策の欠如と、組織化されたガバナンス・フレームワークの欠如、リソース不足、感染性疾患の持続的な脅威、そしてNCDの蔓延——は、要約すれば二つの現実にまとめられる。一つは、世界全体の健康状況が、以前と比べれば劇的に改善しているという現実。そしてもう一つは、グローバルヘルスの未来は今も不透明であり、ある国の状況を他国と切り離せない点を考えても、どんな社会も人々の健康を万全に守ることはできないという現実である。

貿易と投資

国際レベルでの交易[1]、すなわち貿易とは、国境を越えて工業製品、農産物、サービス（保険、銀行、法務なども含む）を交換（売買）することを言う。自国だけの力で必要な原材料を確保し、必要な食料すべてを栽培・生産できる国などないし、生産したものすべてに対して自国だけで十分な需要があり、自国で消費したいものすべてを生産できる国など、どこにも存在しない。そのため貿易は必要不可欠だ。

何もかも公正に回るとすれば、貿易はよいことだ[2]。貿易によって一部の雇用が消失したり、農家や労働者が損害をこうむったりすることもあるが、全体として見れば、貿易は雇用を創出し、国全体の繁栄を推進する。たとえば人口1億人の国を想像してみよう。この国でモノを売ろうとしたとき、買ってくれる消費者は最大でも1億人だ。しかし世界には80億近い人間がいる。貿易をすることで、生産者がリーチしうる市場の規模が劇的に広がるというわけだ。輸出業で働く人にとっては得である。輸出関連の仕事は比較的高給[3]となりやすいことが統計からわかっている。大きな市場でモノを売っていれば、生産にかかる平均コストが下がるので、商品をより安く売ることも可能になる。貿易は生産性向上、経済成長、国の発展、そして貧困解消のエンジンになりうるのである。

　消費者にとっても、貿易があるおかげで、購入できる品物が増える。アメリカではコーヒーも茶葉もほとんど栽培されていないにもかかわらず、アメリカ人が目覚めの一杯を楽しめるのは、貿易が行われているからだ。世界各地の最先端または最高品質の品物を手に入れることもできる。また、人件費が安い、あるいは原材料が手に入りやすい国では、より安価に品物を生産できるので、そうした国から輸入した品物は安く買える（人件費の安さは生産効率や最新技術のおかげかもしれないし、賃金が安いせいかもしれない）。国内の生産者は輸入によって新しいアイディアや商品に接し、それを取り込んで応用することができるので、イノベーションが刺激される。外国との競争も刺激になって、国内の生産者が商品もしくは価格の改善に取り組む。

　こうした理屈の根底にあるのが、比較優位という理論だ。2世紀前にイギリスの政治経済学者デヴィッド・リカードが提唱した理論で、貿易のおかげで国は自国が安く作れるものの生産に特化し、そうでないものについては他国に頼ることができると説明した。たとえばドイツは化学品を輸出する。サウジアラビアは石油を輸出する。スイスは時計を、カナダは材木を、日本は車を、アメリカは機械を、中国は繊維を輸出する。各国が最も得意なことに専念できれば、貿易は最も円滑に回る。自国で作れないもの、作ってもコストや品質で劣ってしまうものは、他国から

貿易の拡大

世界GDPに対する貿易総額の割合

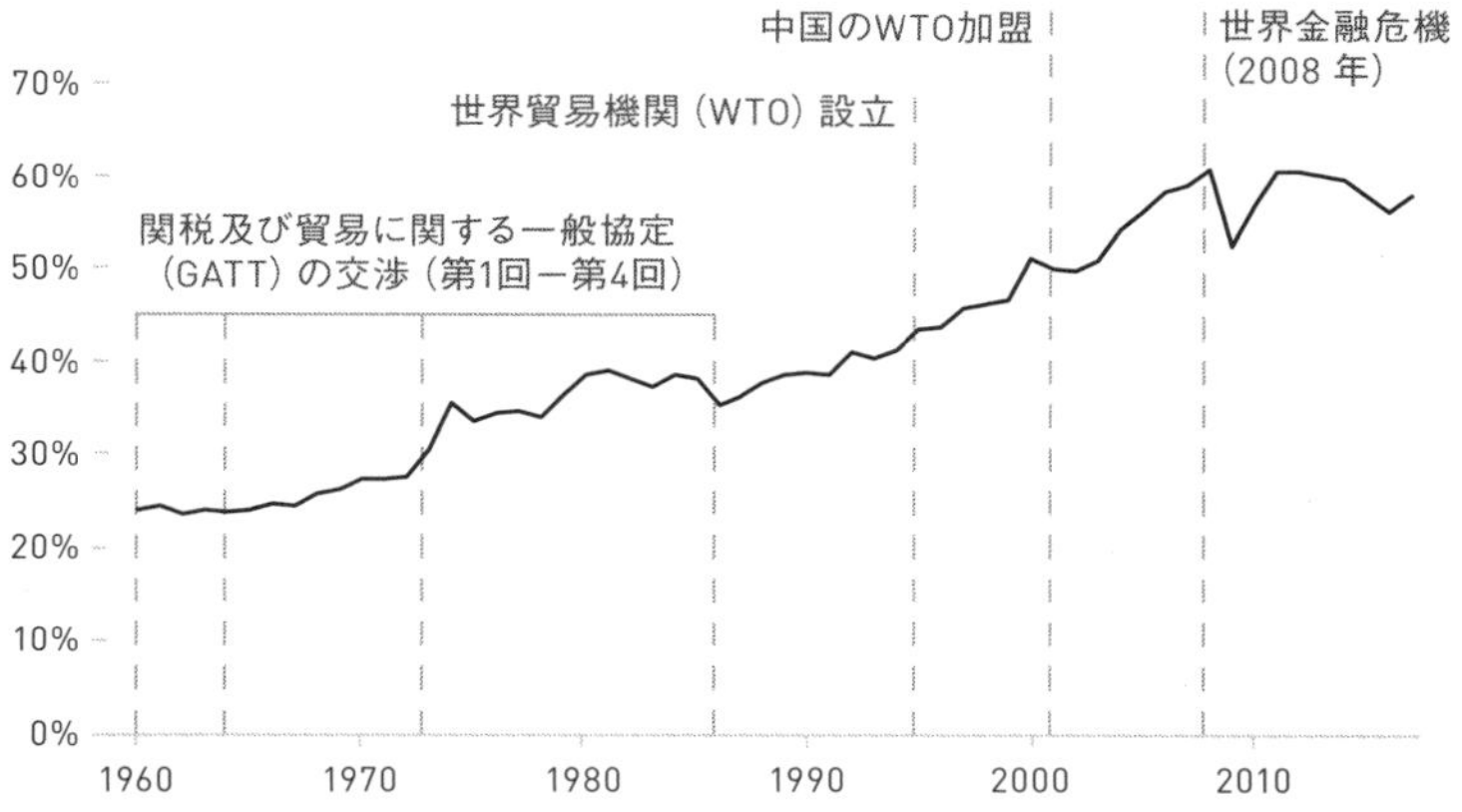

出所:世界銀行、世界貿易機関

の輸入で済ませるのである。

国際貿易に参加する国は、貿易黒字(輸出品の価値が輸入品の価値を上回る)になるか、もしくは貿易赤字(輸入品の価値が輸出品の価値を上回る)になる。それが貿易収支だ。世界の貿易全体でバランスがとられるので、すべての国が貿易黒字になることはありえない。一部の国は必ず全体としては赤字になる。ある国との二国間貿易では赤字で、他の国との貿易では黒字ということもある。赤字は通貨の強さを反映したり(通貨高だと輸入品が安く、輸出品が高くなり、赤字につながる)、自国民がどの程度お金にアクセスできるか、どの程度貯金よりも支出を好むか(貯金よりも支出を好む傾向があれば、輸入品の消費につながる)といった程度を反映したりする。支出を刺激し貯金を控えさせるために減税が行われれば、当然ながら赤字は拡大する。赤字が不公正な貿易慣行や為替操作の結果ではないならば、こうしたことは問題ではない。外国が受け入れる通貨で、輸入したものの代金を払っていけばいい。それができないとしたら、輸入を減らす、または輸出品の価値を高めるしかない。

　ここで一つ複雑な事情を説明しておかなくてはならない。昨今では、製品が完全に1カ国で生産されることはめったにないので、輸出入の把握はかなり困難になっている。部品や原材料を世界各国から調達し、複数の国で組み立てを行うため、生産のプロセスが細分化している。自動車からiPhoneに至るまで、あらゆるものでこの傾向が広がる一方だ。製品は生産される途中で一つまたは複数の国境を越えて移動していく（往復する場合もある）。この現象はグローバル・サプライチェーン[4]と言われる（財とサービスの価値が、工程の各段階で増していくことから、バリューチェーンとも呼ばれる）。実際のところ、現在では国際貿易の4分の3が、生産工程の途中段階にある未完成品のやりとりであったり、生産を支えるサービスの購入であったりする。

　こうしたグローバル・サプライチェーンの複雑な現実は、ほとんどの公的統計には表れてこないため、統計における貿易黒字と貿易赤字は実際よりも顕著に見えている。製造段階の順序によって、ある国がある財の「生産国」になる場合でも――言い換えれば、その財の最終的な価値が輸出としてその国に計上されていても――実際にはその国は最終的な組み立てをしただけで、消費者への販売価格から入る利益はごくわずかということもあるからだ。調査によると、世界の輸出品のうち[5]平均して3分の1近くは、外国から財を輸入し、それを生産工程に使用している。こ

ボーイング787機の製造にかかわるグローバル・サプライチェーン
各部品の製造国

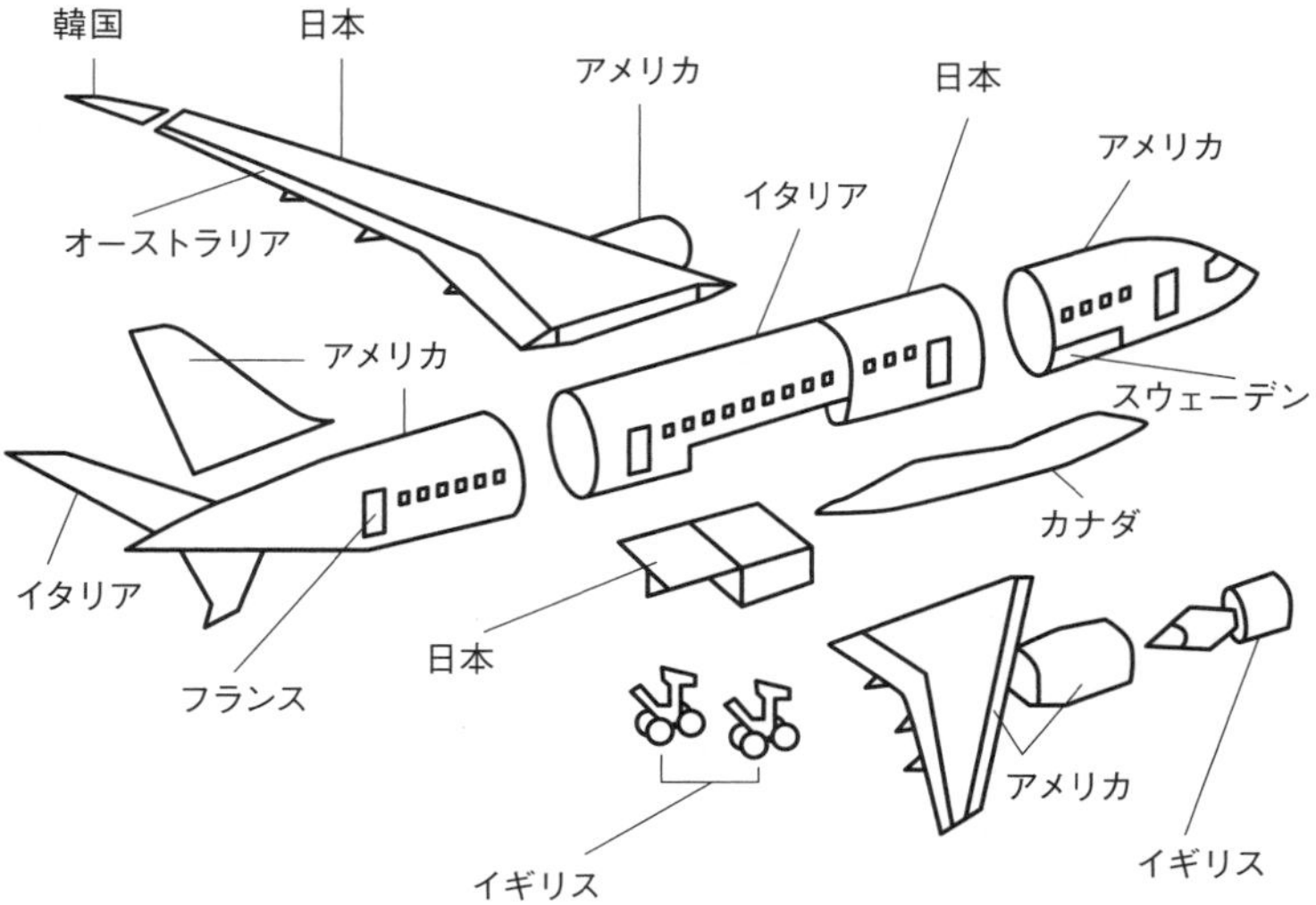

出所：Boeing; *The Wall Street Journal.*

の現実を踏まえれば統計は大きく変わってくる。たとえばアメリカの対中貿易赤字は、実際には、報告されているよりもおそらく30％ほど低い。中国からアメリカへ輸出される製品の多くは、中国が別の国から得た材料が含まれているからだ。

グローバル・サプライチェーンの拡大は政策の効果にも影響を与える。関税（輸入税）によって一部の産業を競争から守る政策は、裏を返せば関税のせいで、生産に使用する財の輸入が高額になり、そのため国産品の値段が上がって、競争力が低下する効果をもたらす。自国通貨安によって輸出業者に競争優位を与えようとすれば、二次作用として、国内の生産者にとって必要不可欠な輸入品（原材料や部品）の価格が高くなる。さらに、アメリカ政府では自国経済と中国経済を「デカップリング（分離）」するという議論が広がっているが、複雑なグローバル・サプライチェーンの存在があるせいで、実際に分離するのは言うほど簡単ではない。5G（第5世代移動通信システム）や半導体など、国家安全保障にかかわる戦略的セクターではそれなりに分離することになるのかもしれないが、世界の二大経済圏が本格的な規模で袂を分かつことが可能であるとは考えにくい。

一方、貿易の利点は経済面だけではない。他国との同盟関係を強化するなど、戦略的手段にもなりうる。敵対する可能性のある国との紐帯を強めるためにも有効だ。貿易関係にある国同士は、戦争などの行為が生じれば相互に得をしている貿易が破壊されてしまうので、そうした行為に対しておそらく慎重になる。ヨーロッパ諸国間や大西洋間で貿易関係があったにもかかわらず、第一次世界大戦勃発を防げなかったことは事実だが、相互依存関係が抑制の一助になると信じる根拠はある。第二次世界大戦に向かいつつあった頃、敵国と相互に利益のある貿易関係がなかった日本が出た行動を考えれば、納得がいくだろう。現在においても、そうした相互依存関係を維持していくというのが、米中貿易を続けるべき理由の一つだ。

自由貿易と言えば、国境をまたぐ財とサービスの売買がしやすい形式を指す。それらの財やサービスは、生産コストと輸送コストに加えて、メーカーが望む利益を反映した「市場価格」で、消費者に販売される。自由貿易でない貿易と言えば、もっぱら保護貿易主義と重商主義である。

保護貿易主義は、輸入品に対する障壁を作ることによって、国内生産者を外国との競争から保護する。重商主義は貿易黒字を重視し、保護貿易主義を含め、輸出推進・輸入制限の政策を取り入れていく。保護貿易主義も重商主義も、究極的には相手国の報復を招いたり、貿易促進や、貿易を通じた経済成長と平和の促進を意図した取り決めの破綻につながったりする。

自由貿易にかわる貿易のあり方として、「フェアトレード」が提唱されることがある。「フェア（公正）」と称されるものを否定するのは難しいので、これは表面的には魅力あるフレーズだ。たいていは互恵性の呼びかけを伴い、相手国の政府が行うべき生産者保護を購入者側が支援する。これも原理としては合理的なことだ。しかし、公正かどうかという点と、その貿易の結果を混同してはならない。貿易は、関連する通商法や契約で発生する義務に沿っていなければならず、それが満たされている限りは、必ずしも平等なバランスをとる必要はないのだ。フェアトレードの名のもとで輸出が有利になり、輸入が抑制されて、遠回しの保護貿易主義と重商主義になる可能性も考えられる。

自由ではない貿易

自由貿易には障壁が多い。最も古く一般的な障壁は関税だ。製品が国に入ってくるときに、その値段に税金を足すしくみである。直接的に払うのは輸入業者だが（輸入国の政府に納税する）、その後、商品価格の上乗せという形で輸入国の消費者に転嫁される。輸出国は関税を払うことはないが、当該の輸出品が結果的に高くなり、競争力が低下する。そのため、関税の影響を受ける財の輸出量と、輸出から得られる利益が、減少する可能性が高い。

関税がかかれば製品は高くなるので、消費者にとって魅力が薄れる。そこで安価な類似品――国内産の場合もあるし、別の外国産の場合もある――を購入する、もしくは購入自体を見送る。政府が関税を導入する理由はさまざまだ。たとえば、輸入品に対抗できない国内企業を保護する、外国が国内企業を守るために関税その他の手段を導入したことに対して報復する、全体の貿易収支に変化をもたらす、貿易とは無関係の好ましくない政策に対する一種の制裁として導入するなど。アメリカは1930年代に関税に主眼を置いた政策を実施し、大々的に税率を引き上げるスムート・ホーリー関税法を施行した。2017年に始まったトランプ政権も関税政策を積極的に行使している。当然ながら、関税がかかれば値段が上がり、貿易量が減るので、経済成長が鈍化し、関連する国との政治的関係性が悪化しかねない。

「非関税障壁」というものもある。その名が示すとおり、関税ではない方法で、ある国が生産する製品が別の国に到達しにくくすることだ。外国製品の輸入にクオータ（割り当て）――特定の製品（たとえば車）の量の上限――を設けるのもそうした障壁の一つだが、障壁は量に関するものとは限らない。ヨーロッパは遺伝子組換食品の輸入を制限または除外するルールを設けている。日本は一時期、安全性への根拠なき懸念から、野球の金属バットの輸入を拒否していた。貿易に関するルールや手続きに官僚主義的体制が入り込み、スムーズな輸出入を困難にする場合もある。国内販売品に対し、構成部品のうち一定の割合は国内で生産した部品の使用を義務づける場合もある。これも輸入品が市場に入り込む範囲を制限するのが狙いで、その過程で国内の競合産業における雇用を保護する。ただし、そのせいで消費者への販売価格が高くなる、品質が低くなる、あるいはその両方を押し付けることになりかねない。輸出国は、まったく輸出できないよりはマシだと考えて、そうした障壁を甘受することが多い。だが、輸出国が報復として自国へのアクセスを制限した例もあり、こうした状況では全員が損をする。

ほかにも、それほど明白ではない、あるいは表には見えない形で、自由貿易に対する障壁を設けることがある。一つは政府補助金だ。基本的には助成金の供与、低金利融資、政府調達といった形をとる。政府調達では、政府が国内企業・産業から購入する、または国内企業・産業のために政府が購入することで、生産コストの一部を相殺してやり、本来よりも低い価格での販売を可能にする。この価格競争力があれば、国内では輸入品との競争が有利になり、海外では市場シェア獲得の追い風になる。航空機製造会社のエアバスは長らく補助金の受益者で、そのおかげでボーイングの本格的なライバルとして台頭することができた。中国では大手国営企業（ＳＯＥと言われる）が、他国での慣行とは比較にならないレベルの莫大な政府補助金に支えられている。

輸出を有利にし輸入を不利にする形で、競争のフィールドを傾ける手段として、為替操作が行われることもある。貿易相手国の通貨に対する自国通貨の価値を切り下げるという操作を、政府の中央銀行（通貨流通量を制御する、金利を通じて融資コストを制御するといった役割を担う）が行うことで、国内の消費者にとっては輸入品が高くなり（すると需要が減少する）、輸出品は相手国の消費者にとって安くなる。中国は世界市場に参入し輸出を拡大するにあたり、為替操作を活用した。

通貨切り下げを行う為替操作は、輸出を活性化し、輸入を減らすことができる。これは重商主義的慣行の目標と一致する。しかし、そうした行動は代償を伴う。お気に入りの外国製品を買えなくなった国民が不満をつのらせる可能性があるからだ。また、為替操作をすれば外国も同じく為替操作を敢行したり（どの国も有利ではなくなり、ほぼ例外なく貿易取引量が減少して損失が生じ、経済成長の鈍化につながる）、関税など別の手段で報復を行ったりすることになる。これも第二次世界大戦が近づいていた時期に実際に起きたことだ。

ダンピング（不当廉売）も、自由貿易とは相いれない行動である。ダンピングとは自国で売る際よりもあえて安い値段をつけて、品物を輸出することを言う。場合によっては生産コストすら割り込む。このような「非合理的な」行動をとる動機は、外国における市場シェアの獲得だ。いったんシェアを押さえたあとで、それを失わずに値上げしていける可能性に期待するのである。また、失業問題で政治への不満が生じるのを避けるべく、労働者を働かせ続ける手段としてダンピングを行うこともある。こうした状況ではたいてい隠れた政府補助金があるものだ。「関税及び貿易に関する一般協定（GATT）」の加盟国は、1979年に、初のアンチ・ダンピング協定に合意した。1994年にはGATTを拡大した世界貿易機関（WTO）が設立された。

ダンピング禁止のほかにも、貿易では特許と著作権が尊重され、支払われる権利が守られなければならず、技術や作品が盗まれることがあってはならない。企業が資金を投じて研究開発を行い、新しい技能や製品を発売したならば、その労力に対する利益を得られるべきだ。利益が入らなければ、今後の研究に投じる資本も得られないし、開発を続ける意欲も失われる。同じことは創作活動を行う個人にも当てはまる。ただしインターネット時代になって、特許や著作権の保護は以前よりも難しくなった。特に中国はかねてから価値ある知的財産の窃盗・侵害行為をしており、盗んだ情報で中国企業が自前の製品を仕立てて国内や海外で販売している。

最後にもう一つ、自由貿易に対する障壁として、他の障壁とは根本的に性質が異なるものがある。自国からの輸出を輸入国に阻まれるのではなく、自国が阻む場合だ。軍事または諜報に使われる技術が敵国、もしくは敵国になりうる国の手に渡らないよう、国家安全保障上の理由から輸出管理を行うのである。つまり、国家安全保障のための合理的理由による輸出管理ならば、自由貿易の例外として必要であると言える。ただし当然ながら、保護貿易主義の隠れ蓑として、国家安全保障が不適当に利用される危険性もある。

貿易交渉

貿易はただ漫然と行われるものではない。基本的には、関税など、国境を越えた財とサービスの自由な行き来を阻む要素を入念な交渉で取り除いた結果として、貿易が成り立っている。貿易交渉は世界規模や地域規模で行われることもあるし、さまざまな形態をとって多国間あるいは二国間で行われる場合もある。昨今では、労働条件や環境対策の基準を設けるなど、以前よりも幅広い内容を協議するようになった。ある国の行動が合意条件に違反すると他国が判断した際には、必然的に紛争が生じることになるので、その解決を伴って協定が結ばれることも多い。

近代のような貿易協定が登場したのは第二次世界大戦後の時期だ。１９４７年に23カ国がＧＡＴＴに署名した。ＧＡＴＴの主眼は工業製品の流れを阻む関税を引き下げることで、実際にその目的を達している。発足から40年間で、工業製品に対する世界の輸入関税は１９４７年の平均20％以上から、２０１８年には９％へ、半分以下に下落した。[7]そして約25年後に、ＧＡＴＴは世界貿易機関（ＷＴＯ）に入れ代わる。現在１６４カ国がこのＷＴＯに加盟しており、役割も拡大した。製造業のみならず農業とサービスにおいても自由貿易を推進し、特許と著作権と一部のテクノロジーを含む知的財産を保護する権限も原則として保有している。ＷＴＯには紛争処理制度もある。問題を提訴すると、ＷＴＯの規則に違反しているかどうか上級委員会が判断し、関係国の処分を定めるため、この委員会がしばしばＷＴＯの「王冠の宝石」と呼ばれる。これまでにＷＴＯの主催で９回の世界的な貿易交渉が開催されており、一番最近では２００１年に、通称「ドーハ・ラウンド」[8]と呼ばれる交渉が実施されたが、もっぱら農産物の扱いについて合意形成に至ることができず、協定は結ばれずに終わった。

　世界的な貿易交渉は、工業製品の関税引き下げには最も大きな成果を上げている。ＧＡＴＴ加盟国――現在のＷＴＯ加盟国――は他の加盟国に「最恵国待遇（ＭＦＮ）」ステイタスを与え、その国の製品に対する関税を最低レベルにすることとした。さらなる交渉で、セクター単位で、あるいは全品目に一律に適用される「フォーミュラ方式」で関税を引き下げることも合意された。低税率は貿易を促進する。こうして平均関税率は過去数十年間で大きく低下した。ダンピングも昔ほど蔓延していない。１９６０年に１２００億ドルをやや上回る規模だった世界の貿易取引量は、2000年には6・5兆ドルに増加している。世界経済が同時期に5倍に増大したのが主な理由だ。世界GDPに対する国際商品貿易の割合は、50年前は20%を下回る程度だったが、現在ではおよそ45%を占める。世界の商品貿易取引量は現在では20兆ドル前後で、2000年と比べれば3倍、第二次世界大戦直後と比べれば数百倍である。成長の伸びこそゆるやかになったものの、国際貿易は今も成長し続けている。[9][10][11]

農業製品や、建設、金融、会計、医療、運輸といったサービス貿易の障壁撤廃に関しては、グローバルな貿易協定はさほど効果を発揮していない。政府補助金、為替操作、知的財産の窃盗など、貿易を阻害する慣行については、貿易協定で大幅な撤廃に成功する様子はない。

新たなグローバルな貿易協定を成立させることは簡単ではない。そこで、かわりに地域単位の協定や、「ナロー（狭い）型」と呼ばれる二国間または多国間の貿易協定が増えた。[12]WTOに報告されている地域貿易協定の数は、1990年には20件を超える程度だったが、2019年前半の時点では300件前後だ。過去30年間で15倍に増えている。EUは、全面的ではないが、EU加盟国間で地域自由貿易協定が結ばれた状態と言える。アメリカ、カナダ、メキシコは、1994年に「北米自由貿易協定（NAFTA）」[13]を結び、関税引き下げ、投資フローの円滑化、知的財産の保護を取り決めた。この結果として、域内貿易および投資が大幅に拡大し、3カ国全体に得をもたらした。[14]メキシコ経済は急速に成長し、国内の求人数も増え、アメリカに移民を希望する国民の数も減少している。2018年にはNAFTAの内容の一部について再交渉が行われ、アメリカ政府によって新協定が「米国・メキシコ・カナダ協定」（USMCA）としてまとめられ施行された。

２０１８年には、アメリカ大陸およびアジアの11カ国[15]で、それまで推進されていた「環太平洋パートナーシップ協定（ＴＰＰ）」にかわる、「環太平洋パートナーシップに関する包括的及び先進的な協定（ＣＰＴＰＰ）」が成立した。相互の貿易拡大と、それぞれの地域における労働および環境に関する基準改善のための協定だ。ＴＰＰはオバマ政権下のアメリカが交渉し調印にこぎつけたものだったが、アメリカ議会では承認がとれず、トランプ政権となったアメリカが２０１７年に離脱を宣言した。新協定であるＣＰＴＰＰは関税および一部の非関税障壁の引き下げと、知的財産保護の拡大、そして貿易と投資をめぐる紛争の新たな解決メカニズム提供といった役割をもっているが、アメリカが加わらなかったことで、その効力は薄まっている。加わっていれば、中国に対して貿易慣行の修正と基準改善を要求し、さもなければ重要な市場を失うと脅す共同戦線を張ることができたのに、アメリカはその機会を失ったことになる。ともあれ、ＴＰＰがＣＰＴＰＰとなったように、最初の協定が踏み台となって、より広い範囲の慣行をカバーする新たな貿易協定が作られる例は増えている。

貿易によって商品の選択肢が増え、コストが低下すれば、輸入国にとっては得なことだ。しかし、社会全体にとって貿易はよいことだとしても、輸入品の人気が高まったせいで、国内の労働者が解雇されたり、工場が閉鎖されたりするとしたら、特定の企業と、そこで働く人々にとっては痛手となる。これについて考えられる対策が、たとえば保護貿易主義や関税の導入なのだ。だが、先にも指摘したとおり、保護貿易主義で輸入品を高くすれば、その輸入品が完成した商品であろうと、他の商品の製造に使われる原材料であろうと、社会にとって結果的に高くつく（原材料費が上がれば最終製品のコストが上がる）。また、関税をかければ、報復として貿易相手国の政府も関税措置を発動するなど、貿易戦争の引き金を引く可能性もある。こうしたシナリオに勝者は存在しないと言ってもいい。

貿易のせいで企業が倒産し、労働者が職を失う状況で、保護貿易主義と関税以外の道を選ぶとすれば、それは政府や民間セクターのプログラムで失業者に対する一時的な金銭的支援を行い、同時に再就職に向けて訓練の機会を提供するという道だ。こうしたプログラムは貿易調整支援制度と呼ばれる。ただし、外国企業や安い輸入品のせいではなく、新しい技術の登場によって生産性が向上し、少ない労働者で同じ成果物――あるいは、より優れた成果物――を作れるようになることで、同様の失業者支援が必要となる場合が増えている。人工知能、ロボット工学、自動運転車、その他の新しいテクノロジーが続々と登場[16]していることを考えれば、これまでの仕事が消えたあと、新たに創出される仕事に労働者が移行していけるよう、官民が再訓練を提供することの重要性は今後いっそう高まっていく。また、勤め先が変わっても医療保険と退職金を引き継げるよう、移管可能な制度を確立していかなくてはならない。

投資

国境をまたぐ投資、クロスボーダー投資は、貿易と同じく急激に増加している。[17] 2008年の世界金融危機後の10年間は世界的に停滞しているものの、それまでの数十年間で国際資本移動は大幅に拡大した。１９７０年から２０１８年にかけての外国投資フローの伸びは１００倍以上だ。[18]外国投資とは、たとえば外国に製造工場を建築したり、外国企業を買収したりといった形をとる。現実問題として複雑な摩擦を生むこともあるが、投資は双方にメリットをもたらしうるものだ。投資を受ける国にとって、外国投資は、ビジネスの成長を支える歓迎すべき資本である。投資の条件にもよるが、投資をする側にとっても、望ましい技術に対するアクセスが得られる。輸出できる商品を効率的に生産できる、外国市場へのアクセスを確保できるといったメリットもある。ＷＴＯに相当するような、外国投資を規制する機関は存在していない。だが、さまざまな二国間または多数国間協定で、もっぱら投資を行う側の権利と利益を保護することによって、投資の促進を意図した条件が定められている。

おそらく一番重要なのは投資先の地域の状況だ。当然のことながら、身体的安全や政治的安定、法的保護の確証がない状態に対しては、積極的な投資は行われない。私の国務省時代のボス、元国務長官コリン・パウエルは、「資本は臆病者」という表現をよく使っていた。汚職の蔓延、独立した中央銀行の欠如、高い税金、重要な技術の共有や移転を求める要件、資金還流（利益を本国に戻すこと）に対する制限といった条件があると、その国に対する投資は控えられる傾向が生じる。労働人口の教育レベルや物理的インフラの整備状態も、重要な条件だ。

つまり、外国からの投資を呼び込みたいなら、こうした領域で他国より条件がよくなるようにしなければならない。同時に、政府は国家安全保障上の理由から、独立を確保すべき重要な企業や産業が外国資本となるのを避けるため、あるいは知的財産や技術資産を守るため、外国からの投資を制限する権利をもつ。なかには、外国企業の市場参入を制限したり、市場からの撤退を命じるなど、急な通知で財政混乱を招く恐れのある規制を導入している国もある。

今後の見通し

貿易と投資はここ70年ほどで大きく進歩した領域だ。どちらの取引量も着実かつ大幅に伸びてきた。貿易と投資が世界的な経済成長を支え、また世界的な経済成長が貿易と投資に反映されてきたのである。だが、今後の発展を阻む壁の解消はいっそう複雑になるはずだ。貿易にも投資にも、これまでにない協定を新たに交渉し発効していかなければならないだろう。また別の問題として、先にも指摘したとおり、外国との競争による失業者対策も必要だ。競争以外にも、既存の仕事を不要にする新しく生産性の高い技術の登場によって失業者が発生するし、その例は今後いっそう増えていく。この問題の解決策はわかっている――労働者に対する教育と訓練に力を入れ、避けられぬ変化に彼らを備えさせ、新たな働き先を得られるようにしていけばいい。とはいえ、答えを特定するだけなら簡単だ。それを実行に移し、人々が働き続けられるようにしていくのは、一筋縄ではいかないだろう。

通貨と金融政策

どんな経済機能にとっても、その基本はお金だ。ありとあらゆる財とサービス（労働を含む）に対する支払いと販売を、効率的な形で実現する。お金を伴わない手段、たとえば物々交換などは、求める内容や価値が釣り合わない可能性も考えると、きわめて非効率的である。国内の取引でも国家間の貿易でも同じことだ。ビジネスに出資する、個人に融資や住宅ローンを提供するなど、さまざまな投資にもお金が欠かせない。お金があるからこそ貯金もできる。

しかし、そこに疑問が生じる。お金を使うといっても、どのお金を使うのか。アメリカはドルを使い、日本は円を、ヨーロッパの大半はユーロを、ロシアはルーブルを、中国は元を、メキシコはペソを使う。世界通貨というものは存在しない。世界中央銀行や世界造幣局も存在しないからだ。ほとんどの政府は自国経済に対して最大限の支配権をもちたいと考えているが、そのためには自国通貨をもつことが必要なのである。自国通貨があれば流通量も独自に決められるので、通貨価値を損なう深刻なインフレを起こさず、可能な限りの経済成長や就業率を実現できる。深刻なインフレが起きれば、貯金も消え、通常のビジネス活動も不可能になり、その過程で政治的安定も失われる。これはまさに１９２０年代のドイツで起きたことだ。当時のドイツでは、ハイパーインフレのせいで、２年間で物価水準が数十億倍（本当に！）に上昇し、ヒトラーが権力を握る布石となった。２００７年からはジンバブエ、より最近ではベネズエラでも同じことが起きている。また、インフレとは正反対の危機、すなわちデフレが起きれば経済が縮小し、失業率の上昇と生活水準の低下につながることから、政府はその回避のために、やはり自国の金融政策に対する主導権の維持を望む。

　通貨供給を管理するのが、その国の中央銀行だ。通貨供給量は通貨の価値とインフレに影響をおよぼす。ほとんどの先進国では、通貨供給量を増やす際には、自国の国債を購入し市中に通貨を与えるという手段をとる。通貨供給を減らす際は、国債を売却し市中から通貨を回収する。金利も、インフレ目標やその他の経済目標のために調整される。これらはすべて金融政策と呼ばれる。[1] 低金利にすれば、より多くの国民と企業がお金を借り、投資し、消費するので、経済活動と経済成長が加速する。しかし、過熱した経済がインフレにつながり、国民と企業が通貨価値に対する信認を失っていくリスクもある。特に、大規模な通貨供給をしているにもかかわらず経済活動が活発にならなかった場合、信認は失われやすい。信認消失は貿易と投資の妨げになる。そう考えると、インフレを抑制する金利の引き上げが必要かもしれないが、そうした場合は、借り入れが減り経済活動が鈍化するリスクがある。そうなれば雇用創出も減り、新たな住宅建設も少なくなる。バランスをとると言葉で言うのは簡単だが、実際に行うのは難しい。このことだけが理由ではないが、だからこそ、中央銀行は独立している必要がある。短期的な政治目標の推進ではなく、長期的な経済の健全性にとって最善の対応を目指さなければならないからだ。政府の歳入・歳出にかかわる政策（両方合わせて財政政策と言う）や、貿易政策など、その他の要素も経済活動のペースに対する影響力を有し、実際に影響をおよぼしているのだが、これらは中央銀行の管轄ではなく、立法と行政によって決定されるものなので、なおさら経済のバランスをとるのは難しい。

いわゆる世界銀行と言われる存在は、正式には国際復興開発銀行（ＩＢＲＤ）のことで、世界の中央銀行ではなく、正式名称のとおり貧困国の経済開発の振興を専門とする世界的機関だ。そして国際通貨基金（ＩＭＦ）[2]は、１９４４年に、第二次世界大戦後の世界経済について話し合うために開催されたブレトンウッズ会議[3]で設立された機関で、通貨と金融政策に関することを担当しているが、権限は限られている。役割の一つは、政府の財政的健全性を評価しアドバイスを行うことだ。また別の役割として、債務超過となった国を支援し、融資が必要な場合はＩＭＦからその国の政府に対して融資を行い、引き換えに財政政策・金融政策の改善と、その他の幅広い改革に取り組ませる。ＩＭＦが施す処方箋は、一般的には公的支出削減と課税強化などだ。ただし、ＩＭＦの影響力は小さい。貿易黒字や国際収支黒字を維持している国に対し、その黒字が輸出奨励と輸入および国内消費抑制を進める財政政策、通貨政策、金融政策の結果であったとしても、ＩＭＦが改善を強制することはできない。数十年前の日本でそうした状況が起きた。現在ではドイツおよび中国などにこれが当てはまる。

世界全体の中央銀行が存在しなくても、各国の通貨は交換ができる。ほとんどの国では、その交換比率、すなわち為替レート——たとえばペソやユーロのいくらが、ドルではいくらになるか——は、もっぱら市場によって、需要と供給の現実を反映して決定される。一部の国は自国通貨を他国の通貨に対して固定（ペッグ）し、価値は一定だと約束している。しかし、自国通貨のレートを政府が決めようとする試みは、徐々にほころびが露呈していくことが多い。遅かれ早かれ、根底にある経済状況が通貨に反映してくるからだ。現実には、ほとんどの国は、完全な市場主導型の為替レートを選ぶか完全な固定相場制を選ぶか、という二者択一は検討しない。国が市場に介入し、自国通貨の市場価値に影響をおよぼす力をもち、実際にそれを行使するからだ。ただし、それでも変動相場制と固定相場制のどちらにどの程度の重きを置くか、という違いはある。

ドルの時代

ドルは現在でも、国際貿易を行う際に選ばれる通貨であり、事実上の国際通貨に近い。具体的に言うと、中国製品の値段も一般的にドルで見積もられ、仕入れるのがブラジルの会社であったとしても、たいていはドルで支払いをする。その中国企業は受け取ったドルを銀行で自国通貨に交換するか、もしくはアメリカへの投資を望む民間投資機関に売る（アメリカ資産への投資利益率が魅力的である、あるいはアメリカに投資するのが安全であるという考えなどから、アメリカへの投資が行われる）。輸入品の購入よりも、自国の財やサービスの輸出が多い国は、多額のドルが蓄積していくことになる――日本と中国がこれに当てはまる。これが誠実な取引の結果であり、誠実な取引をしようという意図がある限りは（つまり、不公正な貿易慣行や為替操作でなければ）、それがドルに対する信認のためであろうと、ほかに現実的な選択肢がないからであろうと、別に問題ではない。仮に、世界で広く受け入れられる準備通貨が存在しなかったとしたら、世界は現在と同じレベルの国際貿易や投資を行えないだろう。その場合の世界は今よりも貧しい状態だと考えられる。

ドルが世界に対して大きな役割を担うのは[4]、アメリカ経済の規模が巨大で、比較的開放されていることに加えて、アメリカの政治的安定という現実を反映している。ドルの価値は劇的には変わらない、そしてアメリカ財務省が債務不履行にはしないという、人々の信認も反映している。世界各国の中央銀行は、輸入品を購入する力をもつため、外国に対する負債を支払えるようにするため、また金融危機が生じた際に保険証券として利用するため、アメリカドルの保有を望む。ＩＭＦによれば[5]、２０１９年初頭の段階で世界各国の中央銀行が公式に保有する外貨準備高のうち、アメリカドルは60％以上を占めていた。２番目に広く保有されている準備通貨はユーロだが、こちらはわずか20％だ。

第二次世界大戦後、世界の通貨はすべてドルに対して固定され、ドルが金に対して固定された。原理としては、ドルを保有していれば、それを金に交換できるというわけだ。だが、現在の

アメリカドルは最も広く保有されている準備通貨

世界の外貨準備高の割合（2019年第1四半期）

出所：国際通貨基金

中国がそうであるように、当時の貿易において世界的大国として台頭した日本をはじめとして、輸出依存国が1960年代には慢性的に多額の貿易黒字状態となったため、この金ドル本位制はほどなくして廃止された。アメリカ政府は1971年に「金の窓を閉じ」〔訳注：金本位制の終了を決めたニクソン大統領の表現〕、ドルを金に兌換するしくみを放棄した。単純に、世界のドル保有高をカバーするのに十分な金がなかったからだった。

　要するに、兌換可能な金

によってドルの価値が保証されるという状態から、人々がアメリカやその他の国に売る財やサービスと交換する通貨としてドルを受け入れるという理由で、ドルの価値が保証されるという状態へ、世界は移行したのである。この状態を経済学者は「不換通貨（フィアット・カレンシー）」と呼ぶ。通貨は、市場がその通貨に与えるだけの価値をもつ。

世界の主要経済圏は一時期、金本位制がなくても固定為替レートを維持しようとした。すべての通貨をドルとの比較で固定し、その結果として、ドル以外の通貨同士も固定された。このシステムが適用されていた理由は、「変動」相場よりも、このほうが政府とビジネスにとっての見通しがつきやすいからだ。ドル建てで契約をする際も、それが数カ月後や数年後に自国通貨においていくらになっているか、最初から把握して契約に臨むことができる。

しかし実際問題としては、固定相場制のほうが安定して見通しがつきやすい、ということにはならなかった。市場が通貨の相対的価値を独自に決定するからだ。ある通貨に対し、市場が信認を失ったとき、固定相場制を維持したい政府は、準備通貨（たいていはドル）を放出して自国通貨を購入せざるをえなくなる。しかし、ある時点で準備は尽きるので、固定相場と市場が決める価値の差は維持できなくなる。政府は、市場が設定した低い価値を基本的には受け入れて、通貨の「切り下げ」を行わなければならない。こうした動向は経済にダメージをもたらし、当該の政府にとって政治的痛手となる。一方、慢性的黒字を謳歌している国は、自国通貨の価値を高く変更する、すなわち「切り上げ」をしたがらなかった。「切り上げ」をすれば、その国にとっては輸出品の価格が高くなり輸入品の価格が安くなるので、結果的に貿易黒字国の黒字は目減りし、ドル保有高も制限されるからだ。一方、その国に輸出する国の生産者や輸出業者にとっては有利となる。そのため、アメリカにとっては、貿易黒字国が通貨を切り上げないことは苛立たしいものだった。

こうして、ドルをベースとした固定相場制の世界的システムは、終わりを迎えた。その後の各国は自由に自国の通貨・金融システムを選べることとなった。ほとんどの国は固定相場制を離れ、市場が決める価格を受け入れた。通貨の価値は市場に決めさせる。金融政策は自国の中央銀行が定める。だが、すべての国が変動相場制を選んだわけではない。たとえばヨーロッパの国々は、最初はドイツマルクを基軸とするシステムに移行し、次に通貨同盟を結成してユーロを生み出した。また、基本的には市場に自国通貨を決めさせている政府であっても、完全なる「手放し」で任せているわけではない。ときには通貨市場に介入し、変動を制御するべく自国通貨の売買を行う。こうした状況は多くの場合、純粋な変動制（フロート）ではないという意味で、管理変動相場制（管理フロート）と呼ばれる。

アメリカは現在でも、財やサービスの輸出よりも輸入のほうが相当に多く、貿易赤字が続いている。先ほど指摘したように、ドルの価値が今後もおおむね安定し、アメリカ経済は堅調で、外国が輸出した製品を購入する力もあるという信認があるので、各国もこの状況に懸念を抱いていない。貿易赤字に伴うドル流出額が、世界にとっては利用できる流動性（資本）の源泉となるので、これが世界の経済成長を支えている。だが、もしも過剰な貿易赤字がドルの健全性に対する信認を失わせ、他国がアメリカドルを事実上の世界通貨として受け入れる意欲に陰りが生じたとしたら、そのときは経済を不安定にする原因ともなりうる。仮にそれが起きた場合、アメリカの中央銀行（連邦準備制度）は、金利引き上げが必要だと判断するかもしれない。それで失業率が上昇するとしても、ドル安定化の必要性のほうが、経済成長よりも優先になるというわけだ。

今のところ、そして当面のあいだは、ドルはアメリカの通貨であると同時に、世界の事実上の国際通貨である。これはアメリカにとっては基本的にはよいことだ。[6] 自国の経済的運命に対する主導権をもてるし、融資を受けなければならない際も自国通貨で借りることになるので、為替変動によって借りた額が増える心配をする必要がない。ドルに対する需要が金利を下げるので、アメリカの政府、企業、世帯は比較的低い金利で融資を借りることもできる。１９６０年代のフランス財務大臣ヴァレリー・ジスカール・デスタン〔訳注：その後フランス大統領を務める〕が、これを「途方もない特権」と呼んだことがよく知られている。

ドルが支配する世界は功罪が相半ばする、と考える意見もある。何しろ、アメリカ以外の全世界がアメリカの金融政策に影響を受けるというのに、逆の影響はほとんど生じないのだ。アメリカの連邦準備制度、通称Ｆｅｄは、アメリカの状況に応じてアメリカの金融政策を策定する責任を担っているのであって、世界の経済におけるニーズに応じた政策を考える責任はない。にもかかわらず、Ｆｅｄがアメリカのインフレ制御や就業率最大化のために金利を調整すれば、その影響は外国にもおよぶ。特に、今もドルに対する固定相場制を導入している国や、ドル建ての債務が膨らんでいる国は、大きく左右されてしまう。

少なくとも理論上では、基軸通貨としてのドルが別の通貨に入れ替わったり、複数の通貨（バスケット通貨）や、あるいは新しい国際通貨か、暗号資産か、もしくはそれらの組み合わせ[7]で入れ替わったりする可能性も考えられる。アメリカから始まった２００８－２００９年の金融危機の渦中ですら、ドルが支持され、投資家に好まれる通貨であり続けたのは、驚くべきことだ。実際のところ、十分な規模の経済性を有し、それなりの信認を得て世界のどこにおいても自由に取引される通貨をもつ国は、アメリカのほかに存在しない。日本では小さすぎる。ＥＵの未来は不透明だ。中国は、世界第２位の経済圏だが、管理フロート制による見通しのつきやすさを気に入っているので、自国通貨を変動（フロート）させる体制にはなっていないし、むしろ自国に対するマネーの出入りを管理し続けたいと考えている。アメリカに対する信認を失った政府が増えれば、バスケット通貨が基軸通貨として浮上する可能性もあるかもしれないが、その場合はある程度の国家間協調を構築しなければならない。独立した世界中央銀行が存在しない限り、国際通貨を作るというのも、真剣に検討できる案にはなりえない。ＩＭＦは、特別引出権から限られた額で加盟国の手持ち資金の補塡を行うことができるので、このしくみがいずれ国際通貨に進化するだろうという意見もある。だが、それが現実的になるのは、まだ当分先のことだ。ドルは完璧ではないが、誰も完璧ではない場所で、ほかよりも多少なりと役立つ者がいれば、それが先頭に立つのは必然的である。そして今のところ、ドルは確かに役に立っていると言える。

　どんな条件がそろえば、この状況は変わりうるだろうか。アメリカ以外の経済圏が成長し、開放性が高まるにつれ、準備通貨としての役割を担う能力と意思をもつかもしれない。思い浮かぶのは当然ながら中国だ。[8]また、アメリカ経済の健全性や管理に対して世界が懸念を抱くようになれば、変化が起きる可能性もある。アメリカが抱える負債は莫大で、今も増え続けている。現在は22兆ドルを超え、年間1兆ドルのペースで膨らんでいるので、これがドルに対する信認を薄れさせることも考えられなくはない。アメリカが特定の政府に対する制裁措置として、国際金融取引を「武器として使用する」傾向も増えており、この慣行がドルに代わる通貨への移行を加速させる可能性もあるのではないか。たとえば、アメリカがイラン核合意から離脱したあと、ヨーロッパ諸国は並行する国際金融システムの確立を試みようとした。今のところ成功はしていないのだが、それが実現すれば、アメリカの制裁を避けながらイランとの金融取引を処理できるという目論見だった。

世界経済の円滑な機能を支えるため、ほかにもさまざまな取り決めが行われている。世界がきわめて密接に相互に連結しているため、ある国で起きた危機は国境を越えて急速に広まる可能性が高いことを踏まえ、それが起きる確率を減らすべく、バーゼル銀行監督委員会や金融安定理事会といった機関が銀行行動に対する基準策定を行っている。2008年の世界金融危機はアメリカの経済失政が主たる原因だったが、アメリカ経済が世界の中心となっているせいで、世界中のあらゆる国に火の粉がおよんでしまったからだ。

こうしたことを踏まえると、この章の結論は、章冒頭で掲げた見解に戻ってくる。世界経済というものは存在し、ある程度のグローバルな協調関係があり、事実上の世界通貨はあるが、世界中央銀行は存在しないし、通貨協定に関する世界共通の理解も築かれていない。この現実はおおむねうまく回っている。経済が成長し、投資と貿易が流れ、開発による所得増加が実現しているのは、いずれも現在の「システム」が基本的には効果的であるという証左だ。それと同時に、このシステムはアメリカの国家政策の影響を受けるだけでなく、世界の相互連結性（グローバル化）にも影響を受け、一国における金融危機が大規模に連鎖反応を起こしていく現象、「（危機の）伝播」のリスクを抱えている。各国政府が何らかの国際機関に対して自国経済の主導権を明け渡すとは考えられないので、この状況は、解決すべき問題というよりも、管理すべき条件として理解するのがよいのだろう。

開発・発展

「開発・発展（Development）」とは、経済の成長だけでなく、より大きな意味で広く使われている言葉だ。[1]人口増加のペースに対して国家の富が遅滞なく、できれば上回るペースで増えているかどうか、そして増えた富が人口にきちんと分配されているかどうか、国民のＱＯＬ（生活の質）はどうなっているか、そうした状況も加味して国の開発が進んでいる・進んでいない、発展している・していないと表現する。比較的貧しい国の経済状況を語る際に使うことが多い（「開発不足」「後発開発」「低開発」などの言い方もある）。

開発途上国と、開発が大きく進んだ国、いわゆる先進国を区切る明白な線があるわけではない。世界銀行は、単純化しすぎているという理由でその区別を採用せず、[2]国民一人当たりの所得（その国が1年間に生産した価値を、その国に居住する人の数で割った指数）で区別する。平均的な国民の生活水準をおおむね正確に表すからだ。その指標によって低所得国、低中所得国、高

中所得国、高所得国と判断する。[3] モナコの国民一人当たりＧＤＰは[4]１６万ドル強だ。スイスは８万ドル。ブルンジ共和国、南スーダン共和国、マラウィ共和国、ニジェール共和国、マダガスカル、モザンビーク、ソマリア連邦共和国はそれぞれ５００ドル未満である。アメリカ経済の規模は中国の2倍もないのだが、国民一人当たりＧＤＰで見れば、アメリカ（６万ドル）は中国の６倍である。人口が中国の4分の1だからだ。

　現在では、開発評価にはさまざまな社会的要素[5]を反映すべきという認識が一般的になっている。好まれる指標は「人間開発指数（ＨＤＩ）」だ。人口一人当たりの富、教育達成レベル、平均寿命の総合的評価によって国をランク付けする。最新のランキング[6]では、ノルウェーのＨＤＩが最も高く、アメリカは13位、中国は86位、ニジェールが最下位だった。世界全体としては改善されている。１９９０年から２０１５年にかけて、人間開発指数が低いと分類される国の数は62カ国から41カ国に減少し、高いと分類される国は11カ国から51カ国に増加した。ただし、２０１０年以降は改善の伸びがゆるやかになっている。

「開発」という用語が最初に今のような意味で広まったのは、第二次世界大戦後である。当初は、戦争で荒廃した自国の復興という試練を抱えたヨーロッパ諸国のことを指していた。第二次世界大戦の終結前、１９４４年に設立された世界銀行も、正式名称を国際復興開発銀行という。その後、アメリカがマーシャル・プランのもとで提供した莫大な経済支援と、ヨーロッパ諸国自身の努力があり、また欧州石炭鉄鋼共同体として始まり、のちに欧州共同体、そして最終的に欧州連合（ＥＵ）となる同盟関係が創出されたことによって、多くの国が迅速に復興を果たしたた

人間開発指数（2017年）

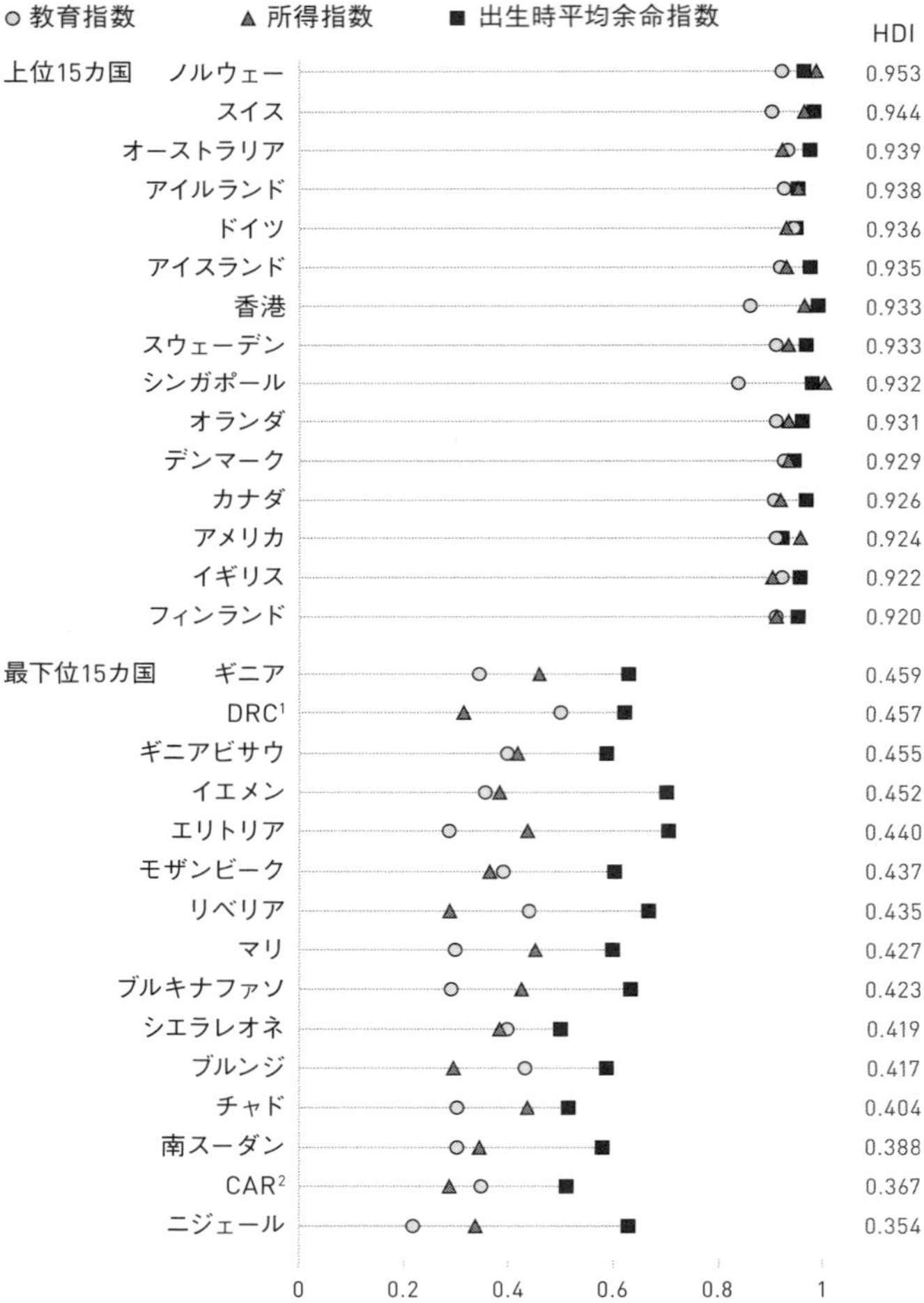

1.コンゴ民主共和国

2.中央アフリカ共和国

出所：国連開発計画

め、「開発」はヨーロッパ諸国に限った概念ではなくなった。むしろ、アフリカ、アジア、中東、ラテンアメリカの、より貧しい国を指して使われる言葉になった。こうした国々の多くは、植民地時代の終焉に伴い気づいたら独立していた状態で、独立のさまざまな要件を満たす準備ができていなかった。

国が開発されているかどうかということが、なぜ過去にそれほど重視され、そして、なぜ今日においてもこれほど重視されているのだろうか。もちろん、人道的な懸念が大きな要素だ——何十億という大人と子どもの生活の質がかかっている。さらに、開発は経済的利益にも関連する。途上国に住む数十億人は、これから消費者や生産者になっていく存在だからだ。開発は国家安全保障にもかかわる。開発の遅れはテロリストや犯罪者や海賊の温床となりやすく、過激思想の増長や、感染症の発生・拡大に結びつきやすい。また、低開発国で難民が発生し、近隣諸国に受け入れられないほどの難民が流入すれば、脆弱な国が新たに増えてしまう。

アメリカとソ連の冷戦中は、国家安全保障という観点から、途上国の開発が重要課題だった。アメリカ側としては、不満を抱いた人々がその国で共産主義者になり、いずれソ連の支援を求めることを防ぐために、そうした国々の開発を進めることが必要不可欠だった。冷戦の根幹にあったのは、アメリカとソ連という二つのシステムのどちらが優れているか白黒をつける競争だ。したがって、中央集権で政府管理の計画経済よりも、市場主導型アプローチで開発を進めるほうがよいと示す必要があったのである。ソ連も考え方は同じで、自国とよく似た中央計画経済を諸国に導入すべきだと認識していた。こうして二大超大国が、いずれも諸国を味方として維持するため、あるいは味方に引き込むために、多額の外国支援を行った。
こうした経緯で、第二次世界大戦後の数十年間、そして冷戦後に、世界では大幅な開発が進んだ。極度の貧困層[7]（一日1・90ドル未満で生活している人々を、こう呼ぶ）の割合は、50年前は世界人口の40－50％だったが、1990年には30％強、そして今日では10％未満に下がっている。1990年以降でおよそ11億人が極度の貧困を脱した。主な要因は中国の好景気だ。中国における極度の貧困層の割合は、1990年の66％から2015年には1％未満へと、著しく改善された。[8]
識字率[9]も、2世紀前は20％未満だったが、現在では世界人口の85％を超える人々[10]が文字を読み、書くことができる。成人男性の識字率は85％よりわずかに高く、成人女性は85％よりもわずかに低い。栄養失調の割合も低下し、平均寿命は70年前と比べて25年ほど伸びた。[11]その結果として、先進国と途上国の平均寿命の差は大きく縮小した。途上国の人々が教育を受ける平均年数も、1950年から2010年のあいだで3倍以上[12]に伸びている。公衆衛生と清潔な飲料水へのアクセス[13]も改善され、子どもと妊産婦の死亡率は下がっている。
新しいテクノロジーの登場も開発を推進している。2018年末の時点で、携帯電話の契約件数は75億件を上回っていた。[14]平均すれば地球上で一人1台以上の携帯電話を所有している。インターネットユーザーの数は2005年に10億人に達し、現在は推定39億人で、世界人口の半分を上回る。[15]こうしたテクノロジーは教育と医療へのアクセスを叶える。農家や中小の製造業者は有益な市場情報を入手できるし、銀行取引も利用できる。現在では先進国に住む人の80％、途上国に住む人の45%がインターネットを利用している。特に途上国での数字は急速に伸びており、2005年にインターネットにアクセスできるアフリカ人はわずか1500万人だったが、2016年にはおよそ2億人に増えていた。

その一方で、多くの人が現実として、今も低開発の状態に取り残されている。世界人口のおよそ10%は現在でも極度の貧困層として生活し、栄養失調で、文字の読み書きができず、日常的に電気を利用できない。裕福な先進国に住む人はほぼ全員読み書きができるが、アフリカでは、識字率が向上しているとはいえ、成人の5人に2人[16]は読み書きができない。9億人近くが[17]屋外で排泄している。多くの少女と女性が今も差別を受け、能力を発揮しにくい立場に置かれている。こうした状況が多少なりと改善するとしても、南アジアとサブサハラ・アフリカで今後急速に人口増加が進むと予想されるので、改善の恩恵も薄れてしまうだろう。たとえば、極度の貧困生活をしているアフリカ人の割合は縮小しているが、急激な人口増加のせいで、極度の貧困生活をしているアフリカ人の数は、過去四半世紀で1億人以上も増えた。気候変動も今後の負担を増やしていく。端的に言って、今も10億人近い人々が[18]、人間開発指数が低いと判断される状況で暮らしているのである。

それに加えて、経済成長の歩みと人口増加のスピードにずれがあるせいで、多くの国で国内および国家間の不平等が広がっている。世界全体で見れば、全世界の富の85%を上位10%が保有[19]している。たとえ生活水準が向上しても、全員がその基準を達成しているという意味にはならないのだ。

つまり、大幅な進歩があるとはいえ、世界の開発は今も差し迫った課題なのである。開発推進を意図した政策をめぐっては、さまざまな議論が行われている。最も基本的な争点は、国家が担うべき役割についてだ。指揮統制型のトップダウン式アプローチで臨んだほうがいいのか。それとも国は一歩下がって、市場の力と民間の利益に開発を推進させるという、ボトムアップ式のアプローチをとるほうがよいのか。この議論は冷戦後から現在まで続いており、市場主導型の民主的な道を進む国（たとえばインド）と、大きな政府ならば個人の自由は制限されるが経済成長は進むと考える国とで、見解は割れている。後者の代表例として挙げられるのは、往々にして中国だ。

現実としては、選択肢はそれほど明白に二分されているわけではなく、多くの国は双方のアプローチを組み合わせたやり方をとるものだ。だが、それでも歴然とした違いがある。政府が大きな役割を担うべきとする国は、経済的理由だけでなく、政治的理由からもそれを望んでいる。政府が優先順位を決め、投資するべき対象を決定することで、有権者や同盟者の歓心を買うことができる。経済のコントロールは、政治のコントロールにもつながる。市場に関連して生じる政情不安を多少なりと抑え込むことができるからだ。

現在のレベルがどの程度だとしても、そこから開発を進めるために、政府がとれる方策にはさまざまな種類がある。たとえば、外国のメーカーと競争できる段階にない国内産業を育成する狙いで、市場の一部において輸入を禁じる。これは「輸入代替」または「幼稚産業保護」とも呼ばれる。こうした保護貿易主義的な政策で、国内産業や農業が力を得て輸入品と競っていけるようになるまで、また輸出力を維持できるようになるまで、時間と場所の余裕を与えるというわけだ。ただし、国内生産者を外国との競争から守ることで、かえってコストがかさんだり、品質の低い製品が出回ったり、汚職に陥ったりする危険性もある。また、輸出を制限される外国のほうが、途上国の市場に同等のアクセスができないという一方的な貿易関係に愛想をつかす可能性があるので、このアプローチはおそらく持続可能ではない――特に、中国の場合のように、その途上国が製造と輸出の超大国としてのしあがってくるとなれば、外国にとっては面白くはない。

政府が開発を推進するほかの方法としては、産業や農業の一部に補助金を与えることもできる。元手、原材料、人件費を市場価格で払わなければならない競合他社よりも大きく有利にしてやるのだ。補助金の受益者は、たいていは国営企業として、事実上の独占力、もしくはそれに近いパワーを享受する。また、政府が外国投資に制限を課すことで（これも競争から守る目的だ）、国内の生産者を支える場合もある。国内に投資をする外国企業に対し、その企業がもつ技術を地元企業に移転することを義務づけ、いずれ自国の競争力が高まるようにお膳立てをする場合もある。

もっとオープンなアプローチをとる場合もある。政府補助金を削減する、国営企業を民営化する、外国の投資家にインセンティブを提供する、健全通貨政策により投資と貯蓄を促進する、合理的な税制で個人と企業にさまざまなインセンティブを与える、汚職や無節操な公共投資（政府から補助金があると、無駄な公共投資も生じやすい）を防ぐ安全策を設ける、財産権を明確にして土地や建物への投資が集まりやすく融資の担保にもしやすくするなど、こうした政策をアピールすることで、経済の発展を促す。

前述したように、貿易は開発・発展のエンジンとなりうるのだが、そのためには関税や、非関税障壁や、外国投資に対する制限など、政府の保護がなるべく少ない形になっている必要がある。貿易の開放性は、輸出関連の付加価値の高い雇用を創出するし、消費者にとっては世界各地で生産される最高の商品が入手可能になる。どちらも、それ自体の価値が大きいだけでなく、近代化と品質向上への刺激にもなる。また、貿易は政府補助金と比べて汚職や不公正な配分を招きにくい。貧困国は、人件費が安いというもともとの強みを生かして、商品を安価にして競争力をもつことができるが、外国市場へのアクセスがなければ貿易で繁栄するわけにもいかない。外の市場へのアクセスを獲得するには（場合によっては、輸入割当数量の拡大や関税の引き下げなど、好条件でのアクセスを獲得するには）、外国との積極的な交渉が必要だ。

開発に正しいアプローチも間違ったアプローチもない。中国はこれまでのところ驚くほど順調に発展してきているが、そのための犠牲も大きい。たとえば政治信条の自由は制限され、環境破壊が進行している。産児制限のせいで、高齢者を支える労働年齢の男女が少ない社会が生み出されてしまった。莫大な無駄を生む非効率性が蔓延し、汚職も広く行われている。その他の国では、韓国などが、より市場主導型のアプローチで上首尾な成果を上げてきた。中国のアプローチと比べれば不確実性の余地は大きく、経済の浮き沈みもあるが、高度経済成長を実現し、政府の政治的影響力を制限し、中央による誤った計画のせいで生じる大規模な汚職や非効率性を軽減するために、不確実性や経済の浮き沈みのほうをあえて受け入れている。

開発推進の手段としての外国支援（対外援助とも言われる）の有用性は、長らく議論の対象となっている。ここで明確にしておきたいのだが、開発プロセスのための支援と、人道的ニーズを満たすための支援――自然災害後の復興支援、難民支援、基本的な医療の提供、飢饉対策としての食料寄付など――と、外交政策全般の狙いに沿って戦略的に同盟国に提供する支援――軍事訓練、武器供給、一般的な財政支援など――は区別して考える必要がある。

開発支援や開発援助[20]は、特定のプロジェクトに対する資金提供、もしくは当該の人々を直接的に助けるための資金提供に主眼を置くことが多い。現時点でわかっている点として、教育に関する支援は成果が出る。特に少女と女性に対する教育は効果が大きく、識字率は改善しているし、能力を伸ばすことによって妊娠を減らし、子どもの健康を改善し、生産的な小規模の経済活動を営むことにつながっている。また、健康改善や、エネルギーに対するアクセスの拡充を狙いとした支援も、有用性が高いことが研究で明らかになっている。そうした基本的なものに対する支援と、慎重なモニタリングを組み合わせていくのが、おそらく最善のアプローチなのだろう。ターゲットを絞り切れない支援では非効率性が持続し、汚職をもたらし、お金がかかるだけの無意味なプロジェクトになってしまいやすい。

開発に成功している国には共通する点がある。見通しが立つ、すなわち予測可能性が確保されていることだ。企業にとっては、自社の資産が気まぐれに没収などされず、生産品を宣伝・販売することができ、利益のうちのそれなりの割合を手元に引き戻せるという確信をもてなければ、[21]商売は成り立たない。また、国が安定していなければ発展しない（あるいは、それなりのスピードで進歩することもない）というのも、否定しがたい事実である。安定とは政治的安定（併せて優れたガバナンスも）のことでもあり、物理的な安全のことでもある。安定が不足すれば経済開発は進みにくい。人は教育を受け、働き、消費活動をしていく必要があるが、紛争はそうした経済活動を阻害し、投資や観光客を遠ざける。ＨＤＩ指数が近年で大幅に下落した二つの国、シリアとリビアは、深刻かつ長期にわたる武力紛争のもとにあるという点に気づいていただきたい。

国を開発・発展させる道は多数あるが、いくつかの戦略は明らかに有効であることがわかっている。新しい技術と、技能者を育てる訓練の導入は、その国の生産性を高める。外国貿易と、外国からの投資受け入れも、経済成長の確かなエンジンになる。小規模農業から製造業へと経済の主眼を移行すれば、同時に都市化も進行し、国の発展が進むことがわかっている。法の支配の実行、財産権の保護、資本へのアクセスも必要不可欠だ。国民は機会を必要としており、彼ら・彼女らの発展を阻む障壁は撤廃されていかなければならない。特にジェンダー、宗教、民族にもとづく差別を排除することで、その国に生きる人々のＱＯＬは歴然と高まる。教育とインフラにお金をかけるのは、国として元が取れる投資だ。そして、開発プロセスの初期段階であわただしく他国との統合を進めるのではなく、徐々に世界と統合していった国々は、それが吉と出ている。経済活動の多様化も必要だ。経済活動が多様であれば雇用も増えるし、何らかのコモディティに依存しない道を確保できる。石油のようなコモディティに国が依存しているのは、統計上は有利なことに見えるとしても（一人当たりＧＤＰが高いという意味で）、汚職を招きやすく、雇用を創出する経済活動を阻むため、実際には非生産的となりうる。

数十年前からは、多数の国々の参加のもと、国連のサミットで世界の開発目標が定められるようになった。最初の目標、「ミレニアム開発目標」は、２０００年の国連サミットで採択されたものだ。具体的な内容は、極度の貧困と飢餓の撲滅、初等教育の完全普及、ジェンダー平等推進と女性の地位向上、乳幼児死亡率の低下、妊産婦の健康の改善、ＨＩＶ／エイズやマラリアなどの疾病の蔓延防止、環境の持続可能性の確保だ。２０１５年までにこれらの目標を達成、少なくとも達成に向けて有意な進歩を示すこととした。想像がつくかもしれないが、結果は成否が入り混じっている。[22] 極度の貧困、栄養失調、妊産婦と乳幼児の死亡率は減少したが、人口増加のせいで、極度の貧困層の全体的な数は今でも著しく多い。ジェンダー差別と不平等も解消されていないし、避難民や難民の数も増大しているし、気候変動の影響も深刻化する一方だ。進歩が見られる領域（中国における極度の貧困層の劇的な縮小など）でさえ、外国支援が寄与した貢献は取るに足りないほど小さい。

次に定められた目標が、２０１５年に採択された「持続可能な開発目標（ＳＤＧｓ）」である。17種類の世界的目標には以前の目標すべてを含み、さらに、飢餓と不平等を軽減し、暴力犯罪や性的人身売買から人々を守り、気候関連の負荷を伴わない成長を目指すといった内容を盛り込んでいる。これを進めていくためには、政府当局、国際機関、財団、企業、ＮＧＯが足並みをそろえていく必要がある。２０３０年までに具体的な進展を示していく予定だ。だが、開発とは一回の歴史的出来事ではなく、継続的な事象であることを考えれば、その成果は不均等なものになると予想される。

第 4 部

秩序と無秩序

歴史とは、世界秩序が実現し、破綻し、新たな形で再生するという流れを、現在進行形で紡ぐストーリーと考えてもいいのかもしれない。世界秩序とは、根幹的な意味では、何らかの場面または特定の時期における世界の状態を表す説明と尺度のことだ。それは程度や傾向の問題であって、良い部分と悪い部分が入り混じり、静止した状態としても進行中の状況としても理解されうる。人の健康に関する評価と似ているとも言えるだろう。

国際関係についてのルールはどの程度広く受け入れられているか。ルールに対して異論がある者がルール侵害に踏み切らないよう、あるいはルール侵害を試みても成功しにくくなるように、そのルールを強める勢力均衡がどの程度まで成立しているか。そうした程度や傾向がそのときの秩序として反映される。どんな秩序であっても、そこには必ず秩序の要素と無秩序の要素があり、二つのバランスの度合いを含めて秩序となっている。世界全体がすべて平和になることはないし、完全無欠な正義と平等も存在しえないのである。

だとすれば根本的な疑問が生じる。なぜ、世界秩序は、これほどまでに重要なのか。もしも国家間で秩序が成り立っていなければ――特に、その時代の主要国が秩序を守っていなければ、そのせいで生じる人命喪失や資源収奪は莫大なものとなり、繁栄や自由を脅かす。20世紀前半を形成した二度の大戦で得られた教訓である。だからこそ世界秩序が基本中の基本なのだ。現在のように密接に連結し合うった世界においては、世界秩序の存在、もしくはその欠如が、地球上に住む全員に影響を与え、救いもすれば苦しめもする。世界秩序は国際関係における酸素のようなものだ。秩序があるからこそ、事実上あらゆる場面において、協調関係が成り立ちうる。そして秩序がなければ、国際関係が進展する見込みなど、ないに等しい。

オーストラリアの学者ヘドリー・ブルは、独創的な著作『国際社会論　アナーキカル・ソサイエティ』[1]において、国際システムと国際社会について論じている。ブルはその二つを明確に区別している。ブルが言う国際システム〔訳注：ブルの著書では「主権国家システム（system of states）」〕は、政策決定とは関係がない。国家や、さまざまな力をもった主体が交流し、影響を与え合っている状態を、国際システムが形成されていると言う。そこに選択や規制、原則やルールは、まったくない、あるいはほとんどない。一方で、国際システムではなく国際社会と言った場合、それは参加者において一定レベルの合意が形成された社会のことを指すという。この社会において追求すべきものは何か、自制すべきものは何か、追求と自制はどのように行うべきかという制約を、社会を構成する参加者が受け入れている。各国政府が紛争解決のために武力行使ではなく外交に頼る場合や、より積極的に、各国政府が貿易に関して確立されたルールを守り、気候変動や難民や核拡散やテロといった問題に対しては協力して取り組む場合、それは国際社会と呼べる条件が整っていると言える。

国際という文脈において、ブルが描写した「社会」という概念は、特別な意味をもつ。第一に、この社会の主たる「市民」は、国々である。第二に、この社会を成り立たせる原則として、国を統括する政府やリーダーは、自国の領域内で基本的には自由に行動することができる。政府やリーダーが実権を握った理由が、世襲なのか、革命なのか、選挙なのか、その他の手段なのかは重要ではない。第三に、この国際社会の構成国は、他の構成国がこうした行動の自由をもつことを尊重し受け入れ（自国が領域内で望むように行動をすることを、他国が受け入れることと引き換えに）、この社会における他国の存在も尊重し受け入れる。国際関係をこのようにとらえるのは、たとえるならば「うちはうち、よそはよそ」という家庭の決まりを、国境を越えて理解すると言ってもいいかもしれない。

『アナーキカル・ソサイエティ（無政府社会）』というタイトルには、ブルの著書の本質が表れている。世界を無政府状態にしようとする勢力と、世界に社会を形成しようとする勢力は、歴史のいかなる時点においても、つねに両方とも存在するのだ。「無政府状態」を「カオス」や「無秩序」と言い換え、「社会」を「秩序」と言い換えることもできるだろう。どのような言葉を選ぶにせよ、意味するところはこれ以上ないほどはっきりしている。どの時代も、この二つの勢力のバランスが、時代の性質を決定づけるのだ。ビジネスの貸借対照表（バランスシート）にも似ているが、売り上げと経費、資産と負債を見比べるかわりに、二つの勢力が組み合わさって世界を引き裂くのか、それとも結びつけるのか、その力に注目するというわけである。

本書の第1部から第3部も、この枠組みが当てはまる。第1部で四つに分けて論じた時代は、いずれも秩序・無秩序という切り口で考えればわかりやすい。国の主権という近代的な概念が生まれ、貿易も広がったことで、秩序は拡大したが、ナショナリズムの台頭と、勢力均衡の崩壊のせいで、最終的には秩序が転覆され、第一次世界大戦が始まってしまった。同様に第二次世界大戦も、外交の失敗、頑迷なナショナリズムの再燃、保護貿易主義の台頭、そして勢力均衡維持の失敗によって招かれた戦争だった。それとは対照的だったのが冷戦だ。冷戦が冷たい戦争のままだったのは、外交、軍備管理、核の抑止力、NATOなど、秩序を推進する力が、イデオロギーの対立や、代理戦争や、核軍備競争や、ドイツとヨーロッパの分裂など、無秩序を推し進める力を埋め合わせてあまりある威力を発揮していたからだった。先にも述べたように、冷戦後の時代である現代の定義は今まさに形成されている最中なのだが、ブルが「無政府状態」と呼び、私が前著のタイトルで「無秩序状態（disarray）」と呼んだ要素の存在を、いくつも特定することができる。

第2章で展開した地域ごとの考察も、この枠組みが理解を助ける。中東は、無政府状態を推進する勢力が優勢で、秩序を推進する勢力が比較的少数派であるせいで、あのような状況になっている。その点でアジアは中東とは大きく異なる。少なくとも過去において中東の状態と異なっていたことは確かで、そのおかげでアジアは過去数十年間に目覚ましい成長を叶えてきた。ヨーロッパに懸念を感じる理由は、ブルが「社会」と表現するものを形成する主な条件が崩れ始めており、無政府状態をもたらす原因が新たに拡大しているからだ。ラテンアメリカとアフリカでは、国家間には秩序が成立しているが、国内においては無秩序、場合によってはさらに悪い状況が少なからず起きている。

第3章で論じたグローバルのレベルにおいても、それぞれの領域に秩序と無秩序の要素があるが、多くの場面で、その二つの乖離が拡大しつつあることを考察した。各国政府がグローバルな課題に取り組む意思や能力をもたないことが理由だ。気候変動とサイバースペースを筆頭として、グローバル化にかかわる側面の多くに、これが当てはまっている。

どんな貸借対照表であれ、そこに組み込まれる細目には必ず変化があるものだ。本書最後の第4部では、個別の項目が変化してもおそらく見当外れとはならない形で、秩序と無秩序について論じていく。秩序と無秩序双方の普遍的特徴に焦点を絞ることで、読者が現状を理解し、地域および国際レベルで展開される傾向を把握する一助としたい。

主権、民族自決、勢力均衡

17世紀半ば、ヨーロッパの三十年戦争を終結させるウェストファリア条約が結ばれて以来、主権の尊重[1]と、国境線を武力で変更してはならないという考えが、世界の根本方針となっている。世界に秩序を推進する普遍原理があるとすれば、この方針が最もそれに近い。国、国家、国民国家などと呼ばれる共同体だけが、主権を主張することができる。

主権とは、その国の領土内において、政府が意思決定権限の最高優位にあることを意味する。政府という形態をとるかどうかにかかわらず、その立場に就く、あるいは結果的にその立場に就いていた者すべてに、これが当てはまる。個人、そして企業などの主体にも権利はあるが、ほとんどの局面において個人も企業も、国家政府と、国家政府の名のもとで行動する人間の権限に従わなければならない。その国の憲法または法により、従わない道が認められる場合は例外だ。従うべき具体的な細部は、政府が、場合によっては特定の国の人々が決定する。

主権には国際的な意味もある。国内に対する主権の意味とは異なり、国際的文脈における主権とは、平等のことだ。すべての国は、規模や人口やパワーや富を問わず、平等な権利をもつ。最も重要なのは、領土が他国から尊重されるという点での平等だ。他国の内政不干渉というのが主権という概念の最大の特徴であり、現在の世界秩序の特徴だ。

ある政治的主体が、最高位の政治的実権をもつのであれば、その主体は主権国家の条件を満たす。最高位の政治的実権をもつというのは、19世紀のドイツの社会学者マックス・ウェーバーの有名な説明を借りれば、領土内における正当な暴力行使の独占である。別の言い方をするならば、法を執行することができ、法を破る者を罰することができ、そうした実権をもつことを国民によって認められている状態を指す。政府は国境を管理し、モノから人間に至るまで、領土に出入りするすべてを管理できることになっている。国内に対しては、政府が選択した国内政策を導入する。さらに主権国家とは、同胞、つまり別の主権国家によって、主権国家であると認められている。一般的には大使館を設置し、大使を交換し、条約締結など外交による交流をすることで、この認識を示す。国連総会は主権国家のみで構成されている。これらの条件を満たす、もしくは、加盟時点で満たすと見られていた国で構成されているという意味だ。現在は世界で193カ国が国連に加盟している。

主権は絶対的なものと認識されているが、厳密にそうとは限らない。人種、宗教、民族、国籍などを理由に人々の集団を意図的に破滅させることを大量虐殺と言うが[2]、この大量虐殺を阻止する場合など、何らかの形で他国の出来事に対する介入（武力介入を含む）に正当性を与えるべきか、今も議論が交わされている。[3] 虐殺は他国との関係性において起きているのではなく、その国の内部で起きている出来事だというのに、それを他国が問題視するのは果たして秩序と言えるのかどうか、というのが、この議論の中心にある争点だ。

近年では、国家の権利と個人の権利のバランスを見直して、前者よりも後者に重きを置こうとする試みが進められている。この考え方のもとでは、主権とは政府と国民、政府と他国政府とのあいだで交わされる契約に近い。政府がその契約における責任を果たせない、あるいは果たす気がない場合、主権国として通常得られている権利を失うのである。1994年にルワンダで起きた内戦と大量虐殺から11年後に、世界は「保護する責任」[4]（一般的にR2Pと略される）という基本原則を採択した。原則として、政府が自国内に住む人々に対する大虐殺行為を実行している、あるいはそれを阻止できない状況においては、外国または地域機関や国際機関が介入する（警告、制裁、軍事介入など）ことを認める内容だ。

実際問題としては、このR2Pはあまり成果を出せていない。アメリカと、NATOでアメリカと同盟する国々は、2011年にリビアに侵攻する際、R2Pを正当な根拠とした。だが、民間人への攻撃を阻止する人道的取り組みとして始まったはずのものが、その地の支配政権を失脚させる手段に変質したのではないか、という疑いの目を、複数の国の政府（中国とロシアが筆頭だ）がもつようになった。R2Pの行使はきわめて困難かつ高額になりうることも浮き彫りになった。シリア政府が中心的役割を果たした紛争で、50万人近いシリア人が死亡し、[5] 人口の大半が住まいを失ったときにも、世界がほとんど行動を起こさなかったのは、それが理由でもある。中国、ロシア、インドを含む多くの国の政府は、自分たちが自国で行うこと、もしくは行いたいことを制限するために利用されるであろう前例が確立するのを恐れ、主権は絶対的であるという考え方へのいかなる例外にも抵抗しているというのが現実だ。

また、ある国の政府が自国内でテロ集団に自由な活動をさせている場合、そのテロの具体的な被害者、もしくは被害者となりうる側にとっては、他国の領土内のことだからと尊重するわけにはいかない。タリバン率いるアフガニスタン政府はアルカイダに自国を拠点として利用させていた。アルカイダが2001年9月11日にアメリカにテロ攻撃を行ったあと、アフガニスタンは、まさにそうした理屈で他国から武力介入を受けたのだった。同様に、ある国が他国の主権を直接的に侵害している場合は、それが武力によるものにせよサイバー攻撃によるものにせよ、同等の攻撃手段、あるいは別の手段を選んで報復を行うことが正当化される。

とりわけ言及しておきたいのが、これらの例の大半に当てはまるロシアだ。一面としては、ロシアは主権をほぼ絶対視している。ロシア国内で政治的に起きることに対して他国の「妨害」があってはならないというわけだ。ところが、その認識をもちつつも、ロシアはウクライナに武力介入し、クリミアを併合したほか、ウクライナ国内の他の地域でも政府の権限を奪った。さらに2016年のアメリカ大統領選の結果に影響を与えるべく、サイバースペースとソーシャルメディアの領域で多種多様な画策を行った。こうしたことを踏まえると、国際的ルールの基本中の基本に対する尊重でさえ、全世界で普遍的なものではないのは明らかだ。

主権が自発的に制限される、または明け渡される、移譲されることもある点を付け加えておきたい。たとえば欧州連合(EU)に属する諸国はそうしている。各国の主権をEUに託し(プール)し)、自国に影響を与える決定をEUのさまざまな機関にゆだねている。その他の国々も、世界貿易機関(WTO)に対し、同様のことを行っている。いずれの場合も、たとえ自国が賛同しない決定がなされる場合もあるとしても、集団的意思決定に加わっていたほうが、自国の利益が結局は叶いやすいという判断をしたからこそ、こうした形をとるのだ。この場合、重要なのは主権の移譲が部分的かつ自発的なものであるかどうか、いずれかの時点で取り消すことも可能であるかどうかという点だ。

国際システムというチェス盤の駒は、主権国と政府だけではない。そのチェス盤には、企業と、アムネスティ・インターナショナルや国境なき医師団やグリーンピースのような非政府組織(NGO)、さまざまな財団、メディア関係機関、宗教的権威、知事や市長、そして地域機関や世界的機関といった駒も存在している(あえて言うとすれば、テロリスト、麻薬カルテル、海賊も)。現実としては、国という駒が他の駒よりも多くのパワーや影響力を行使するのだが、国だけがそうした力をもっているわけではないし、別の駒によるパワー行使を国が阻止できる立場にあるとは限らない。つまり、国家主権が優勢であるというのは、世界の現実というよりも、あくまで世界の原則にすぎないと言えるだろう。

民族自決

主権と結びついた概念として、「民族自決」がある。人々が自分たちの国をもつかどうかは、その人々自身に選ぶ権利があるという意味だ。多くの国は、国内に宗教や言語、場合によっては部族など、異なる属性をもつ人々を内包している。だとすれば、当然ながら考えなければならないのは、何を基準としてグループやテリトリーを独立した国とみなすのか、その基準を誰が決めるのか、という問題だ。どちらの問いに対しても、国際的に一致した答えは出ていない。たとえば、台湾は主権国家としての要件をすべて満たしている。統治する権威機関だけが実力行使の権利を有し、自国の軍があり、中央銀行があり、独立した政治システムがある。ところが、中国が台湾島の権利を主張しているため、台湾を主権国家と認識している国は、世界で20カ国程度だ。コソボも同様である。アメリカをはじめとする100カ国以上の国がコソボを独立国と認識しているにもかかわらず、中国、ロシア、そしてコソボの隣国セルビアを含む数十カ国は、独立国という認定を与えていない。つまり主権とは、見る者によって解釈が変わる概念なのだ。中東、アフリカ、南アジアの大半がヨーロッパ諸国によって植民地化されていた第二次世界大戦直後と比べれば、現代では、民族自決はそれほど中心的に議論されることはない。しかし、国を希求しつつも国をもたない集団や、ある国の中で独立を望んでいる地域は今も存在するのだから、この問題が消え去ったわけではない。

そうは言っても、現代の文脈において、民族自決の意味は曖昧だ。国連憲章には「人民の同権および自決の原則の尊重」[8]という文章が一度ならず登場するが、植民地時代に広く支持された原則としての民族自決と、すでに世界で190カ国以上にその原則が適用された時代の民族自決は、まったく性質が異なる。人々が建国を望むという状況において、政府がとるべき適切なスタンスはどう決めるべきなのか、簡単な解決策は存在しない。とはいえ、まずは民族自決という概念を修正し、独立国家とは主張されるものであると同時に与えられるものであるという考え方に入れ替えておくべきだろう。ある集団が独立を追求すれば、当該地域全体、あるいは地球全体に何らかの形で影響は生じるのだから、独立国家となりたい者の主張のみにもとづいて独立が決定されるとしたら、あまりにも多くの人間がそれに左右されることになるからだ。

民族自決と呼ばれてきた概念は、脱植民地化時代と比べて、今後はさほど一般的に支持されるものではなくなっていくのかもしれない。だが、少なくとも現時点では、建国を求める歴史的な正当性や、説得力ある理由、当事者たちの支持、そして新しい国家を作るに十分な面積が存在するのであれば、それを独立国家として認めるかどうか、関係各国がきちんと俎上に載せていかなければならない。自国の中で独立が起きることによって、領土と人口の一部を手放さざるをえない国家に生じる影響も、考慮すべきである。決定を下す前に、当事者だけでなく他の国家も交えた協議が必要だ。この点で参考になる前例は、1978年にエジプトとイスラエルのあいだで成立したキャンプ・デービッド合意[9]である。このときは民族自決の原則をパレスチナ人には適用しなかったが、「パレスチナ問題にかかわるあらゆる面について、問題解決に向けた交渉にはパレスチナ人の代表者を参加させるべきである」との見解を支持した。

勢力均衡と抑止

主権の原則に対する支持だけで、秩序が成立するわけではない。秩序には、その基盤として、勢力均衡が必要である。特定のルールを支持しない者が武力でルール転覆を強行できない状態にしておくという意味だ。国々が善意で互いに自制し合い尊重し合うはず、という期待や予想は現実的ではない。武力を通じて現状の改変を試みれば失敗する、少なくとも利益を上回る代償が生じるという計算が成り立ち、それならば試みないことにしよう、という判断に収まるレベルで、勢力均衡が成り立っているのが理想的である。これが抑止の本質だ。ただし、抑止力を発揮するためには、双方に十分な軍事力があること、その軍事力を必要な際には行使する意思が認知されていることが必要不可欠である。グローバルレベルの主要国間であろうと、地域レベルの中規模の国家間であろうと、この想定は当てはまる。

秩序と、秩序を支える勢力均衡には、さまざまな形式がある。単一の支配国や帝国が秩序と勢力均衡の両方を司るならば、その国は覇権国と呼ばれる。この状況は一極化した世界、あるいは帝国的秩序とも評される。前者は、たとえば冷戦終結後のアメリカ、後者は古代の世界で一部に起きていた状態だ。また、主要な二国の存在によって、秩序が成り立つこともある。米ソが二極世界を支配していた冷戦の40年間がこれに相当する。そのほかでは、３カ国以上の主要国が多極的世界を統括することで、秩序が成り立っていた時期もあった。19世紀初頭から半ばにかけてのヨーロッパ諸国がこれに該当する。現在の私たちは、この多極的世界に向かっているのかもしれない。

同盟と連合

国と国が手を組むことで、その数がいくつであろうと、秩序を強めることもできるし、弱めることもできる。[1]手を組む、すなわち同盟を形成するというのは、安全保障上の共通の利益とみなすものを推進する目的で、複数の国が集まることを言う。すべての同盟に共通する点として、加盟国が攻撃を受けた場合、あるいは差し迫った攻撃の危機に直面したときには、武力による支援——おそらくその他の援助も——を行うことを公約または義務として掲げる。発生しうる有事に備えるため、そして有事の発生を阻止するため、軍事・経済・諜報などにおける支援の提供、合同演習の実施、そして少なくとも一部においては意思決定の統合を行う。同盟には、こうした公約を遂行する能力と意思が必要だ。能力と意思のどちらかが欠ければ同盟は成功しない。

同盟の結成・加盟の判断は、通常、加盟することのメリットが対価や義務を上回り、単独でいるよりも好ましいという判断にもとづいて行われる。ウィンストン・チャーチルは「同盟国を敵に回すことより悪い事態があるとすれば、それはただ一つ、同盟国なしで敵と戦う事態だ[2]」と言った。

同盟それ自体は善でも悪でもない。脅威（国や、敵対する同盟など）と拮抗または相殺する力にもなれるし、既存の秩序を転覆し新たな秩序に入れ替えるための集団ともなれる。同盟は、その構成と目的によって、世界秩序への貢献にも妨害にもなるのだ。同盟を組めば、想定しうるすべての敵に対して、各国がそれぞれ別個に阻止または対抗の立場をとらずに済むし、力を合わせて既存の秩序を転覆したいと考える国々が、同盟を結成してその力をもつこともできる。よくあることだが、一番重要なのは取り決め自体ではなく、取り決めの狙いだ。

同盟というしくみは国際関係と同じくらい古くからある。古代ギリシャや中世ヨーロッパでも一般的だった。より最近では、第一次世界大戦と第二次世界大戦の勃発および戦闘の両方において、同盟関係が中心的役割を果たしている。

歴史というのは、もっぱら強い国が近隣の弱い国への要求を通すために武力を行使する、もしくは武力行使の脅しを行いながら作られていくものだ。こうした状況になったとき、弱い国は別の一国または複数の国々と同盟を形成し、脅威となっている隣国が優位に立てないようにする。あるいは、強い国の歓心を買うため、そして紛争で代償を負うことを避けるために、強い国に従うという道もある。その場合は基本的に、選択と行動の自由を、部分的に強い国に差し出すことになる。

こうした服従にはさまざまな用語がある。「ドロア・ド・ルガール（droit de regard）」というフランス語で呼ばれることもあるが、これは直訳すれば「監視権」だ。自国の決定に対して他国の政府に大きな発言権をもたせるという意味である。冷戦中は「フィンランド化」という用語がよく使われた。フィンランドが、自国よりもはるかに力の強い隣国、ソ連と慎重な関係を築いていたことから生じた表現だ。第二次世界大戦に向かっていた時期には、「宥和」という言葉を使って、ナチスドイツが野心を満たすべく要求していたものの一部を、西側の民主主義諸国が与えてやることで、ナチスドイツの野望を制限するという手法をとっていた(結果的には失敗だったが)。弱い国であっても単独で軍事的に戦うのではなく、より現実的な道として強い隣国の要求に従うのでもなく、それ以外の道を選ぶことができるというのが、同盟のメリットである。[3]

第二次世界大戦後の国際関係の形成では、同盟が大きな役割を果たした。この時期の何が特別だったかというと、それは、アメリカと、その他の11カ国が、有事においてではなく平時において同盟を組んだことだ。近代ヨーロッパの歴史を語る章で論じたように、大西洋同盟、正式に言えば北大西洋条約機構(NATO)は、冷戦が始まった1949年に、ソ連からの脅威を認識し、その対策として結成された。他の国々も、ソ連が脅威であるという認識を共有し、NATOの根幹にある民主主義的理念を支持して、NATOに加わった。その反対陣営として1955年にワルシャワ条約機構が設立されている。こちらはソ連と、ソ連の「衛星国」7カ国が加わった。衛星国は、モスクワの主導に従うほかに選択肢がないという理由で加盟したのだった。

同盟を組む目的はさまざまだ。最も根本的な目的は、同盟の外にいる敵の攻撃を阻止し、攻撃を受けたときには防衛を行うことだ。弱い国が安全を維持したり、牙をむくかもしれない強力な隣国がいても真の独立を維持したりするためには、往々にして、他の国（特に、自国よりも強い国）と力を合わせるしか道がない。ほとんどの国は戦略的独立性や自由裁量を当たり前にもてるわけではないのだ。一方で、弱い国にとって同盟に加わることのコストは、パートナーとなった強い国が、自国の意思決定に対して大きな影響力をもち、自由裁量の一部を奪う可能性があることだ。

強い国にとって同盟とは、複数国のリソースを集結し、戦争の阻止または行使の力を増強する道になる。同盟を組むことで戦力も倍増させられる。ロシアや中国はもっぱら世界の中で単独で行動しており、たとえ他国の協力が必要だったとしても、それを得られにくい立場だ。その点でアメリカにとっては、同盟によって実現する戦力増大が、ロシアと中国に対する大きな競争優位となっている。それに加えて、同盟の加盟国に対する影響力や支配力をもち、加盟国の外交政策に制約を課すこともできる。制約ではなく保障を提供することで、加盟国が自前で核戦力などの力をもつ動機を弱めることもできる。たとえばアメリカは、日本や韓国といった国々との同盟関係[4]により、それらの国が独自の核兵器を開発または獲得する必要性を減少させている。同盟は安心感を与えるものだ。他の強い国の圧力や脅しに恐れをなす必要はなくなる。ただし、同盟関係がどれほど強固なものであっても、力の弱い加盟国にとっては、有事の際に見捨てられて自力で立ち向かわねばならないのではないかという不安はつねにつきまとう。フランス大統領だったシャルル・ド・ゴールは、アメリカはパリを守るためにニューヨークを破壊のリスクにさらすとは思えない、という疑念を頻繁に口にしていた。[5]この疑念がきっかけとなって、フランスは

１９５０年代から、独自の核戦力開発を始めている。

だが、強い国にとっても、同盟はリスクとコストを伴う。加盟国の行動によって、自国が選んだわけではない状況にかかわることになったり、もっと悪いことに、そうした状況にとらわれたりする可能性もあるからだ。同盟国の賛同や支援が必要だというのに、同盟国にその態勢が整っていないこともある。そんな状況が生じなくても、同盟関係全体の信頼性を維持するためには、加盟国の中で最も強い国が多額の軍事的投資をせざるをえない。

弱い国と強い国のいずれにとっても、同盟関係は、多額のリソースの投入が発生し、広範囲にわたる義務や影響を担う可能性を伴う。たとえばＮＡＴＯは、条約第５条[6]において、加盟国一国に対する攻撃はすべての加盟国に対する攻撃とみなすと明言している。直接的な攻撃を受けたのが自国でなくても、全加盟国が軍事的行動を起こすという意味だ。定められた責任を加盟国が守らなければ、同盟関係は信頼性のあるものとはならない。同盟関係の中心にある義務は何なのか、どのような条件でその義務が発動されるのか、明確にしておくことが非常に重要だ。

同盟の加盟国間に生じる不平等も緊張関係のタネとなる。加盟国同士は「負担分担」をすることになっているが、それは決して平等な分担ではない。軍事力や経済力にも違いがあるだけでなく、それぞれの国内政策が理由で、同盟に対して貢献できる範囲が制限されることが多いのだ。ＮＡＴＯの場合は、各国がＧＤＰの最低２％を防衛費として支出するという目標で合意しているが、ヨーロッパの加盟国の大半がその目標を満たしておらず、アメリカはこれに対して頻繁に苛立ちを示している。だが、この目標は高望みであるとも考えられる。アメリカにとっては

NATOにおいて、そしてアジアでの関係においても、自国だけが支出の負担が大きいと感じているかもしれないが、争点となるのは金額よりも使い方であり、同盟を組むことで得られるメリットがコストを上回るかどうかだ。

同盟は、それぞれの背景があって生まれるものだ。その背景が変化した場合――特に、同盟結成の引き金となった状況が後退したり消えたりした場合――その後にたどるパターンはいくつかある。第一に、同盟が成功した結果として消滅するパターン。二度の大戦で勝利した同盟関係はそのような経緯をたどった。

第二のパターンでは、同盟が敗北した結果として、消滅する。勝者によって存続を許されないという場合もあるし、加盟国が存続を望まないという場合もある。第二次世界大戦後、ドイツ、日本、イタリアが構成していた同盟関係は消滅した。冷戦終結後には、ソ連が主導していたワルシャワ条約機構が、同じ結果となった。

成功した同盟（苦戦はあっても生き残っている同盟）には、さらに別のパターンもある。同盟として起こす行動、または行動に対する備えの規模は縮小しつつ、同盟の存在そのものは残すのだ。新しく別の存在理由を見つける場合もある――同盟の活動範囲に地理的制限を設けていたとしたら、その条件を変更して、別の場所も対象としていくこともあるだろう。たとえばNATOは、冷戦後も同盟を継続する決断をしただけでなく、加盟国を増やし、結成時に対象とした地域以外でもミッションを遂行していくこととした。

同盟を組まない道にも多数の選択肢がある。単独で行動する道や（一国主義）、フォーマルではないが集団として「有志連合」を形成する道など。これらはインフォーマルな「スタートアップ」として、範囲の狭い特定のミッションや、より一般的な目的に特化する。同盟ではなく地域機関や国際機関を通して活動するという道もあるが、実際には幅広く集まるほど、構成国間の認識にずれが生じやすい。全会一致の合意を得なければ行動を起こせないこともあるので、このアプローチは実際には対応力が弱かったり、行動が起こせなかったりすることが多い。国連や地域機関の効力に失望させられることが少なくないのは、これが主たる理由だ。こうしたグループはいずれも集団的行動や多国間主義の一種であって、「多極化」と混同してはならない。多極化というのは世界におけるパワーの配置について述べた言葉であり、パワーが複数カ所に点在している状態を指す。

最後にもう一つ注意を喚起しておきたい。「同盟」「同盟国」といった用語は気軽に使われており、「友好国」の同義語になっていることが多い。しかし厳密には、同盟・同盟国と呼ぶのは、その根幹に安全保障上の義務が存在する場合である。国同士が友人関係になったり、近しいパートナー関係になったりすることもあるが、同盟国であれば、お互いの防衛をするという厳粛な義務を伴っている。

国際社会

先にも論じたとおり、社会とは、単なるシステム以上のものだ。社会が誕生し回っていくためにはパワーのバランスが必要だが、それだけでは十分ではない。同盟が秩序を支えることもあれば損なうこともある。ここでは、ヘドリー・ブルが言う国際システムと国際社会を区別する四つの要素――民主主義が普及しているかどうか、経済的にどの程度まで相互依存しているか、グローバルガバナンスはどのような範囲で行われているか、国際法は尊重されているか――に注目したい。

民主主義

世界秩序を形成する一要素となるのが、国々の民主主義の程度である。より正確に言うなら

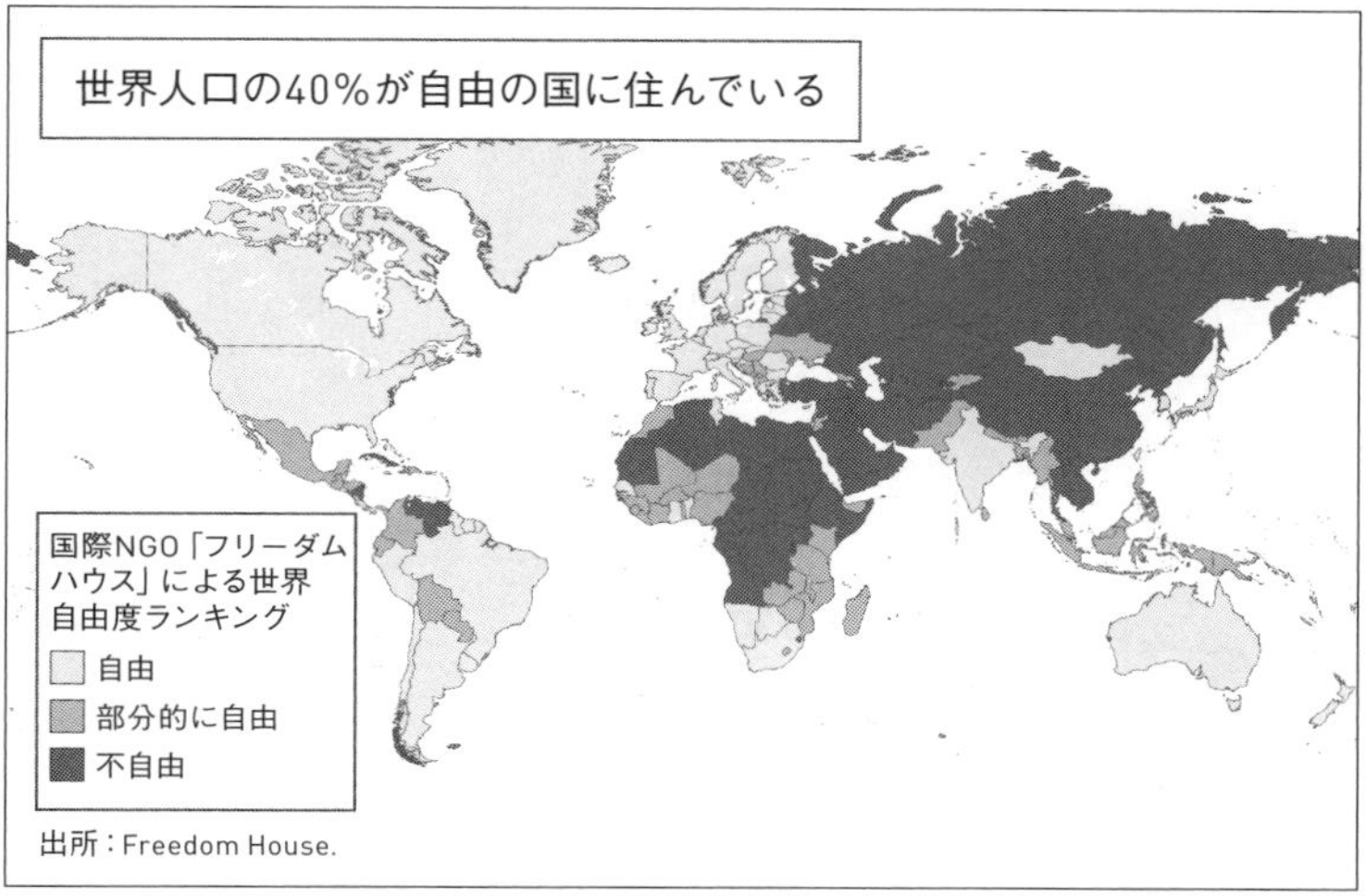

ば、成熟した堅牢な民主主義が成立しているか、という点が重要な要素となる。民主主義国家は、個別の選挙で選ばれる大統領が率いる場合もあれば、議会の最大政党の党首が首相となって率いる場合もある。アメリカやフランスは前者、ヨーロッパ諸国の大半は後者だ。いずれの場合であっても、民主主義国家の共通点として、自由かつ公正な選挙があるだけでなく、政府高官の権力を制限し個人の基本的権利を守るしくみ、すなわちチェック&バランスがある。

世界の40%以上の国、そして世界全人口のほぼ同じ割合が、自由で民主的と分類される国で暮らしている。世界で最も人口の多い民主主義国家はインドで、アメリカは第2位だ。世界人口のおよそ3分の1は、明らかに自由ではなく民主主義ではない国（中国を含む）で暮らしている。残りおよそ4分の1は、フィリピンやメキシコなど、その中間にある国で暮らしてい

第二次世界大戦以降、民主主義国家の数は増加している

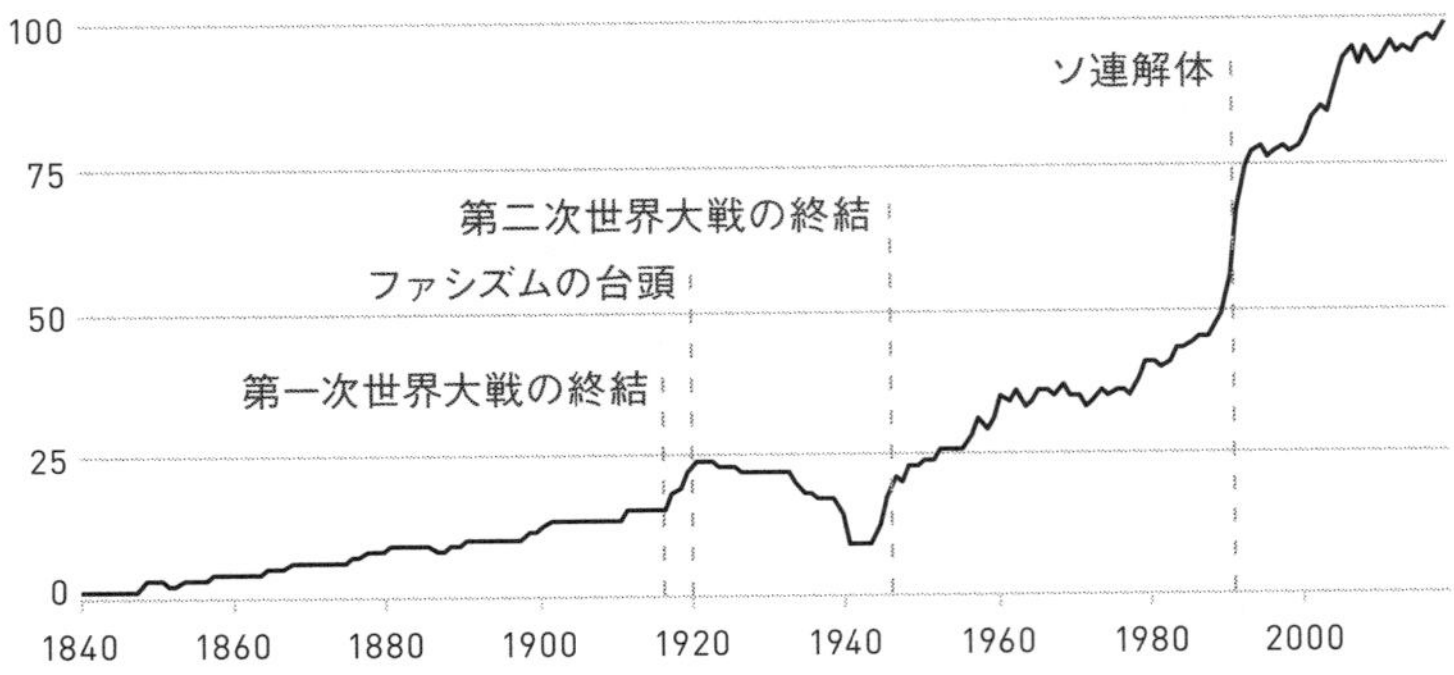

注：人口50万人以上の国のみ。

出所：Polity IV Project, Center for Systemic Peace; *The Economist.*

る。半世紀前と比べれば、現代では堅牢な民主主義を有する国が多くなっているが、21世紀になってからの20年間で、民主主義の進歩に逆行する現象もいくつか見られている。

成熟した民主主義国家、つまり、しっかりした憲法があり、権力の行使に対する有効なチェック&バランスがあり、個人の権利が幅広く保障されている国は、他の民主主義国家を攻撃しない傾向がある。これはしばしば「民主的平和論」[2]と呼ばれ、歴史を見る限り、その説は正しい。未成熟で非自由主義の民主主義国家、[3]すなわち、民主主義を強固または堅牢にする特徴の多くが欠けている国は、攻撃を控える傾向が見られず、むしろ過激なナショナリズムの主張に軽々と呑み込まれやすい。思い浮かぶのはトルコ、フィリピン、ポーランド、ハンガリーだ。そのうえ、成熟した民主主義国家——権力に対する真のチェッ

ク&バランスが利いている国——のほうがどちらかといえば希少であり、実現させるのはきわめて困難であるため、民主的平和論は現実というより一つの概念と言わざるをえない。

経済相互依存

経済相互依存も、平和を強化する一要素と見られている。国と国とが経済取引で相互に得をする関係——貿易や投資フローなどで——にあるほど、自国の利益になる状況を壊さないよう、お互いに自制した行動をとる傾向があると言われる。確かにそれが真実となる状況もあるのだが、第一次世界大戦の勃発に表れているとおり、危機においては、この「合理的な」経済認識よりも、別の計算のほうが優先されることもありうる。安全保障上の懸念は、経済上の懸念よりも重視されやすいのだ。また、重大な国益のために最善を尽くしていないというレッテルを貼られることを恐れる指導者が足元の利害を優先し長期的な熟慮をないがしろにする例も少なくない。台湾をめぐる危機は、この経済相互依存の効力を試す場であるとも言えるだろう。中国は最近まで、自国の発展に必要不可欠な経済的紐帯を破壊しないよう、それなりに自制のきいた外交政策を行ってきたが、台湾を支配下に置くという長期的かつ政治的な目標を選ぶのか（実行すれば、アメリカとのあいだに軋轢が生じるリスクがある）、それとも今の経済的利益を維持するのか（貿易と投資を破壊しかねない行動は避けたほうがいい）、選択せざるをえなくなるのかもしれない。

グローバルガバナンス

グローバルガバナンスがどの程度成立しているか、それは、世界で最も力の強い国々が既存の政治的・経済的取り決め、すなわち国際関係を統治するルールをどの程度まで受け入れているか、そして、これらのルールがどのように定められ、修正され、執行されているかという点によって決まってくる。また、これまでにはなかった新しい課題、とりわけグローバル化に伴う試練に対し、新しいルールや取り決めを承認する姿勢が世界の大国にどの程度まで備わっているか、その点もグローバルガバナンスのあり方を形成する。本書で再三にわたり指摘したとおり、グローバル化に関するガバナンスはあらゆる面で不十分な状態だ。気候変動やサイバースペースなど、いくつかのきわめて重要な領域においては、国際的な課題が積み上がる一方だというのに、それに対する各国の集団的対応は大きく後れをとっている。

グローバルガバナンス推進のための機関やフレームワークは数多く設置されている。その代表が国際連合（国連）だ。秩序形成を進め、国際的紛争を阻止し、阻止できなかった紛争を解決することを目的として作られた機関である。第二次世界大戦中に構想が立てられ、終戦後に実現した。世界の国々には違いがあり、紛争が生じることは避けられないと認識し、その平和的な解決を後押しすると同時に、国連が明確に承認しない軍事行動には走らせないというのが、国連設立の狙いだった。設立に寄与したイギリス首相ウィンストン・チャーチルの言葉「攻撃よりも口撃のほうがよい」が示すとおり、国々が有意義に話し合うためのフォーラムの開催も定期的に行っている。より大きな視野でとらえるならば、国連設立には、次の世界大戦を起こさせないという狙いがあった。第一次世界大戦後に設立された国際連盟は、同じ目標をまっとうできなかったのだが、国際連盟の後継として成立した国際連合は武力行使を実行することができるので、仮に安定を回復しなければならない事態が生じたら、これによって秩序を支えることができる。また、国連の承認によって、そうした武力行使に対して、合法という重要なお墨付きが加わることになる。

しかし現実には、国際的な秩序に対する国連のこれまでの貢献はきわめて限定的で、今後もそうである可能性が高い。こうした機関が影響力をおよぼせるのは、あくまで、加わっている主な国々が合意し協力して行動する態勢ができている範囲であって、その範疇にないことはできないのだ。国連も例外ではない。国連の中で最も大きな権限をもつ安全保障理事会は、15カ国によって構成されている、10カ国は非常任理事国で、任期2年で交代する。そして5カ国（アメリカ、中国、ロシア、フランス、イギリス）は常任理事国で、拒否権を有しており、国連としての行動を阻止したり、行動の承認を阻止したりすることができる。この5大大国が賛同すれば、安保理の行動は合法的なものとなるので、国際的な支持も得られやすい。１９９０年にイラクがクウェート侵攻・占領をした際、安保理の決議によってイラクに武力行使が行われたのは、そのような経緯だった。

しかし、ほとんどの状況では、そうした合意が成立せず、国連は集団的行動をとらない判断を

国連安全保障理事会

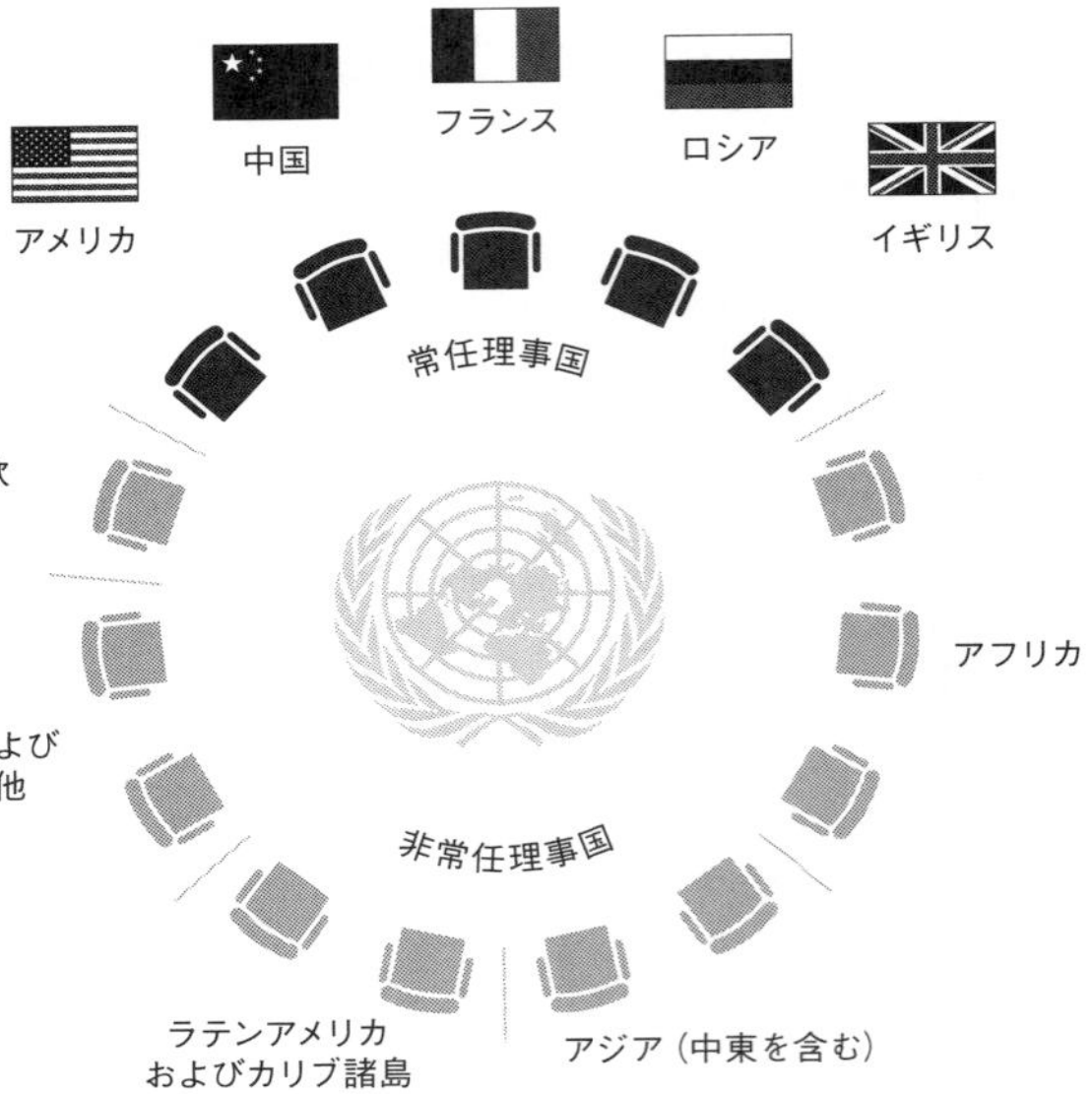

したり、関与を避けたりする。国々は当然ながら、重要な国家利益や自国にとっての安全保障にかかわる問題を、国連にゆだねたがらない。安保理が今の世界の勢力均衡を反映していないという事実も、いっそう影響力を弱めている。今のパワー・バランスを反映するならば、日本、インド、ドイツ（あるいはEU）が常任理事国になるはずだ。だが、常任理事国5カ国が合意しないのだから、そうした変化が起きるとは考えにくい。国連総会においては、各国が規模や財力や軍事力を問わず1票ずつを保有しているが、この総会も権限や影響力はきわめて小

さい。

国連のような正式な国際機関ではなく、全世界または多数の国々が参加しているわけではない機関であっても、秩序の推進に貢献する場合がある。実際のところ、多国間協調主義（主に、具体的な問題や一連の問題に対して、集団で対策をとることを指す）は、関連し合う能力や同じ考えをもった国々が選択的にグループとなることで生じることが増えている。たとえば1990年代初めに、旧ユーゴスラビアへの武力介入について、ロシアの反対によって安保理の承認が下りなかったときには、NATOが多国籍部隊の派遣を行った。また、さまざまな共通の課題、多くはグローバルな経済的課題と、場合によっては政治的課題に連携して対応する目的で、主要国首脳会議、通称G7という会合が1970年代半ばから年最低1回の頻度で開催されている。このG7がG8と呼ばれていた時期には、アメリカ、イギリス、フランス、ドイツ、イタリア、カナダ、日本、ロシアが参加していた（ロシアは1998年に参加したが、その後に参加資格が停止となった）。さらに幅広い集まりとして、中国やロシアや中規模の国々も参加するG20も1999年から年に一度の会合の場をもち、グローバルな課題への対応を試みている。それ以外でも、より狭い目的のために結成された小さなグループは数多く存在している。世界が整然と秩序だっているとは今も言うことはできないが、これらのグループが世界の秩序に貢献していることは確かだ。

国際法

国際法は国際関係の多くの側面にかかわるもので、これも世界に秩序をもたらす要素だ。おそらく何より重要な点として、国際法は、国の自衛など、武力行使が正当となる状況を明示する。また、軍を投入するべきか、どのように軍事力を行使するべきかを判断する指針にもなっている（挑発行為に釣り合う形で行使する、民間人ではなく敵の戦闘員のみに対して行使するなど）。化学兵器など、特定の武器の使用は決して正当化されないことも示している。

しかし厄介なことに、一国の中の社会のあり方と、世界における社会のあり方は、当然ながら違うものだ。戦争や平和について具体的な判決を下す世界裁判所のようなものが存在するわけでもない。オランダのハーグに拠点を置く「世界法廷」（正式には「国際司法裁判所」）は存在するが、現実として、扱う範囲はかなり狭く限定的だ。同じくオランダのハーグにある国際刑事裁判所（ＩＣＣ）が担当する範囲も限られており、主に戦争犯罪で起訴された者の裁判を行う。原理としては、このような機能があること自体が、個人または政府に残虐行為の実行を思いとどまらせる力になる。しかし実際には容疑者を逮捕できないことが多く、また、アメリカが自国の兵士や外交官が逮捕・訴追されうることへの懸念からＩＣＣの機能を認めない立場をとっているせいで、ＩＣＣの力は弱い。全般的にも、平和維持のために必要とあれば介入する権限をもつ世界警察部隊のような機関は存在しないし、世界刑務所もない。定められたルールの多くは、違反した者に刑罰を与えることができない。

　戦争の頻発と暴力を抑え、世界秩序を強めることを意図した法は多数あるが[6]、その焦点の一つが、どんなときに戦争が正当化されるのか[7]という判断だ。これはラテン語の専門用語で「ユス・アド・ベルム（jus ad bellum）」（意味は「戦争を始める権利」）と言われる。最も広く共有されている原則としては、自衛のための戦争（攻撃または侵略された当事者の国、あるいはその代理による戦争）であれば、征服された領土の解放や、すでに行われている攻撃の阻止が目的である場合に限り、合法とされる。この原則は国連憲章に埋め込まれている。

　同様の開戦法規として、正当な理由によるものであること、成功の見込みがあること、別の解決方法を試し尽くしたあとの最後の手段であること、そして適切な法的根拠によって合法と認められることが求められる。こうした理屈に意味がある理由は、開戦に対するフォーマルな制限になるからではなく——国際機関の許可がなくても戦争は始められる——他国との関係を悪くする行動はしないほうがよいと思わせる力になるからだ。また、個人や政府が戦争の合理性を判断するための根拠となる。

　もう一つ、国際法の焦点となっているのが、戦争を始めたならばどう戦うべきかという判断だ。ラテン語で「ユス・イン・ベロ（jus in bello）」（「戦争中に守るべき法」）と言われる。こうした交戦法規では、投入する軍事力に比例性を求めるほか、戦闘員ではなく民間人を意図的に攻撃しないこと、無差別に大量の死傷者を生む特定の兵器を採用しないことを定めている。

　法と戦争に関する三つめの焦点として、最初の二つほど有名ではないが、近年に注目が高まっているのが、ラテン語で「ユス・ポスト・ベルム（jus post bellum）」[8]（「戦後に守るべき法」）である。紛争後の状況について定める法規のことで、領土の調整や、軍事力に対する制限の強制、戦争犯罪の訴追、制裁の実施、補償の要件などに関し、戦争前の原状（攻撃が行われる前に存在していたもの）の単なる回復にとどまらず、その先に踏み込むことが妥当となる場面を定義する。こうした法は、紛争後の行動に関する義務や禁止事項を明確な一覧として提示しているわけではないし、全世界で広く順守されているわけではない。だが、政府が対策を実施する前、あるいは市民が政策を支持する前にぜひとも考慮すべき一連の問いを投げかけるという点で、意義は大きいと言える。

ほかに、さほどドラマチックではない形でも、国際法は秩序を支えている。外交において何を承認し、外交官をどう扱うか、条約その他の合意はどのように交渉すべきか、領海・領空を含む領土の統治はどのように行うか、訴追と刑事免責に関するルールと手続きはどうするか、法として定めている。特に重要なのは、海洋のどこまでがどの国の管轄か定める境界設定だ。一般的には、岸（基線）から12海里までがその国の領海とみなされ、基線から200海里までが排他的経済水域と言われ、石油資源や水産資源などに対する特定の権利をもつ。こうした法規のすべてが国家間の日常的な相互作用を円滑にしており、紛争が起きる可能性を低減し、外交と貿易と投資を促進している。

条約など、国際合意がこうしたルールを公式なものとし、ルールが守られない状況に対処するためのメカニズムを作る。しかし、条約を成立させるには、そもそも全当事者間でのコンセンサスが不可欠だ。多くの場合、そんなコンセンサスはとれない。とれたとしても内容が希薄化されることが少なくない。政府は、その主権において条約署名を選ぶこともできるし、署名を拒否することもできる。同様に、条約を順守するのも、条約から離脱するのも、国家主権の選択にゆだねられる。実際に、多数の国々が核拡散防止条約（ＮＰＴ）の承認を拒否しているし、ある一国（北朝鮮のことだ）は、いったん調印してから数年後に離脱し、条約を侵害した。アメリカは国連海洋法条約（ＵＮＣＬＯＳ）に署名したが、結局は批准しなかった。最近では、ドナルド・トランプ政権下において、歴代のアメリカ大統領がまとめてきた国際合意や条約から離脱している（または、離脱を宣言している）。ロシアとの中距離核戦力全廃条約、イラン核合意、アジア太平洋地域の数十の国々とともにまとめた環太平洋パートナーシップ（ＴＰＰ）協定、そして気候変動に関するパリ協定などである。

国家間の戦争

国家間の戦争は、秩序の破綻を示す最も明白なサインだ。さまざまな動機、目的、手段、期間、規模、コスト、範囲で戦争は起きる。このダイナミクスに拍車をかけるのが――場合によっては、それ自体が戦争の引き金となる――国や帝国の興隆と衰亡である。たとえば、第二次世界大戦前のナチスドイツや大日本帝国のような国々が、力をつけて既存の秩序に挑む場合がある。また、傾きつつある帝国（第一次世界大戦前のオーストリア＝ハンガリー帝国、同大戦後のオスマン帝国、１９９０年代の旧ユーゴスラビアなど）において中央権力が崩壊し、外部の勢力がそのほころびに侵入を試みて、無秩序の混乱に陥ることもある。

新興国が台頭してきたとき、当事者と既存主要国の双方が許容できる形で、その台頭を受け入れていくにはどうしたらいいか。そして、弱体化している帝国や国々の崩壊を制御していくにはどうしたらいいか。これは目新しい課題ではない。古代ギリシャの歴史家トゥキュディデスは、

2000年以上前の書物で、「アテナイが強大になり、それがスパルタを不安に陥れた」[1]ことでペロポネソス戦争は必然的に起きたのだと述べている。この指摘は、中国の台頭という点で、現代世界が直面している試練を巧く言い表しているという意見もある。[2]

とはいえ、国家間の戦争の例を見るなら、それほど昔にさかのぼる必要はない。1990年、イラクは近隣国であるクウェートを攻撃し完全包囲した。このときはアメリカ率いる多国籍軍がクウェートを解放し、同国政府に独立を取り戻させた。さらに最近では、ロシアが武力行使によってジョージアとウクライナに侵攻・占領し、ウクライナの領土クリミア半島を併合している。

戦争が起きるのは、秩序が破壊されているという、何より基本的な証拠だ。グローバルな戦争、地域レベルの戦争、国内レベルの戦争もある。領土や資源をめぐる戦いもあるし、何らかの恐怖や野望が引き金となって戦いが起きることもある。国家ではない組織、たとえばテロリスト集団、民兵組織、何らかの運動と関連したゲリラ勢力と戦う場合もある。政府を転覆し別の政府に入れ替えるため、あるいは内部または外部の勢力から攻撃されている現政権を維持するために戦うこともある。

すべての武力衝突が戦争としてカウントされるわけではない。一部の専門家に言わせれば、判断基準は規模だ。最低でも1000人の命が奪われるのが戦争であり、[3]そこに至らない場合は暴動とみなすのだという。これは明らかに恣意的な判断だ。出来事を戦争と呼ぶか、紛争と呼ぶか、武力紛争と呼ぶか、それも恣意的に判断される。基本的には長期化する性質を帯びた規模であるときに「戦争（war）」という名称を使用する。戦争であると定義すれば、特に戦闘員の権利など、特定の法的意味がかかわってくる。介入（武力介入）という言葉は仕掛けた側の行為を指しており、それに対して何らかの抵抗や報復があった場合に、初めて紛争や戦争となる。ただし介入と言っても、特定の武力介入（たとえば平和維持活動）は、戦争を終結させる、もしくは終結を促すためのものであることを付け加えておく。

これが戦争であると判断する最低限の時間的要件があるかどうかはわからない。数十年にわたって続いた戦争もあれば（17世紀初頭の三十年戦争や、最近の例ではアフガニスタンでの紛争が思い浮かぶ）、1967年6月に中東で起きた戦争の例のように、わずか6日間だった場合もある。

どんな戦争も代償を伴うが、とりわけ高くつく戦争もある。第一次世界大戦では約900万人の兵士が死亡し、その2倍近い兵士が第二次世界大戦で死亡した。さらに数倍の兵士が二度の大戦で負傷したほか、死傷した民間人の数は数千万にのぼる。経済的コストは列挙することもできない。

従来の定義では、戦争とは、軍事力の使用を伴うものだ。しかし、経済的罰則（制裁や関税など）やサイバー攻撃のように、その他の手段を使って戦うこともある。軍事力を伴う場合でも、実際に弾が発射されるとは限らない。船や航空機で品物や人を運ばせない通商禁止措置も、戦争行為の一つになる。また、軍事力を威圧する力として位置づけ、相手から望ましい対応を引き出すこともある。これはたいてい「砲艦外交」と呼ばれ、こうした行動自体で戦争を構成するわけではないが、開戦の脅しとなる。そして相手国の対応が不適切だと判断した場合には、実際の戦争に発展する。

戦争の原因と種類

19世紀初頭のプロイセン王国の将校にして、偉大な戦略家だったカール・フォン・クラウゼヴィッツは、戦争とは政治の延長[5]であり、手段が異なるだけと表現した。国家間の戦争は、野望や欲やイデオロギーのため、あるいは過去の恨みを晴らすため、人命を守るため、敵の台頭を防ぐため、敵が力を獲得・行使するのを阻止するためなど、さまざまな理由で始まる。歴史を振り返れば、領土争いが引き金となって国家間の戦争が起きることが多い。[6]また、国内の政治的プレッシャーに応える手段として、あるいは国民の関心を国内の不満や失態からそらすための作戦として、戦争が始まることもある。

戦争にもさまざまな種類がある。20世紀に起きた二度の世界大戦は国家総力戦だった。ありとあらゆるリソースと兵器が投入され、世界の人口と領土の大半が巻き込まれた。それ以外の大半の戦争は、目的も手段も限定的だ。ただし、一国の力で戦争を限定的なものにとどめておくことは不可能で、敵対する二国以上の関与が必要となることを指摘しておきたい。また、戦争が限定的な目的を念頭に置いて始まった、または限定的な手段で始まったからといって、そのまま限定的に進行する保証はどこにもない。

戦争が「通常戦争（正規戦争）」または「不正規戦争（非正規戦争、非通常戦争）」と、区別されることもある。通常戦争とは、制服を着用し政府当局の指揮を受ける軍隊（陸軍、空軍、海軍）同士が戦うという意味だ。ほとんどの場合、民間人や非戦闘員が多く居住する土地から離れた戦場で展開される。それとは対照的に、不正規戦争と呼ぶのは、国家ではない主体の兵士が戦う戦争を指すことが多い。彼らは正規軍ではないが、正規軍がとるような作戦を採用して戦う。制服は着用しない傾向があり、しばしば民間人に紛れ込む。市街地が戦地となることもある。また、通常戦争には含まれない武器――核兵器、化学兵器、生物兵器など――が使用される戦争を不正規戦争と呼ぶこともある。その点で単独としても、全体の軍事作戦の一部としても実行されることが増えているのが、サイバー攻撃だ。昨今では通常と非通常の境界線が曖昧になってきただけでなく、戦争と平和の境界線すら昔と比べれば不透明だ。昨今では不正規戦争のほうが一般的となりつつある。

特殊な戦争の一つに「予防戦争」がある。これは、集結しつつある脅威に対して、もしくは集結しつつある脅威と認識されるものに対して行われる戦争だ。脅威とは、敵とみなされる国の台頭といった広範囲の対象を指す場合もあれば、より具体的に、敵が新たな軍事能力を開発・獲得することへの懸念を指す場合もある。いずれにしても、予防戦争は、脅威と認識されるものが完成する前に阻止することを計算した行動だ。ソ連は１９６０年代後半に、中国の核能力獲得を予防する狙いで、中国に対する予防戦争の開始を検討していた。イスラエルは、１９８１年にはイラクで建設されていた原子炉施設に対して、２００７年にはシリアに対して予防攻撃を実施した。アメリカは、北朝鮮がアメリカの土地に届きうる核弾頭開発を試みていることを理由に、一度ならず予防戦争の検討をしている。そしてイスラエルとアメリカは、いずれもイランの原子炉施設への予防戦争を検討したことがあり、今後イランが核兵器開発の姿勢を見せる日が来たら、ふたたびその選択肢を俎上に載せる可能性がある。

予防攻撃や予防戦争にも欠点がある。まず、予防と言っても、これは戦争行為だ。敵の台頭や新たな軍事力の獲得を野放しにした場合に生じる秩序への脅威と比べれば、予防的に秩序を乱したほうがよいという計算が働いている。だが、予防攻撃を受けた国がどう反応するか、あるいは予防攻撃を受けずに強くなった場合にはどう行動するのか、確実に予見することなどできないのだから、正確な計算は不可能だ。相手国の意図を最悪のパターンで想定すれば、当然、最悪の帰結が計算されるだろう。予防攻撃の手段は戦争だけではない。経済制裁、抑止、防衛力の強化、相手国が得ようとしている能力の質や量を抑える外交努力といった手段も考えられる。

また、予防戦争のほうが広く混乱を招く可能性もある。脅威であるかどうかは、見る者の立場によっても違うだろう。また、予防攻撃をすることが当たり前になったとしたら、その世界は暴力が絶え間なく生じる世界になる。したがって、予防攻撃に妥当性を与える国際法はほぼ皆無で、政治的な支持もないに等しい。

予防攻撃ではなく「先制攻撃」「先制戦争」と言う場合は、まったく異なる意味を指す。予防攻撃の場合は集結しつつある脅威を防ぐために武力を行使するが、先制行動は、あくまでも差し迫った脅威に対して行うものだ。相手が今まさに殴ろうとしてきた瞬間に、こちらが一発目をお見舞いするのに等しい。そのため、先制攻撃は正当で合法的と広く認識されており、予備的な自衛行為だと理解されている。1967年6月の中東で、六日戦争となる戦争の皮切りとしてイスラエルがエジプトの軍を攻撃したのは、先制攻撃に該当すると判断されている。予防と先制では、法的根拠も、秩序に対する意味という点でも大きく異なるのだが、残念ながら誤解され混同されることが少なくない。アメリカは2003年のイラク攻撃を先制攻撃と称しているが、現実には、あれは予防攻撃だった。その違いを考えれば、イラク攻撃の是非が世界中で物議を醸している理由も納得がいく。

先制行動を実行すれば、相手に対し、「おまえが攻撃しようとしている標的は、こんな力をもっている、実行する気がある」と知らしめることができる。しかし、言うは易し、行うは難しだ。相手が用意している攻撃について、確実な情報が得られることはめったにない。また、確実に先手を打って攻撃するとしても、そこにリスクがないわけではない。予防攻撃と同じく、先制攻撃をしたことによって報復が引き出されることも考えられる。先手を打って破壊したはずのシステムが、破壊し切れずに生き残っていた場合、それが使用されてしまう可能性もある。

戦争の頻発と今後の見通し

国家間の戦争はここ数十年間でかなり少なくなった。現時点で大国間の紛争が生じていないというのは、過去数世紀、特に20世紀とは異なる喜ばしい変化だ。しかし、シリア、イエメン、アフガニスタン、リビア、ウクライナ、スーダンといった国々の状況を含め、戦争(紛争と呼ばれ

ほとんどの戦争は国内で起きる

紛争の数

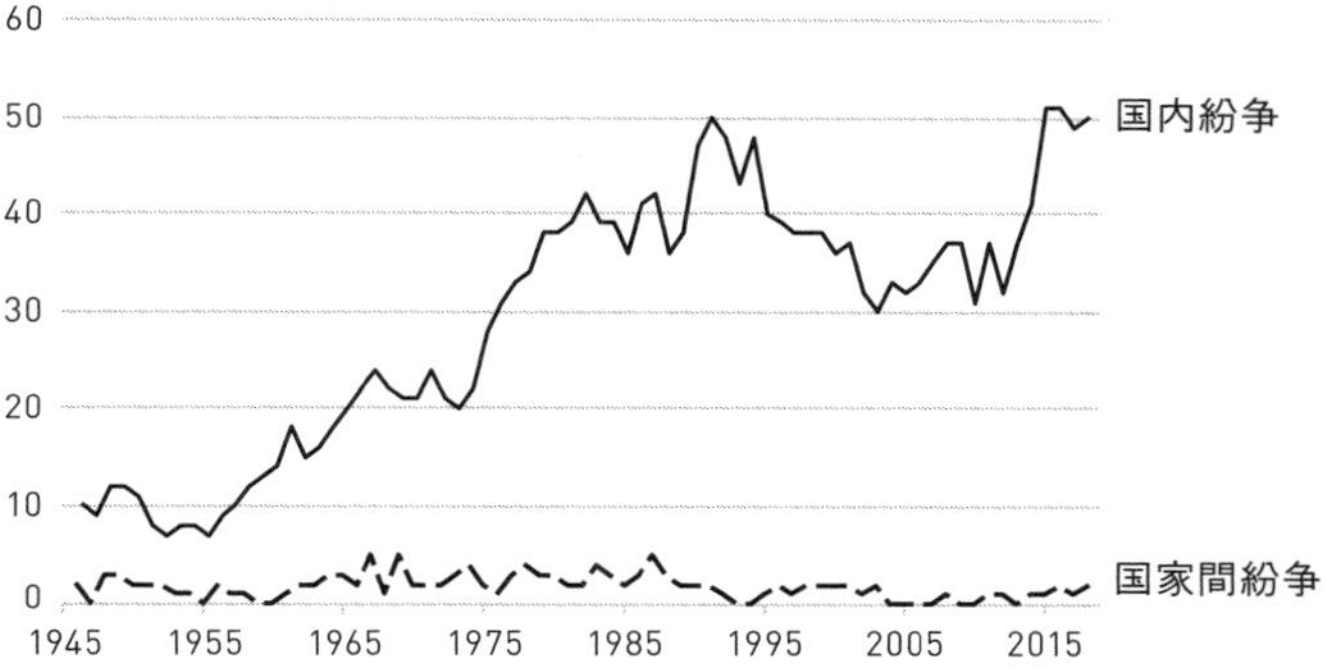

注：少なくとも一方が国家政府である場合の国内紛争および国家間戦争のみ。国内紛争には、外国による介入が含まれる場合もある。

出所：UCDP/PRIO Armed Conflict Dataset version 19.1; Pettersson, Therese, Stina Högbladh, and Magnus Öberg, 2019. "Organized violence, 1989–2018 and Peace Agreements," *Journal of Peace Research* 56, no. 4; Gleditsch, Nils Petter, Peter Wallensteen, Mikael Eriksson, Margareta Sollenberg, and Håvard Strand （2002）. "Armed Conflict 1946–2001: A New Dataset," *Journal of Peace Research* 39, no. 5.

る場合が多いが）はつねに少なからず起きている。大国間に紛争が生じていないからといって、主要国のあいだに揉めごとがないというわけでもない。アメリカはほぼ20年にわたってアフガニスタンと深くかかわっているし、ロシアはウクライナとシリアに直接的な武力介入を行っている。これらの戦争は大国同士の戦いとは言えないかもしれないが、代償が大きいことは確かだ。シリアの例だけを見ても、２０１１年に紛争が始まって以来およそ50万人の命が奪われ、[7] 国の人口の半分以上が住んでいた土地を追われている。

　そして、主要国間の戦争が起きていないにもかかわらず、軍事支出は増大する一方だ。[8] 言い換えると、国々は生じうる大型戦争に今も備え続けている。全世界で軍事力の維持や準備に投じられている金額は、年間2兆ドルをわずかに下回る程度だ。アメリカが全体の3分の1を占めており、2位以降の7カ国の防衛費を合わせたよりも多い。これは、自国の利益のみならず世界の利益ともかかわっているという、アメリカのユニークな立場を反映している。アメリカ以外で軍事支出が多い国とは、中国、サウジアラビア、ロシア、インド、フランス、イギリス、日本、ドイツである。

したがって、大国間の戦争の不在が持続的な傾向なのか、それとも例外的状況なのかは、判断がつかない。特に核兵器が使用された場合など、戦争がもたらす実際のコストや潜在的なコストが以前よりも高くなっているので、国家間の戦争は起こしにくいという視点から、戦争の不在は持続すると主張する声もある。[10] ほかにも、戦争は前ほど頻発していないと見る側の説として、民主主義社会が浸透したことにより、そうしたコストの生じる決断は下されにくいという指摘もある。民主主義社会の指導者は有権者に対して説明責任があるし、国同士が経済相互依存の関係にあるので、戦争をすれば貿易と投資の阻害という間接的コストが莫大になるからだ。[9]

私自身は、あまり楽観的ではない。[11] 国家間の戦争が前ほど頻発しなくなった理由は、堅牢な同盟の形成や、信頼性のある抑止力の維持など、戦争を防止する政策が適用されているからにすぎないと考えている。仮にこうした政策が無視される、あるいは改変されることがあれば、戦争が起きる頻度はぐっと高まるだろう。また、第一次世界大戦勃発の経緯を考えると、商業関係は戦争を食い止める信頼性の高い防波堤だという説には、疑いの目をもつ必要がある。そして、第一次・第二次世界大戦それぞれの始まりがそうだったように、民主主義的社会であっても、権威主義的指導者に率いられている社会であっても、戦争につながりうるナショナリズムの熱には抗いがたいものだ。戦争はもう過去のものだと思いたい気持ちはあるが、そう信じる根拠はないに等しい。台湾に関する出来事が引き金となってアメリカと中国とのあいだに、あるいはヨーロッパに対するロシアの攻撃が原因でＮＡＴＯとロシアとのあいだに、核開発プログラムが理由となってアメリカと北朝鮮もしくはイランとのあいだに、さもなければインドとパキスタンとのあいだ、サウジアラビアとイランとのあいだに戦争が起きるという展開は容易に想像できてしまう。人間の本質は昔も今も変わっていない。支配者や国民を戦争へと走らせる動機が、現代において消滅しているわけではないのだ。

国内情勢不安と国内紛争

国の内部で起きる展開が、世界秩序を脅かす可能性もある。ある国における秩序の不在は、テロリストに攻撃の訓練、準備、遂行の場を与えることとなりやすい。感染症の流行が世界に拡大する確率も高くなる。内戦で膨大な難民が生じれば、近隣国の情勢も揺らぐ。ある国の情勢不安につけこんで、その地域や世界の大国が、何らかの目的のために介入してくることもあるだろう。歴史はもっぱら強い国の行動によって作られるものだが、弱い国家、失敗しつつある国家、失敗した国家――国内の安全保障維持をはじめとして、期待される任務を遂行する能力または意思が政府にない国を指す――も、国境を越えた秩序を大きく乱すことがある。

国内の戦争が減っていると示す証拠は何もない。[1] 1989年に冷戦が終結してからというもの、世界で毎年平均20件の国内紛争が起きている。多くの国が、建国以降のいずれかの時点で、国を切り分けて別の国を築こうとする分離独立運動に直面した経験がある。分離独立運動の活動家たちが目指すのは、主権を入れ替えることではなく、自分たちの主権国家を別に作ることだ。南スーダン共和国は２０１１年にスーダン共和国から分離した。現在はスペインのカタルーニャ州が、同州に住む人々の新たな国家建設を目指している。一方、テロリスト組織、麻薬カルテル、海賊などが政府に挑む場合、目的は独自の国家建設ではなく、現政権を無視して自分たちの政治的または経済的活動を行う力をもつことだ。特に中東では、国軍や、民兵やテロリスト集団、もしくは近隣諸国および遠い外国の武力が関与した暴力的な内乱が日常茶飯事である。中東以外の地域でも、程度こそ低いものの、そうした状況が見られる。こうした国内紛争（内乱、内戦）は、国家間の紛争よりもはるかに頻度が高い。そして長期化する傾向があり、決着がついたあとに再燃する可能性も高い。

　重要な区別として、ある国が他国と比べて相対的に弱い立場にあるということと、ある国が絶対的に弱い立場にあるということは、同じではない。国が絶対的な意味で弱い（一般的に「脆弱国家」と呼ばれる）というのは、領土内で起きることを制御する能力がない、もしくは、国民がふつうの生活を送るために必要なものを入手可能にすることができない状態を指す。これは決して特異な状況ではない。世界では5人に1人以上――15億人ほどに相当する――が脆弱国家で暮らしている[2]。国連に議席をもち、国際条約に署名し、外国に大使館を維持しているとしても、脆弱国家は国民が政府に期待する基本的な責務をこなすことができない。具体的に言えば、国内の安全保障維持、徴税、効力のある通貨の発行と維持、インフラ建設、基礎教育の提供、食品および製品の安全規制、年金や医療の基本的なサービスの提供などができないのである。

こうした弱い国では、政府による制御が利かない地域が国内に広く生じやすい（「非統治空間」と呼ばれることが多い）。脆弱国家と失敗している国家との違い[3]は程度の違いだ。失敗国家と言う場合は、領土内の大半の地域に対して政府が主導権をもたず、コントロールを回復する見込みがゼロ、もしくはきわめて薄い状態を指す。別の言い方をすると、脆弱国家の場合は外部から何らかの支援を受け、その支援を活用することができるなら、回復の見込みがある。一方で失敗国家のほうは、領土を効果的に統治できる状態に回復するまで、数年または数十年におよぶ膨大な取り組みが必要となる。ソマリアは典型的な失敗国家だ。当面のところ、機能的な国家になる見込みはないに等しい。同じことがイエメンにも当てはまる。シリアとベネズエラもおそらく同様だ。パキスタンとメキシコは、現時点では脆弱国家である。

国内情勢不安と国家失敗の原因

国内がどんな状況であれば、国家の弱体化や崩壊に最も結びつきやすいのだろうか。脆弱な国は[4]、汚職の蔓延や、指導者への過度の権力集中、場合によってはその二つの組み合わせのせいで、法の支配が順守されていない傾向がある。これは私有財産の所有や国内への投資に対するインセンティブを薄れさせ、経済成長を阻害する。何しろ不動産を買っても、会社を作っても、工場を建てても、気まぐれな政府が明日にでもそれらを奪ってしまうかもしれないのなら、国民は努力をする気になれないからだ。差別も蔓延しやすく、主にマイノリティや女性の社会進出の道を阻むので、それも経済成長の不振につながる。教育や公共交通機関などの公共サービスも、こうした国では不十分となりやすい。

政治的な面では、権力がきわめて少数の手に集中している国は、情勢不安となりやすい。指導者に対する監視の目が少なく、指導者のほうも失敗から学ぶ意欲をもたないからだ。国民の大多数が、政府の正当性や支配権を疑っている。憲法——そして、権力の恣意的な行使に対するチェック&バランス——も不十分、または正しく執行されていない。経済的な面で見ても、失敗国家へと進みつつある国は、汚職が横行し、賄賂支払いのために労力を割かねばならない国民が自分のビジネスに集中できないので、経済成長が阻害される。政府の能力が低く、徴税もきちんと行われず、行うとしても平等な徴税ではない。警察や裁判所の力が弱い、もしくは汚職が横行していて、法を執行できない。不平等の差が大きく、社会階層の上層へと移動する道はほぼ存在しない。エリートはずっとエリートとして居座っている。公共に関するサービスにもすべからく特定の利権がからんでいる。

内戦も国を不安定にする。内戦と呼ばれる戦争はほとんどの場合、分離戦争である。国民の一部が、住んでいる土地や共通のアイデンティティを背景として、分離して自分たちの国を作ろうとして起こす戦いのことだ。アメリカの南北戦争もそうだった。冷戦後には、旧ユーゴスラビアにおける中央支配の弱体化を受けて、分離独立を求める戦争が数多く起きた。

一方、現政権を失脚させ、国全体を別の形で統治する新たな政権に入れ替えることを目標とする場合は、継承戦争として考えるのが一番わかりやすい。革命戦争や民族解放戦争はこれに該当する。アフガニスタン政府とタリバンにおける、権力の完全掌握をめぐる戦いも、同様と言えるだろう。分離のための戦争でも、継承のための戦争でも、政府軍と、政府または支配的権力の指揮下にはない国内勢力がぶつかっている。

こうした国内の紛争はさまざまな理由で生じる。第二次世界大戦後には植民地だった国々が独立を求めたので、各地で数多くの内乱が起きていた。近年において内乱が多いのは中東だ。ほとんどは国内の事情が理由となって始まるのだが（たとえば少数民族と政府、あるいは政治的運動と政府が衝突して）、いずれか、もしくは双方の陣営に対し、他国政府が直接的または間接的に肩入れすることが一因となって争いが継続することが多い。程度の差はあるが、イラク、シリア、イエメン、リビアはそのパターンだ。国外から派遣される兵や武器も、衝突の火に油を注ぐ。

意外なことではないが、均質的な社会ではなく、それなりの規模をもった少数派が一つもしくは複数共存している社会のほうが、内戦が起きやすい[5]。堅牢な民主主義が浸透している場合は、少数派が保護され、政治・文化において大幅な自律性が与えられるので、完全分離を求める声が起きにくく、紛争勃発の可能性は低くなる。専制君主に近い制度で支配されている国も、国内紛争は起きにくい傾向があるが、こちらの理由は効果的な抵抗を開始・維持するチャンスがほとんどないからだ。堅牢な民主主義と専制君主制という両極端のどちらでもない状況のときに、内戦が最も起きやすい。

そのほかに、内戦勃発を招きやすい布石[6]としては、教育水準が低い（特に少年および成人男性において）、人口一人当たりのGDPレベルが低い、石油などの資源に対する経済的依存度が過度に高いといった特徴が挙げられる。特定の資源への経済依存度が高いと、汚職につながりやすく、まともな雇用が少なくなる。莫大な石油資源に「恵まれている」国において、多様性のある経済が育たず、中間層が発展しにくいことを「石油の呪い」と呼ぶが、こうした現象は多く見られている。

政策対応

国内の秩序を崩壊させかねない問題には、さまざまな対策が考えられる。国家の弱体化や内戦勃発の確率を下げる予防手段となりうる対策もある。たとえば、外交で衝突を解決する。あるいは、経済成長を推進するしくみや、秩序を乱しかねない軍事的脅威や物理的脅威に対処するしくみを、多様な形で整えておく。経済的インセンティブを提示したり、従わない場合に制裁を行うと脅したりすることで、望ましい行動を促していくこともできる。平和維持部隊も安定の維持・回復をもたらす力になるが、まずは名称が示すとおり、維持すべき平和が成り立っていなければならない。平和維持部隊を圧倒するほどの紛争が起きていない状態に限り、その状態を広く支えていく役割を担う。そもそも平和が存在しないのであれば、より大規模かつ強大な軍隊が、平和構築という任務を遂行することになる。

予防できなかった際の対策としては、外交や、悪質な行為を罰する制裁や、武力介入といった手段が考えられる。ある国で起きている秩序の崩壊を、他国が武力で抑えた例としては、

1999年のユーゴスラビアにおいて、セルビアの統治から逃れたい民間人に対する政府軍の攻撃をやめさせるべく、NATO連合軍が空爆を行った。また、その国が自力で秩序を守る対策をとれるようになるまで、他国が武力によって保護する場合もある。1991年のイラク北部で、中央政府によって脅威にさらされたクルド人に対し、アメリカ軍がこの対策をとった。

内戦を解決する万能策は存在しない。ある状況で奏功した方法が、別の場面では失敗することもある。交渉で和平調停につなげることは可能だとしても、交渉を成功させるためには、双方の指導者に妥協する意思と妥協できる力が必要だ。たとえ交渉が成功しても、時間の経過とともに、少なくとも国民の一部に不満が生じてくる場合もある。交渉で終わった内戦ほど再燃しやすいのは不思議ではない。紛争を終結させるには、たいていは平和維持軍の力が必要だ。[7] 勝利を明白にする（反対陣営から言えば、敗北を明白にする）ことが、国内に安定をもたらすタネになる。[8] ただし、勝者側には一定の寛大さをもって行動する姿勢があり、敗者側には結果を受け入れる姿勢ができていることが条件だ。

まったく別の方法で解決する道もある。たとえば国の分割だ。一つの国の中で共存することはできなくても、隣国としてであればやっていけるかもしれない。キプロスがそうだった。今でこそ半世紀にわたる平和が保たれているが、この島は1970年代の政治的危機を経て、ギリシャ系住民とトルコ系住民とが分断された。トルコ軍の侵攻により、住民の大規模な移動が起きたのだ。トルコ軍は現在でもキプロス島に駐留している。

北アイルランドも同様だ。30年にわたる「もめごと」〔訳注：The Troubles：いわゆる「北アイルランド問題」のこと」で3000人以上の人々が命を失った末に、有能なイギリス警察およびイギリス軍の駐留と、プロテスタント系住民とカトリック系住民の居住区を分離する壁、そして平等な権利と保護を奪われていたカトリック系マイノリティを救済する政治的手続きによって、比較的おだやかな状態が成立するようになった。居住区を隔てる壁は、学校制度における広い分離をもたらし、その断絶を長引かせた。それでもかろうじて北アイルランドは分離が奏功したと言えるかもしれないが、分離が必ずうまくいくとは限らない。インドは、1947年にイギリスから独立した際に国が分割され、現在のパキスタンが作られた。インドとパキスタンの関係は今も緊迫したままで、これまでに何度も戦争が起き、双方が互いを標的とした核兵器を開発している。

国内の紛争や暴力を引き出す要素が数多くあることを考えると、内戦を伴う国家の弱体化と失敗がめずらしくない状況は、今後も続くと考えられる。ソマリアは国家として崩壊してから30年が経つが、今も失敗国家のままだ。シリア、イエメン、南スーダン、中央アフリカ共和国、コンゴ民主共和国も、ここ10年で失敗国家になった。これは世界にとって重大な意味をもっている。膨大な数の難民が今後も世界各国に流入することになるし、テロリストや、サイバー攻撃や麻薬取引に関与する犯罪集団の拠点となることを防げない国家の数も少なくないことを意味するからだ。それに加えて、弱い国家の政府は、気候変動のような世界的問題への対策に貢献する状況になく、むしろそうした問題の被害を大きくこうむる立場だ。国内の紛争のせいで、現政権の維持や失脚に利害関係のある外国勢力につけこまれることもあるだろう。外国の介入のせいで、その地の運命が決まってしまうこともある。イランとロシアがシリアに介入した結果は、実際にそうなった。あるいは、その国をめぐって競争する外国同士が戦争になる可能性もある。世界秩序を維持しようとしていた19世紀の列強が、「周辺領域」と呼ばれる場所――このときも、それはクリミアだったわけだが――での紛争に関与したことで、結果的に秩序の維持を破綻させてしまったのは、皮肉と言うよりほかにない。これは現代の私たちにとって重大な教訓であるはずだ。

外国からの介入のあり方として、もう一つ言及しておきたい形式がある。国家建設だ。ある国が別の国を作ろうとする（「国民形成」とも言う）という発想が物議を呼ぶ理由は、主に、アメリカがアフガニスタンとイラクを安定した民主主義社会に変えようとして、それが高い代償を伴い、しかも成功してないという事実があるためだ。だが、第二次世界大戦後のドイツと日本においては、アメリカによる国家建設が奏功した。最近の例ではコロンビアでも、10年にわたる持続的なアメリカの関与と、経済および国家安全にかかわる支援により、コロンビア政府はテロリストによる内乱を抑え、麻薬製造を劇的に減らす力をもてるようになった。もちろん、こうした状況での成功率を高めた条件が、他の状況でも必ずそろっているわけではない。それでも、中央アメリカやメキシコ、そしてアフリカや中東の一部の国々においては、国の能力を構築し、国内の秩序をそれなりのレベルで維持できるようになることを目指して、外国が限定的で対象を絞った介入をするというのは、妥当であると言えるのではないか。本書で何度も指摘してきたことだが、グローバルな世界において、ある国で起きることは世界のすべての人々に影響する可能性があるからだ。各国が世界に対して負う基本的な義務を遂行できる状態になるよう、その国の政府の手助けをするべきだというのは、きわめてまっとうな理屈であると言えるだろう。

リベラルな世界秩序

リベラルな世界秩序、あるいはルールベースの世界秩序と呼ばれるものについては、これまでにも多く議論され、書籍や論文も執筆されている。[1] リベラルな世界秩序とは、第二次世界大戦後に形成された一連の国際的なしくみ——まず国連と国際通貨基金（ＩＭＦ）と世界銀行の設立、それから世界貿易機関（ＷＴＯ）の前身である関税及び貿易に関する一般協定（ＧＡＴＴ）——を指す。いずれも、紛争の平和的解決を推進し、自由な貿易と開発を促進し、国境をまたぐ投資と商業を促進する目的で作られた制度だ。

この世界秩序は、古典的な意味で、リベラルだった（現在において政治的な意味で使われるリベラルという意味ではなく）。秩序に参加する国々が基本的には民主主義であるという意味だ。秩序は自由意志によるものであり、ルールにもとづいたものであり、あらゆる国に対して開かれているものだった。アメリカと、ヨーロッパおよびアジアにおける同盟国の協力によって、勢力均衡と平和が維持され、通常兵器と核兵器の両方によって、それらが支えられていた。抑止力と軍備管理も勢力均衡に貢献し、核兵器が使用されないよう抑える役割を果たした。自由貿易は同盟関係を強め、敵となるかもしれない相手が破壊的な行動をしないためのインセンティブを提供していた。

この秩序との関係性において、異質な立場をとるのが、ロシア（旧ソ連）と中国だ。二国とも国連安全保障理事会の常任理事国であり、世界銀行とIMFとWTOの加盟国であり、主要国首脳会議（G8）やG20といったグループにも加わっている（ロシアはクリミア併合後、2014年にG8参加資格が停止となった）。その一方で、二国は人権の保障にも、よりリベラルな社会、より民主主義的な社会になっていくことにも、あるいは他国がその方向に進むことについても、ほぼ関心をもっていない。ロシアは、他国の領土の尊重や、交戦地帯における非戦闘員の権利の保護など、リベラルな世界秩序における最も基本的な要素のいくつかを侵害してきた。中国は、南シナ海に関する国際法のルールを無視し、WTOの加盟承認に伴い順守を期待された方針とは一致しない経済および貿易方針を実行している。

今、リベラルな世界秩序は、ほころびが生じている。アメリカの相対的なパワーが低下し、世界において従来の役割を果たすことに対するアメリカの積極性が薄れ、中国が台頭し発言力を強め、ロシアが意図的に秩序の転覆を企てているせいだ。そして中国やロシアのような旗色鮮明な国だけでなく、フィリピン、トルコ、東欧でも、権威主義が広がりつつある。グローバルな貿易は成長しているが、ここ数度にわたる世界的貿易交渉はいずれも合意に至らなかった。WTOは関税、非関税障壁、政府補助金、為替操作、知的財産の盗難・侵害など、現代における重大な課題に適切な対処ができずにいる。アメリカがドルの優位性を乱用して制裁を科していることへの反発が広がる一方で、アメリカの債務増大に対する懸念も高まっている。さらに根本的な点として、危機に陥ったときにアメリカに頼ることができるのかどうか、同盟諸国が不安をつのらせ、アメリカ一国主義に対する違和感を強めている。

国連安保理は、世界で起きている紛争の大半に関与していない。さまざまな国際協定も、グローバル化に伴う課題に対応できていない。各国は大量虐殺を認めない意向を示し、ある国の政府が国民に対する「保護する責任（R2P）」を果たせない場合は他国が介入する権利があると主張しているが、その言葉は行動を伴っていない。核拡散防止条約で核保有が認められているのは世界で5カ国だけだが、実際にはそのほかに非批准国を含め9カ国が核兵器を保有している（残りの多くの国も、保有しようと思うなら、そうすることが可能だ）。ロボット工学、人工知能からドローンに至るまで、軍事応用される新しいテクノロジーの獲得・使用に対する規制も、いっそう困難になるばかりだ。現時点で最も重要な地域的協定であるEUも、移民、経済政策、そしてEUと加盟国間の責任分担をめぐって不協和音を抱えている。そして世界中の国々がアメリカの支配的優位に対する抵抗感を強めている。その点でアメリカはどうかというと、政治的に分断され、イラクとアフガニスタンにおける戦争長期化によって軍事力も疲弊し、第二次世界大戦以降で見れば過去に例のないほど、リベラルな世界秩序の推進に対する意欲が薄れているように見える。

自民族中心主義的で排他的なナショナリズムの再燃も、秩序の足を引っ張る。外国や外国人に敵意を抱く過剰な愛国主義に変質したときのナショナリズムは危険だ。秩序を破壊する影響力をもつ。この手のナショナリズムが後押しとなって、攻撃的な外交政策が成立したり、外国に住む民族的に近い集団の代理として、その外国に介入する口実ができたりする。ロシアは、近隣諸国におけるロシア系少数民族のために、まさにそうした行動に出ている。最も劇的に表出した例がウクライナでの経緯だ。こうした過激で暴力的なナショナリズムが育まれたのは、ロシアにおいて広く国辱と認識されている出来事、すなわち冷戦での敗北とNATO拡大が起きてからだということを、ぜひ指摘しておきたい。

グローバル化を推進する力がさまざまに作用している時代に、ナショナリズムの暴走が起きるとは、奇妙に感じられるかもしれない。だが、グローバル化の進行にこそ、その答えがあると言うこともできそうだ。経済的、文化的、政治的に自分たちが制御できないと感じる、あるいは脅威とみなす力に直面すると、人はナショナル・アイデンティティにしがみつく。自由貿易、移民、そしてEUや国連などの機関に対する否定論が湧き上がるのも、おそらくそうした緊張の意識が一因だ。つまり、ナショナリズムと世界秩序の緊張関係は、第二次世界大戦後に脱植民地化を進めたことでは解決されていなかったのである。むしろ反対に、脱植民地化の進行とともにナショナリズムは無視できない力をもつようになり、社会における寛容さや、隣国や遠くの外国との平和的な関係とは相いれないものとなりつつある。

こうしたことはなぜ起きるのか。今日の世界秩序は、中国の台頭や、秩序の重要な側面を拒絶する複数の中堅国（特にイランと北朝鮮）の存在、そして国内と国家間の秩序に深刻な脅威となりかねない非国家主体（麻薬カルテルからテロリストネットワークまで）の登場など、多様なパワーの変化に対応しきれずにいる。一言で言うならば、現代は歴史上のいかなる時期よりも多くの手に、パワーが分散しているのだ。

テクノロジーと政治の文脈も重大な形で変化している。グローバル化のせいで、気候変動の進行はもちろん、過去にない規模でテクノロジーが普及して、秩序を乱す意図をもった集団や個人も高度な技術をもつようになるなど、安定を揺るがす作用をもたらしている。国内の格差拡大、2008年の世界金融危機がもたらした混乱、貿易と技術革新に起因する雇用消失、増大する移民と難民の流入、ヘイトを拡散するソーシャルメディアの威力のせいで、ナショナリズムとポピュリズムも高まっている。

効果的な国政術が欠けていることも否定できない。さまざまな機関も現状に適応できていない。仮に今、国連安保理のしくみを新たに作ろうと思ったら、現在のような状態にはならないはずだ。にもかかわらず、影響力の喪失を恐れる国々が変化を阻止するせいで、実のある改革を実行できない。気候変動からサイバー攻撃に至るまで、グローバル化がもたらすさまざまな課題に対処する有効なフレームワークを作る試みも、十分には進んでいない。ヨーロッパ諸国やEUが下す判断も、既存の政府、EU内の開かれた国境、EUの存在そのものに対する強い反発を生み出している。

アメリカがアフガニスタンの再建を試み、イラクに侵攻し、リビアで政権交代を目指したのは、明らかに行きすぎた行為だった。その一方で、アメリカは世界秩序の維持という作業に消極的になり、状況によってはまったく貢献をしなくなった。ヨーロッパとアジアのパワーバランスに影響する重大な問題には対応しているものの、シリアにおける衝突など、アメリカがコストをかぶる価値はないとみなした周辺的な地域に関しては、行動を渋る傾向がある。シリアが最初に化学兵器を使用した時点で、アメリカは実のある対応をすることができず、反政府軍の支援も十分ではなかった。こうした躊躇のせいで、他国がしだいに増長し、アメリカが示す懸念や行動を無視する傾向が生まれている。サウジアラビアが主導するイエメンへの武力介入はその一例だ。シリアとウクライナにおけるロシアの行動も、こうした視点から理解すべきと言えるだろう。かつてクリミアで起きた経緯を不吉にも彷彿とさせる。19世紀のクリミア戦争は実質的に、ヨーロッパ協調を終わらせ、当時の秩序の決定的な敗北を浮き彫りにした。そして今、トランプ政権下のアメリカがさまざまな国際条約から離脱し、以前は不可侵に見えたヨーロッパとアジアにおける同盟関係にも条件付きのアプローチをとり、中東で手を組んできた国々とも距離を置き、北朝鮮とイランへの対応も言動不一致であるせいで、アメリカの信頼性に対する疑いは何倍にも膨れ上がっている。

こうした変化を見る限り、古い秩序をこれから復活させていくことが可能だとは思えない。新しい試練の前では、むしろ古い秩序では不十分とも言えるだろう。この点を認識し、なおかつリベラルな秩序の根幹的な要素を守りたいと思うなら、そうした根幹的要素をあらためて強化するとともに、変化するパワーダイナミクスと新しいグローバルな問題への対策を加えて補完していくことを考えるべきではないか。具体的には、アメリカと、アメリカが手を結ぶ国々による働きかけ、軍備管理と非拡散合意を強固にして、既存の同盟関係を増強し、テロリストや麻薬カルテルやギャングへの対策がとれない弱い国家を支援し、権威主義的な介入に民主主義的手続きで対抗していくのである。中国とロシアを既存の世界秩序に統合することにおおむね失敗したのは明白だが、だからといって、世界秩序の適応と維持の作業に二国を参加させる努力を拒否する言い訳にしてはならない。そうした努力が21世紀の成り行きを少なからず形成していくこととなるからだ。妥協、インセンティブ、譲歩を組み合わせて駆使していく必要があるだろう。競争を対立には発展させず、競争のせいで協調が不成立となることを阻止しながら、競争と協調を効果的に組み合わせた関係を築いていかなければならない。

気候変動、貿易、核拡散の問題をはじめとして、グローバル化に伴う課題を解決していくためにも、国家同士の協力が必要だ。この点でも、求められるのは古い秩序の復活ではなく、新しい秩序の構築である。気候変動を阻止し、適応し、できるだけ相殺していく取り組みは、いっそう積極的に進めていかねばならない。中国の技術盗用や、国内企業への補助金制度、貿易に対する非関税障壁の行使がもたらす問題に対処するために、WTOの役割を修正していく必要もあるだろう。サイバースペースと宇宙における道路交通法も作らねばならない。こうした新しい課題全般に対して、新しい協調関係で臨んでいかなければならないのだ。高望みかもしれない、しかし、必要なことである。

善のために行動する者として、アメリカの評判を回復するにあたっては、自制心をもって、他国からの一定の敬意を取り戻していかなければならない。そのためには、近年に実践されてきた外交政策のあり方からは、大きな方向転換が求められる。まずは軍事力の行使について、また制裁や過度な関税という形でアメリカの経済政策を武器化することについて、もっと慎重にならなくてはいけない。それ以上に重要な点として、国際協力や多国間協調主義に対する現在の脊髄反射的な反発を、見直していかなければならない。世界秩序が徐々に変わっていくのは仕方がないとしても、かつて世界秩序の設計と構築に大きく貢献した国が、その秩序を積極的に踏みにじっていいということにはならない。

そのためにはアメリカ自身の立て直しも必要だ[2]——政府債務を削減し、インフラを再構築し、公教育の制度を改善し、基礎研究への投資を増やし、社会のセーフティネットを改善し、有能な外国人が渡米・在米しやすい優れた移民システムを導入し、投票しにくさを改善して政治的機能不全を解消し、ゲリマンダー〔訳注：選挙区の区割りが特定の政党や政治家にとって有利になっていること〕を解体していく。自国が分断され、国内問題に揺れ、人的資源にも不足しているようでは、アメリカが世界各国の手本になることはできないし、国外で効果的に秩序形成を推進していくこともできるはずがない。アメリカ人にとっては幸いなことに、この国は、今述べたような国内の立て直しのすべてを実行しつつ、グローバル時代の根本的な真実——他国で起きることが自国で起きることに影響する——が適用される世界において、積極的な役割を、いや、世界を牽引する役割を維持していくだけの資力がある。そう考える根拠は40年にわたる冷戦の経験だ。当時のアメリカは、GDP比では今よりもはるかに多くの金額を防衛費[3]に使いながらも、国内の経済的活力を損なわずにいることができていた。

近代的な世界秩序をアメリカの支えによって成立させる道以外に、現実として入れ替わる道があるとは思えないし、望ましいとも思われない。たとえば中国が主導するとしたら、世界秩序は非自由主義的なものとなるだろう。そこにあるのは、権威主義的な国内政治システムと、国内の安定維持を何より優先とする国家統制主義的経済だ。中国がアジア支配を試みることで、世界は勢力圏で構成される時代に舞い戻り、インドや日本やベトナムのような他の地域大国とのあいだにも衝突が生じるだろう。そうなったら各国が通常戦力、もしくは核戦力を増強していくことになるかもしれない。

ヨーロッパやアジアの中堅国、もしくはカナダなどが主体となって新たな民主的かつルールベースの秩序を作り、率いていくならば、それも悪くないのかもしれないが、そこまで踏み込もうとする政治的意思と軍事能力が各国にあるとは思えない。それよりも、秩序のほとんどない世界、混乱の深まった世界が成り立つというほうが、可能性としては高いかもしれない。その世界では、保護貿易主義、ナショナリズム、ポピュリズムが拡大し、民主主義は衰退しているだろう。国内と国家間の紛争が今よりも頻発し、大国間の対立も増えるだろう。グローバルな課題に対する協調的取り組みなど成立しないに違いない。こんな予想があまり突飛に感じられない理由は、今の世界がそうした状況に近づきつつあるからだ。

既存の世界秩序は自国の重大な利益を守ってくれない、自国のパワーや野望にふさわしい世界を与えてくれない、それゆえに今の世界秩序は守るに値しない――そんなふうに考えた政府や指導者がこれまで、歴史を大きく動かすさまざまな行動をとってきた。ナポレオンしかり、ビスマルクしかり、ヒトラーもしかり。秩序は国際関係に自然と備わっているものではなく、ひとりでに生まれてきたり、自動的に継続したりするものではないことも、歴史が教えている。むしろそれとは正反対で、秩序を成り立たせるためには、政府などが、秩序を維持するために互いの差異を乗り越えようという意思と、乗り越えられる能力をもって、積極的な貢献と協調的な努力をしていかなければならないのだ。問題は、現代の各国政府と、政府を選んだ国民たちに、そんな積極的努力をしようという姿勢があるかどうかという点である。その答えがNOなら、おそらく第二次世界大戦以降の75年間の平和は例外的状況だったということになる。世界はふたたび20世紀に近い状態に戻っていくことだろう。答えがYESならば、リベラルな世界秩序と、その秩序がもたらす多くの恩恵は、今後も生き残っていくに違いない。

謝辞

もう50年近く前のことだが、オハイオ州オバーリン大学の学生だった私は、勇気を振り絞って、宗教学の教えを受けていたトーマス・フランク教授にこんな質問をした。先生がなさったような素晴らしい講義をするためには、いったいどれほどの準備が必要なのですか。教授は目を細めて私をじっくり眺め、左の袖をまくり、腕時計に視線を向け、ため息をつき、それから答えた。「30年と30分、と言っておこうかね」

本を書くというプロセスも、これとよく似ている。私が自著について語るとき、最もよく聞かれる質問は、「執筆にどれくらいかかりましたか」だ。答えは思うほど単純ではない。本書を例に考えてみよう。執筆のために筆をとったのは——正確に言えば、キーボードに指を載せたのは、2017年後半のことだ。第一稿が完成したのは2019年の初春だった。推敲と編集に春の終わりから夏いっぱい、秋の始まりまでかかった。だが、この本にどんな内容を含め、どのような構成にするか考えていた時間も入れるとしたら、それよりもはるかに長い時間がかかっていたことになる。

私のいつものパターンとして、第一稿を書き上げたら他人に読んでもらうことにしている。本書の性質上、今回は普段よりも多くの人に感想を求めた。内容の正確性を高めるためでもあったが、同時に、若者でも年配の人でも、学生でもそうでなくても、専門家でも一般人でも、さまざまな背景の人々に役立つ本にしたいという目的があったからだ。原稿全体を読んでもらう場合と、1章分だけを読んでもらう場合があったが、全員から貴重な助言をいただいた。テッド・オルデン、アリッサ・エアーズ、トム・ボリーキー、マリー・ブレナー、ダン・カルドウェル、ジョン・キャンベル、スティーブン・クック、トリッシュ・ドーフ、サム・ハース、ブルース・ホフマン、マーティン・インダイク、エイミー・ジャッフェ、チャーリー・カプチャン、ダン・カーツ - フェラン、リー・レヴィゾン、ジム・リンゼー、スーザン・メルカンデッティ、キャロライン・ネクヴォロドフ、シャノン・オニール、スチュワート・パトリック、リチャード・プレプラー、ギデオン・ローズ、アダム・シーガル、ブラッド・セッツァー、スタン・シューマン、サム・ヴィノグラード、イヴァ・ゾリッチが、多くの提案、批判、訂正を寄せてくれている。それでも残ってしまった間違いは著者の責任だ。

出版社ペンギンのみなさんにも感謝の意を表したい。特にスコット・モイヤーズとクリストファー・リチャーズにお礼を申し上げる。本書は彼らとともに上梓する2冊目となるが、少なくとも私にとって、きわめて大切で価値ある関係が築かれている。その点では担当エージェントであるアンドリュー・ワイリーも忘れるわけにはいかない。執筆プロジェクト全体をサポートし続けてくれた。

本書には多数の地図やグラフを収録した。これらの収録について、外交問題評議会のキャサリン・ビダル、ウィル・メロー、マイケル・ブリクネル、ジョイス・チェンに厚くお礼申し上げる。書籍デザイナーのルシア・バーナードとクレア・バッカロ、制作エディターのカーリン・チロンナ、コピー・エディターのイングリッド・スターナー、制作ディレクターのグロリア・アルミニオ、カバーデザイナーのオリバー・マンデーをはじめとするペンギン社のチームにも感謝している。

リサーチアシスタントのデイビッド・サックスには、特に言葉を尽くして感謝したい。本書の執筆を実現させ、より良いものに仕上げるために、実に多くの貢献をしてくれた。幅広いテーマを網羅するので、調査は通常よりも負担の大きいものだった。デイビッドは質の高い作業を、驚異的な量で、信じられないほどのスピードでこなす才能の持ち主だ。それに加えて、私が書いた文章に対し、豊富な知識にもとづく見解を積極的に寄せてくれた。執筆と編集の全体を通じて、彼は私にとってかけがえのないパートナーだった。

外交問題評議会の仕事があるので、執筆は主に早朝と週末に進めた。ありがたいことに私が17年にわたり会長を務めている外交問題評議会の同僚たち、なかでもドリーン・ボンナミ、ニコラス・ウェイゲル、アリッサ・ガースラー、ジェフ・ラインケにお礼申し上げる。今回の原稿に意見を寄せてくれただけでなく、彼らとの仕事が私の人生の骨組みとなっている。評議会の仕事をしつつ本書の執筆をする時間を守れたのも、彼らのおかげだ。数多くの記事や解説動画と、アメリカ合衆国国家安全保障会議と国連安保理の仕事をシミュレーションするプログラム「モデル・ディプロマシー」、そして誰でも利用できるワークショップ「ワールド１０１」を制作・運営している外交問題評議会の有能かつ熱意あふれるスタッフにも感謝している。いずれも高品質な内容で、評議会のウェブサイト cfr.org にて無料で閲覧可能だ。この本と同じく、アメリカ人にとっても、その他の人々にとっても、良くも悪くも生活の根本に影響する世界の様子について、知識を深める教材となるよう作られている。

外交問題評議会は独立した超党派の会員制組織であり、シンクタンクであり、出版と教育にも携わっている。この組織のミッションは、アメリカおよび全世界で政府や国民が選ぶべき外交政策について、議論の質を高める情報源となることだ。ただし、政策問題について独自の意見を表明することはない。本書に含めた内容は私の考えであり、組織の考えを反映したものではない。

最後に——重要性の面では決して最後ではないが——もう一つ書いておきたい。本書は私の家族、妻のスーザン、私たちの子どもサムとフランチェスカに捧げる。私たちは今、ただ歴史の中に生きているだけでなく、困難で苦労も多い時代に生きている。そうした中で、会話、笑顔、愛情、そして建設的な批評に満ちたやすらぎの場を与えてくれる家族がいるというのは、私にとって何より幸運なことである。

さらなる学びのために

本書の中心的目的は、読者の人生を形成することとなる世界を把握し、備えていくための基盤を提供することにあった。しかし理想としては、世界で起きる出来事や外交政策の議論について、より深く学び、より踏み込んで追究していこうという意欲も感じてもらえたのではないかと思っている。

本書を読んだ読者がさらに学びを深める具体的な方法としては、まずは何よりも、世界に関する報道を多く掲載する質の高い新聞を読んでいただきたい。読むべき価値のある新聞は、出来事が実際に起きている場所、政策が作られている場所に足を運ぶジャーナリストのチームと、情報の正確性確保を使命とする編集者たちに支えられている。また、優れた新聞ほど、社説にページを割きすぎない傾向がある。ニューヨーク・タイムズ、ウォール・ストリート・ジャーナル、ワシントン・ポスト、フィナンシャル・タイムズなどを選べば間違いはないが、アメリカの都市や世界の主な首都を拠点として刊行されているそのほかの新聞にも、読むべき価値のあるものが多数存在している。

定期購読しておきたい雑誌も多い。分析とニュースの両方を盛り込む最良の週刊誌（オピニオン記事を多く含む場合もある）と言えば、エコノミスト誌だ（洗練された文体というおまけもある）。そのほかで、重要な国際報道の多い総合誌としては、ニューヨーカー誌やアトランティック誌がある。

もう少し専門的な情報源としては、国際問題や、アメリカや他の国の外交政策に特化した雑誌やウェブサイトもある。掲載内容は最新のニュースよりも、もっぱら分析で、とるべき行動について提言を載せる場合もある。こうした情報源の中で一番良いのは、外交問題評議会が年に6回発行しているフォーリン・アフェアーズ誌である。同ウェブサイトForeignAffairs.comも同等の価値があるが、こちらは新しいニュースに結びついた短めの記事を掲載している。私が外交問題評議会の会長なので、先入観があることは否定しないが、フォーリン・アフェアーズ誌は外交問題に特化した権威ある刊行物であり、その他の学術誌や政策専門誌とは比較にならないほど読みやすくわかりやすい。国際問題に関する学術誌や専門誌は、いくつかの例外（アメリカン・インタレスト誌、インターナショナル・セキュリティ誌、ナショナル・インタレスト誌、サバイバル誌）を除き、難解で理解に努力を要するものが多い。

そのほかに、背景情報や分析や政策提言を読むなら、さまざまなシンクタンクのウェブサイトもお勧めしたい。ここにも私の先入観があることは認めるが、最も優れているのは外交問題評議会のサイトだ（cfr.org）。解説記事と背景情報のほかに、専門家はもちろん専門家でない人にもわかりやすい分析を載せている。そのほかでは、アメリカン・エンタープライズ公共政策研究所、ブルッキングス研究所、カーネギー国際平和基金、戦略国際問題研究所（CSIS）、ランド研究所といった機関のサイトをお勧めする。アメリカ以外の機関で素晴らしいウェブサイトがあるところと言えば、王立国際問題研究所（イギリス）、IFRI（フランス）、ローウィー研究所（オーストラリア）、SDP（ドイツ）、それから国際的機関だがロンドンに拠点を置く国際戦略研究所（IISS）である（私は20代の頃、国際戦略研究所に数年間ほど所属していた。かなり昔のことで、当時はまだ名称をISSと言い、完全に国際的な機関ではなかった。ついでの情報開示として、私が一時期カーネギー国際平和基金とブルッキングス研究所に所属していたことも書き添えておく）。

さらに専門性の高い機関のウェブサイトもある。インターアメリカン・ダイアログ、ピーターソン国際経済研究所、ワシントン近東政策研究所、ヒューマン・ライツ・ウォッチ、フリーダム・ハウス、国際危機グループなど。国際問題に特化したウェブサイトとしては、「ウォー・オン・ザ・ロックス」や「フォーリン・ポリシー」を勧めたい。心苦しいことに、そのほかのさまざまな質の高い機関やサイトの紹介は割愛せざるをえないが、関心がある読者のための貴重な情報源はオンラインで多数見つかるということをお伝えしておく。

参考となる文献も膨大にあり、多くがオンラインで入手可能だ。IISSが年鑑『ミリタリーバランス』を、ストックホルム国際平和研究所（SIPRI）が軍縮条約の全文などを掲載した『SIPRIイヤーブック』を刊行しているほか、国連、IMF、WTO、OECD、世界銀行が資料を公開している。特にIMFによる年2回刊行のレポート『世界経済見通し（WEO）』、世界銀行の『世界経済見通し（GEP）』、WTOの『世界貿易報告』を挙げておく。

アメリカ政府の各部局や機関、たとえば通商代表部や商務省なども、それぞれの管轄に関する貴重な統計やデータを幅広く公開している。中央情報局（CIA）の年次刊行物『ワールド・ファクトブック』は特に有益だ。また、機密ではない脅威情報について国家情報長官が発行する年次報告書や、国家情報会議が4年ごとにまとめる報告書『グローバル・トレンド』、議会予算局（CBO）と議会調査局（CRS）が定期的に発表する分析内容も推薦しておく。

テレビでは、国際または外交政策にかかわる問題の本格的な報道が行われることは少ない――しかも、2、30年ほど前と比べて、明らかに減っている。それでも注目すべき例外はある。「PBSニュースアワー」、MSNBCのさまざまな番組（私がしばしば出演している「モーニングジョー」など）や、内容によってはCBSの「サンデー・モーニング」と「60ミニッツ」も優れている。それからCNNで日曜に放送する「ファリード・ザカリアGPS」は、国際問題に特化した中では間違いなく突出して優れたテレビ番組だ。PBSの「フロントライン」も、国際的なテーマで質の高いドキュメンタリーを制作している。HBOなどでも、ときおりよい番組が放送されることがある。

ラジオで世界に関する報道を聴くなら、ナショナル・パブリック・ラジオ（NPR）と、同局の番組を配信する地方局がお勧めだ。「モーニング・エディション」「オール・シングス・コンシダード」「ウィークエンド・エディション」といった番組が、真面目な国際関連のテーマや討論を定期的に特集している。NPRと提携した地方局にもよい番組があり、特にサンフランシスコで放送しているKQED局でマイケル・クラズニーがホストを務める「フォーラム」や、ニューヨークで放送しているWNYC局で流れるブライアン・レーラーのトーク番組を推しておきたい。ポッドキャストにもよい番組はあるのだが、配信期間が短いものが多いので、ここで紹介するには向いていない。ただし、外交問題評議会が配信している3本のポッドキャスト、「プレジデンツ・インボックス」と「ワールド・ネクスト・ウィーク」、そして「ホワイ・イット・マターズ」のことは、ぜひ挙げておきたいと思う。

ソーシャルメディアは私もそれなりに利用している。特にツイッターを使うことが多い。意見を共有し自分や他人の投稿を拡散する手段としても、また情報を得る手段としても、便利だと感じている。知らなかった講演やイベントの記事や動画などを発見してありがたく思うこともしばしばだ。もちろん警戒もしなくてはならない。医薬品をなんでも飲んでいいわけではないのと同じことだ。ツイッターをはじめとするインターネット全般には、不適切な情報も多い。編集者もいない、発言の内容や意味の正確性を誰も確認していない情報も多い。全体像の1割程度を反映した内容かもしれず、正しくもあり間違いでもあるということも考えられる。ソーシャルメディアが「ナローキャスティング」〔訳注：狭い範囲だけを対象として送信すること〕となって、似たような世界観をもつ者の意見交換ばかりを推進してしまうこともある。そうした状況では、自分の既存の確信を裏づける情報にしか出合わず、反対側の意見を聞いたり、新しい情報や別の情報と向き合ったりすることがない。そのため、ツイッターなどを利用するなら、国際問題について自分とは異なる見解をもつ個人や団体をフォローすることも考えていただきたい。

本書の読者の中には、国際情勢について、よりフォーマルな勉強をしたいと思ってくれた方もいるかもしれない。価値ある学びを得るにあたって、必ずしも正式な国際関係の講座を履修する必要はないということをお伝えしておきたい（履修を勧めないというわけではない）。歴史、科学、経済学、政治学、地域研究、比較宗教学など、そのほかの科目もすべて価値があるし、特に、それらの内容をいきいきと伝える優れた教師に恵まれたなら、得るところは実に大きい。私は国際関係に関心をもち、50年近くにわたってこの分野に携わっているが、そもそも興味を抱いたのは、大学で宗教学の教授のもとで学んだことが発端だった。大学3年生では海外留学をして（中東に行った）、よくあることだが、一つの関心がまた別の関心に結びつくという形で広がっていった。

正式な教室環境だけが学びの場ではない。オンライン学習の選択肢も増えている。質の高くないものも多いが、だいたいは無料だ。ここでも、私がかかわっている外交問題評議会のオンラインプログラムを推しておく。「ワールド101」という名称で、多くの面で本書のオンライン副教材のような内容だ。動画、写真や図版、インタビューなどを盛り込み、本書で網羅したテーマの多くについて、より充実した情報を載せている。

とはいえ、本書は書籍なので、最後は参考となる書籍を紹介しておきたい。読者にとって、本書が世界に関する本として初めて読んだ1冊なのだとしたら、ぜひこれを最後の1冊にせず、ほかにも手を広げてほしい。歴史、回想記、自伝などから挑戦するのがよいだろう。私が最も大きな影響を受けた本としては、たとえばヘドリー・ブル『国際社会論　アナーキカル・ソサイエティ』（岩波書店）がある。多くの読者にとっては理論的すぎるかもしれないが、それでも世界秩序について考え評価するための有益な枠組みを提示している。ヘンリー・キッシンジャー『キッシンジャー　回復された世界平和』(原書房)は、ウィーン会議をめぐる素晴らしい歴史書であるだけでなく、国政術に関する入門書でもある。それから、私のハーバード時代の同僚2人、リチャード・ニュースタットとアーネスト・メイの共著書『ハーバード流歴史活用法—政策決定の成功と失敗』(三嶺書房)は、副題が示すとおり、歴史を指針として活用する最善の方法を教えている〔訳注:原著の副題は「意思決定者のための歴史の活用」〕。

現在の冷戦後の時代について特に関心があるなら、G・ジョン・アイケンベリー『リベラル・リヴァイアサン(*Liberal Leviathan*)』(未訳)や、ロバート・ケーガン『ジャングルの復活(*The Jungle Grows Back*)』(未訳)、ヘンリー・キッシンジャー『国際秩序』(日本経済新聞出版)、チャールズ・カプチャン『ポスト西洋世界はどこに向かうのか「多様な近代」への大転換』(勁草書房)、ジョセフ・ナイ『アメリカの世紀は終わらない』(日本経済新聞出版)、ハル・ブランズ『一時的な一極体制を作る(*Making the Unipolar Moment*)』(未訳)、イアン・ブレマー『「Gゼロ」後の世界—主導国なき時代の勝者はだれか』(日本経済新聞出版)、ファリード・ザカリア『アメリカ後の世界』(徳間書店)を特に推す。拙著『無秩序状態の世界(*A World in Disarray*)』(未訳)も加えておきたい。これらの文献を含め、本書巻末の注に数百冊の書籍と論文を紹介した。注では本書の参考文献だけでなく、さらに知見を深めたい読者のために、各章に関連してさらに読むべき文献を載せている。

原注

〔訳注：原注掲載文献のうち邦訳のあるものについては、原文献の次に邦訳文献を掲載した〕

まえがき

1　非営利団体「アメリカ信託校友協議会」が、合計およそ８００万人が入学する１１００校以上の単科大学および総合大学を調べたところ、文学、外国語、アメリカの政府または歴史、経済学の履修を義務づけているのは、調査に回答した大学の半分に満たなかった。文学は34％、外国語は12％、アメリカ政府またはアメリカ史は17％、経済学は３％。同じく調査に回答した大学のうち、アメリカ信託校友協議会の格付けでAまたはBとなった大学は33％のみで、残りの67％はC、D、またはF。次の資料を参照。American Council of Trustees and Alumni, *What Will They Learn? 2018–2019: A Survey of Core Requirements at Our Nation's Colleges and Universities*, www.goacta.org/images/download/what-will-they-learn-2018-19.pdf.

2　アメリカ信託校友協議会が、アメリカの主要な単科大学・総合大学76校の卒業要件を調べたところ、アメリカ史の講義の履修を求めているのはわずかに23課程――30％――だった。American Council of Trustees and Alumni, *No U.S. History? How College History Departments Leave the United States out of the Major* (2016), 4, www.goacta.org/images/download/no_u_s_history.pdf.

3　アメリカ合衆国労働省労働統計局の最新のデータ（２０１８年10月）によると、２０１８年に高校を卒業した若者の69・1％が単科大学または総合大学に進学した。Bureau of Labor Statistics, "Economic News Release: College Enrollment and Work Activity of Recent High School and College Graduates Summary," April 25, 2019, www.bls.gov/news.release/hsgec.nr0.htm.

4　アメリカ合衆国国勢調査局の最新のデータによれば、アメリカ人の７７００万人が、学位（４８２０万人）、修士号（２１００万人）、専門職学位（３２０万人）、博士号（４５０万）を取得していた。25歳以上のアメリカ人の数は２億１５００万人なので、学位以上を取得しているのは、たった36％である。次の資料を参照。www.census.

gov/topics/education/educational-attainment/data.html.

5 国連教育科学文化機関（ＵＮＥＳＣＯ）による世界の識字率調査では、成人（15歳以上）の86％は読み書きができるが、７億５０００万人は読み書きができないことがわかった。UNESCO Institute for Statistics, "Fact Sheet No. 45: Literacy Rates Continue to Rise from One Generation to the Next" (September 2017), uis.unesco.org/sites/default/files/documents/fs45-literacy-rates-continue-rise-generation-to-next-en-2017_0.pdf.

6 アメリカ合衆国国勢調査局の推定では、２０１９年７月現在、アメリカの人口は３億２９３０万人、世界人口は76億人。アメリカ人は世界全体の４・３％で、おおむね23人に１人という計算になる。次の資料を参照。www.census.gov/popclock/.

7 ２０１８年のアメリカの経済生産高（国内総生産、ＧＤＰ）は20・５兆ドル。世界の総生産高84・７兆ドルの24％を占める。International Monetary Fund, "World Economic Outlook Database" (April 2019).

第１部　身につけておきたい歴史知識

三十年戦争から第一次世界大戦勃発まで（１６１８年－１９１４年）

1 三十年戦争に関する最も優れた歴史書として、次の資料を参照。Peter H. Wilson, *The Thirty Years War: Europe's Tragedy* (Cambridge, Mass.: Belknap Press of Harvard University Press, 2011).

2 ウェストファリア条約に関する優れた考察として、次の資料を参照。Henry Kissinger, *World Order* (New York: Penguin Books, 2014), 20–41. ヘンリー・Ａ・キッシンジャー『国際秩序』（伏見威蕃訳、日本経済新聞出版、２０１６年）

3 ウィーン会議とヨーロッパ協調について述べた最も優れた文献は、次の通り。Henry Kissinger, *A World Restored: Metternich, Castlereagh, and the Problems of Peace, 1812–22* (Boston: Houghton Mifflin, 1957). ヘンリー・Ａ・キッシンジャー『キッシンジャー　回復された世界平和』（伊藤幸雄訳、石津朋之解説、原書房、２００９年）およびHarold Nicholson, *The Congress of Vienna* (New York: Harcourt Brace Jovanovich, 1946).

4 ヨーロッパ協調について、詳しくは次の資料を参照。Rene Albrecht-Carrie, *The Concert of Europe* (London: Macmillan, 1968).

5 次の論文でこの説を展開している。"How a World Order Ends: And What Comes in Its Wake," *Foreign Affairs*, January/February 2019. リチャード・ハース「戦後秩序は衰退から終焉へ　リベラルな国際秩序という幻」『フォーリン・アフェアーズ・リポート』２０１９年1月号（フォーリン・アフェアーズ・ジャパン、２０１９年）

6 ビスマルクについて、詳しくは次の資料を参照。Henry Kissinger, "The White Revolutionary: Reflections on Bismarck," *Daedalus* 97, no. 3 (Summer 1968): 888–924; およびJonathan Steinberg, *Bismarck: A Life* (Oxford: Oxford University Press, 2011). ジョナサン・スタインバーグ『ビスマルク』（小原淳訳、白水社、２０１９年）

7 中国史におけるこの時期に関心があるなら、１冊にまとまっている文献で最も優れているのは次の資料。Jonathan D. Spence, *The Search for Modern China* (New York: W. W. Norton, 1990).

8 日本史におけるこの時期に関心があるなら、次の資料を参照。Donald Keene, *Emperor of Japan: Meiji and His World, 1852–1912* (New York: Columbia University Press, 2002). ドナルド・キーン『明治天皇』（角地幸男訳、新潮社、２００７年）

9 イギリスの相対的な衰退についての解説は、次の資料を参照。Aaron L. Friedberg, *The Weary Titan: Britain and the Experience of Relative Decline, 1895–1905* (Princeton, N.J.: Princeton University Press, 1988). アーロン・L・フリードバーグ『繁栄の限界　１８９５年－１９０５年の大英帝国』（八木甫／菊池理夫訳、コーリウ生活文化研究室、１９８９年）

10 これについては膨大な文献が存在しているが、次の資料を推薦したい。Christopher Clark, *The Sleepwalkers: How Europe Went to War in 1914* (New York: HarperCollins, 2012). クリストファー・クラーク『夢遊病者たち　第一次世界大戦はいかにして始まったか』（小原淳訳、みすず書房、２０１７年）；Barbara W. Tuchman, *The Guns of August* (New York: Ballantine Books, 1962), バーバラ・W・タックマン『八月の砲声』（山室まりや訳、筑摩書房、１９８６年）；およびMargaret MacMillan, *The War That Ended Peace: The Road to 1914* (New York: Random House, 2013). マーガレット・マクミラン『第一次世界大戦：平和に終止符を打った戦争』（真壁広道訳、滝田賢治監修、えにし書房、２０１６年）

11 次の資料を参照。Clark, *Sleepwalkers*. クラーク『夢遊病者たち』〔訳注：ただし、本書本文中の引用訳は、本書訳者による。以下、邦訳のある書籍からの引用は、すべて同様〕

12 B. H. Liddell Hart, *History of the First World War* (London: Pan Books, 1970), 1. リデル・ハート『第一次世界大戦』（上村達雄訳、中央公論新社、上巻２０００年／下巻２００１年）

第一次世界大戦から第二次世界大戦まで（１９１４年－１９４５年）

1 第一次世界大戦に関する最も優れた歴史書は、次の通り。Michael Howard, *The First World War* (Oxford: Oxford University Press, 2002). マイケル・ハワード『第一次世界大戦』（馬場優訳、法政大学出版局、２０１４年）

2 ドイツ皇帝は自国の兵士たちに、秋が終わる前に勝利を収めて故郷に戻れると告げていた。David Blackbourn, *History of Germany, 1780–1918* (Malden, Mass.: Blackwell, 2003), 349. ドイツの皇太子は「楽しいちょっとした戦争」になると予想していた。John Merriman, *A History of Modern Europe: From the Renaissance to the Present* (New York: W. W. Norton, 2010), 888.

3 President George Washington, "Washington's Farewell Address 1796," https://avalon.law.yale.edu/18th_century/washing.asp.

4 John Quincy Adams, "Speech to the U.S. House of Representatives on Foreign Policy," July 4, 1821, https://millercenter.org/the-presidency/presidential-speeches/july-4-1821-speech-us-house-representatives-foreign-policy.

5 Michael Beschloss, *Presidents of War* (New York: Crown, 2018), 310–14.

6 Barbara W. Tuchman, *The Zimmermann Telegram: America Enters the War, 1917–1918* (New York: Macmillan, 1958). バーバラ・W・タックマン『決定的瞬間　暗号が世界を変えた』（町野武訳、筑摩書房、２００８年）。次の資料も参照。Beschloss, *Presidents of War*, 310–16.

7 Merriman, *History of Modern Europe*, 902–4.

8 Wilfred Owen, "Dulce et Decorum Est," in *The Collected Poems of Wilfred Owen*, ed. C. Day Lewis (London: Chatto & Windus, 1963). ウィルフレッド・オウェン「甘美でうるわしい」『ウィルフレッド・オウェン戦争詩集』（中元初美訳、英宝社、２００９年）

9 Ian Kershaw, *To Hell and Back: Europe, 1914–1949* (New York: Viking, 2015), 91. イアン・カーショー『地獄の淵から　ヨーロッパ史１９１４－１９４９』（三浦元博／竹田保孝訳、白水社、２０１７年）

10 Merriman, *History of Modern Europe*, 923.

11 Merriman, *History of Modern Europe*, 923.

12 「14カ条の平和原則」では、「大国にも小国にも政治的独立および領土保全の相互保障を与えることを目的とした具体的な盟約のもと、諸国の全般的な連携を結成しなければならない」と述べている。全文は次のサイトで参照可能。avalon.law.yale.edu/20th_century/wilson14.asp.

13 この学派については次の資料を参照。Hans J. Morgenthau, *Politics Among Nations* (New York: Alfred A. Knopf, 1948). ハンス・J・モーゲンソー『国際政治　権力と平和』（原彬久監訳、岩波書店、２０１３年）

14 ナショナリズムに関する詳細な議論は、次の資料を参照。E. J. Hobsbawm, *Nations and Nationalism Since 1780: Programme, Myth, Reality* (Cambridge, U.K.: Cambridge University Press, 1990) E・J・ホブズボーム『ナショナリズムの歴史と現在』（浜林正夫／嶋田耕也／庄司信訳、大月書店、２００１年）および Ernest Gellner, *Nations and Nationalism* (Ithaca, N.Y.: Cornell University Press, 1983). アーネスト・ゲルナー『民族とナショナリズム』（加藤節監訳、岩波書店、２０００年）

15 国際連盟の経緯については、次の資料を参照。Ruth B. Henig, ed., *The League of Nations* (Edinburgh: Oliver & Boyd, 1973).

16 締結国は、「国際紛争の解決のために戦争に訴えないこと、また、その相互関係における国家政策の手段としての戦争を放棄すること」に同意した。全文は次のサイトで参照可能。avalon.law.yale.edu/20th_century/kbpact.asp.

17 Mario J. Crucini and James A. Kahn, "Tariffs and the Great Depression Revisited," FRB NY Staff Report No. 172 (September 2003) ; Douglas A. Irwin, "The Smoot-Hawley Tariff: A Quantitative Assessment," *Review of Economics and Statistics* 80, no. 2 (May 1998) : 326–34.

18 Norman Angell, *The Great Illusion: A Study of the Relation of Military Power in Nations to Their Economic and Social Advantage* (New York: G. P. Putnam's, 1912). ノルマン・エンセル『現代戦争論　兵力と国利の関係』（安部磯雄訳、博文館、１９１２年）; Edward D. Mansfield, *Power, Trade, and War* (Princeton, N.J.: Princeton University

Press, 1994).

19 Tim Bouverie, *Appeasement: Chamberlain, Hitler, Churchill, and the Road to War* (New York: Tim Duggan Books, 2019).

20 １９４０年12月17日、フランクリン・D・ルーズベルト大統領は記者会見で武器貸与の構想を紹介した。その後12月29日の「炉辺談話」〔訳注：国民に向けたラジオ演説〕で、「(アメリカは) 民主主義の兵器廠にならねばならない」と述べた。レンドリース法について、詳しくは当該の記者会見および炉辺談話のテキストなどを参照。www.fdrlibrary.org/lend-lease.

21 この判断に関する素晴らしい解説として、次の資料を参照。Stephen Kotkin, "When Stalin Faced Hitler: Who Fooled Whom?," *Foreign Affairs*, November/December 2017. スティーブン・コトキン「スターリンとヒトラー――二十世紀を分けた独裁者の思想と地政学戦略」『フォーリン・アフェアーズ・リポート』２０１７年11月号（フォーリン・アフェアーズ・ジャパン、２０１７年）

22 Barbara Tuchman, *The March of Folly: From Troy to Vietnam* (New York: Alfred A. Knopf, 1984). バーバラ・W・タックマン『愚行の世界史　トロイアからベトナムまで』（大社淑子訳、中央公論新社、２００９年）

23 John Maynard Keynes, *The Economic Consequences of the Peace* (London: Macmillan, 1919). ジョン・メイナード・ケインズ『ケインズ全集2巻　平和の経済的帰結』（早坂忠訳、東洋経済新報社、１９７７年）

24 ベルサイユ条約の「戦争責任条項」と呼ばれる第２３１条は、次のように記されている。「同盟および連合国政府は、ドイツおよびその同盟国が行った攻撃により強いられた戦争の結果として、同盟および連合国政府と、その諸国民がこうむった一切の損失と損害の責任が、ドイツおよびその同盟国にあると断定し、ドイツはこれを承認する」。全文は次のサイトで参照可能。www.loc.gov/law/help/us-treaties/bevans/m-ust000002-0043.pdf.

25 １９３７年2月の世論調査では、アメリカ人の95%が、アメリカは将来起きうるいかなる戦争にも参加すべきではないという見解に同意した。George C. Herring, *From Colony to superpower: U.S. Foreign Relations Since 1776* (Oxford: Oxford University Press, 2008), 504. アメリカの外交政策における孤立主義の伝統と、アメリカの外交政策の歴史について、詳しくは次の資料を参照。Robert Kagan, *Dangerous Nation: America's Foreign Policy from Its Earliest Days to the Dawn of the Twentieth Century* (New York: Alfred A. Knopf, 2006). その他に、アメリカの外

交政策に流れるさまざまな思想を振り返る重要な書籍は、次の通り。Walter Russell Mead, *Special Providence: American Foreign Policy and How It Changed the World* (New York: Routledge, 2002).

26 第一次世界大戦後のアメリカが維持した正規軍は14万人と小規模だった。１９３９年半ばには、アメリカ陸軍の規模は17万４０００人に増え、２年後には１５０万人に拡大していた。１９４５年には１２１０万人を上回っていた。Herring, *From Colony to Superpower*, 439–541.

27 Merriman, *History of Modern Europe*, 1102.

28 第二次世界大戦で死亡した推定６０００万人のうち、４５００万人は民間人だった。Herring, *From Colony to Superpower*, 595.

29 この数字と、ホロコーストに関するさらなる情報については、アメリカ合衆国ホロコースト記念博物館が運営している「ホロコースト百科事典」にアクセスされたい。encyclopedia.ushmm.org/en.

30 Kershaw, *To Hell and Back*, 346. カーショー『地獄の淵から』

31 Herring, *From Colony to Superpower*, 596.

32 Herring, *From Colony to Superpower*, 595–96.

33 Nese F. DeBruyne, "American War and Military Operations Casualties: Lists and Statistics," Congressional Research Service, September 14, 2018, 2.

34 日本の変容に関する最も優れた書籍は、次の1冊。John Dower, *Embracing Defeat: Japan in the Wake of World War II* (New York: W. W. Norton, 1999). ジョン・ダワー『敗北を抱きしめて　第二次大戦後の日本人』(三浦陽一／高杉忠明訳、岩波書店、２００１年)

冷戦（１９４５年－１９８９年）

1 冷戦の経緯に関するわかりやすい解説として、次の資料を参照。John Lewis Gaddis, *The Cold War: A New History* (New York: Penguin Books, 2005). ジョン・ルイス・ガディス『冷戦　その歴史と問題点』(河合秀和／鈴木健人訳、彩流社、２００７年)。もう少し長い解説で、冷戦のグローバルな側面に焦点を置いた書籍としては、次の資料を参照。Odd Arne Westad, *The Cold War: A World History* (New York: Basic Books, 2017). O・A・ウェスタッ

ド『冷戦　ワールド・ヒストリー』（益田実監訳、山本健／小川浩之訳、岩波書店、２０２０年）

2 冷戦の発端に関する最も優れた研究は、次の通り。John Lewis Gaddis, *The United States and the Origins of the Cold War, 1941-1947* (New York: Columbia University Press, 1972). 政治回想録には読むべきものはほとんどないが、その例外である1冊、Dean Acheson, *Present at the Creation: My Years in the State Department* において、ディーン・アチソンは第二次世界大戦後の世界秩序の形成と冷戦の始まりについて論じている。冷戦の発端について、よりアメリカの責任を非難する修正主義的見解については——私はこの見解に同意していないが——次の資料を参照。William Appleman Williams, *The Tragedy of American Diplomacy* (Cleveland: World, 1959).

3 トルーマン大統領は、１９４７年3月12日の上下両院合同会議の冒頭における演説で、のちにトルーマン・ドクトリンとして知られることとなる方針を発表した。全文は次のサイトで参照可能。https://avalon.law.yale.edu/20th_century/trudoc.asp.

4 マーシャル・プランの経緯に関する素晴らしい解説は、次の資料を参照。Benn Steil, *The Marshall Plan: Dawn of the Cold War* (New York: Simon & Schuster, 2018). ベン・ステイル『マーシャル・プラン　新世界秩序の誕生』（小坂恵理訳、みすず書房、２０２０年）

5 ケナンは、モスクワの臨時大使を務めていたアメリカ大使館からワシントンへ送った８０００語の電報で、このアプローチを提示した——そのため、この論稿は「長文電報」と呼ばれる。のちに匿名「X」として、同分析をフォーリン・アフェアーズ誌１９４７年7月号に"The Sources of Soviet Conduct"というタイトルで寄稿したことは有名である。ジョージ・ケナン「ソビエト対外行動の源泉（X論文）」『フォーリン・アフェアーズ・リポート』２０１２年1月号（フォーリン・アフェアーズ・ジャパン、２０１２年）

6 ウィンストン・チャーチルは１９４６年3月5日に行った「平和の資本」と題したスピーチで、次のように述べた。「バルト海のシチェチンから、アドリア海のトリエステに至るまで、大陸を横切る鉄のカーテンが下ろされた。中欧および東欧の歴史ある国々が、このカーテンの向こうの存在となっている。ワルシャワ、ベルリン、プラハ、ウィーン、ブダペスト、ベオグラード、ブカレスト、ソフィアという、名の知られた都市のすべてと、その周辺に住む住民は、ソビエト勢力圏と呼ばざるをえない地域にあり、いずれも何らかの形でソビエトの影響下にあるだけでなく、厳しく、しかも多くの面でいっそう厳しくなりつつあるモスクワの統制下にある」。全文は次のサイトで

参照可能。winstonchurchill.org/resources/speeches/1946-1963-elder-statesman/the-sinews-of-peace/.

7 朝鮮戦争の経緯については、次の資料を参照。David Halberstam, *The Coldest Winter: America and the Korean War* (New York: Hyperion, 2007). デイヴィッド・ハルバースタム『ザ・コールデスト・ウインター 朝鮮戦争』(山田耕介／山田侑平訳、文藝春秋、２００９年)

8 アチソンは、１９５０年1月12日の記者クラブにおける演説で、このコメントをした。演説の中で彼はアメリカの「防衛線」を、日本、琉球諸島、フィリピンに至る範囲だと定義した——韓国と台湾は入っていなかった。全文は次のサイトで参照可能。www.cia.gov/library/readingroom/docs/1950-01-12.pdf.

9 この紛争を1巻にまとめた最も優れた歴史書は、次の通り。Stanley Karnow, *Vietnam: A History* (New York: Viking, 1983) ; およびFredrik Logevall, *Embers of War: The Fall of an Empire and the Making of America's Vietnam* (New York: Random House, 2012).

10 マイケル・リンドが次の書籍でこの説を提示している。Michael Lind, *Vietnam: The Necessary War: A Reinterpretation of America's Most Disastrous Military Conflict* (New York: Touchstone, 2002), xv. シンガポール首相で建国の父リー・クアンユーは１９６８年に夕食会で、リンドン・ジョンソン大統領がベトナム戦争をエスカレートさせたと非難する学者たちの意見を聞いたあとに、アメリカがベトナムに侵攻していなければシンガポールのような国々は陥落していただろう、と説明した。Michael J. Green, *By More Than Providence: Grand Strategy and American Power in the Asia Pacific Since 1783* (New York: Columbia University Press, 2017), 317.

11 世界が文字通り終わるかもしれなかったこの13日間に、ジョン・F・ケネディ大統領とその上級顧問たちが議論した会合の聞き起こしは、次のサイトで参照可能。jfklibrary.org/cmc/oct16/index.html キューバ危機に関する最も優れた学術研究であり、読み物としても優れた1冊と言えば、次の通り。Graham Allison and Philip Zelikow, *Essence of Decision: Explaining the Cuban Missile Crisis* (New York: Longman, 1999). グレアム・アリソン／フィリップ・ゼリコウ『決定の本質 キューバ・ミサイル危機の分析』(漆嶋稔訳、日経ＢＰ、２０１６年)

12 １９４９年４月４日にまとめられた北大西洋条約の第5条では、次のように宣言している。「締結国は、ヨーロッパまたは北アメリカにおける締結国1カ国または2カ国以上に対する武力攻撃を全締結国に対する攻撃とみなすことに同意する。したがって、そうした武力攻撃が起きた際には、各締結国が個別もしくは他の締結国と協調して、国連憲章第51条で認められた個別もしくは集団的自衛権を行使し、北大西洋地域の安全を回復・維持するという目的のために武力行使を含めて必要とみなされる行動をすみやかに実行し、攻撃を受けた締結国または締結諸国を支援することに同意する」。全文は次のサイトで参照可能。www.nato.int/cps/en/natohq/official_texts_17120.htm

13 冷戦中のアメリカの戦略について、詳しくは次の資料を参照。John Lewis Gaddis, *Strategies of Containment: A Critical Appraisal of American National Security Policy During the Cold War* (Oxford: Oxford University Press, 2005).

14 Paul Kennedy, *The Rise and Fall of the Great Powers: Economic Change and Military Conflict from 1500 to 2000* (New York: Random House, 1987). ポール・ケネディ『決定版　大国の興亡　１５００年から２０００年までの経済の変遷と軍事闘争』（鈴木主税訳、草思社、１９９３年）

15 ジョージ・H・W・ブッシュ大統領と、その国家安全保障問題担当大統領補佐官ブレント・スコウクロフトは、共著の回想録でこの批判について言及している。George H. W. Bush, Brent Scowcroft, *A World Transformed* (New York: Vintage Books, 1998).

冷戦後の時代（１９８９年–現在）

1 ソ連は、ロシアのほか、アルメニア、アゼルバイジャン、ベラルーシ、エストニア、ジョージア、カザフスタン、キルギスタン、ラトビア、リトアニア、モルドバ、タジキスタン、トルクメニスタン、ウクライナ、ウズベキスタンへと解体された。

2 １９８９年にＮＡＴＯ加盟国だった国は次の通り。ベルギー、カナダ、デンマーク、フランス、ドイツ、ギリシャ、アイスランド、イタリア、ルクセンブルク、オランダ、ノルウェー、ポルトガル、スペイン、トルコ、イギリス、アメリカ。現在の加盟国は29カ国で、１９８９年以降に次の13カ国が参加した。アルバニア、ブルガリア、クロアチア、チェコ共和国、エストニア、ハンガリー、ラトビア、リトアニア、モンテネグロ、ポーランド、ルーマニア、スロバキア、スロベニア〔訳注：２０２０年３月に北マケドニアが加盟し30カ国となっている〕。

3 たとえば、アメリカ合衆国国務副長官だったストローブ・タルボット――ロシア専門家でもあった――が１９９５年の論稿で、こうした理由を述べ、次のように結論づけている。「ＮＡＴＯを冷戦中の形態のままにしておくのは、それ自体が大きな間違いであり、この同盟に加盟を希望する民主主義国家にとっても、民主主義制度の支持におけるアメリカの国益という点でも、大きな後退となることだろう。それとは正反対に、ヨーロッパの統合を推奨し、ヨーロッパの安全保障を高める形で、NATOを拡大するのは――アメリカ政権は断固としてこの方針を追求している――アメリカ大陸およびヨーロッパに住むすべての国民にとって得になることだろう」。Strobe Talbott, "Why NATO Should Grow," *New York Review of Books*, August 10, 1995, www.nybooks.com/articles/1995/08/10/why-nato-should-grow/#fn-2.

4 当時、政治学者のジョージ・ケナンやマイケル・マンデルバウム、ジャーナリストのトーマス・フリードマンをはじめとする著名な識者やコメンテーターが、NATO拡大への反対意見を表明していた。Michael Mandelbaum, "Preserving the New Peace," *Foreign Affairs*, May/June 1995; Thomas L. Friedman, "Foreign Affairs; Now a word from X," *New York Times*, May 2, 1998.

5 たとえば、ロシア大統領ウラジーミル・プーチンは2007年のミュンヘン国防政策国際会議における有名な演説で、次のように述べた。「NATO拡大は、NATOそのものの近代化とも、ヨーロッパの安全保障とも、何の関係もないことは明白だと思っている。むしろそれとは正反対に、NATO拡大は相互信頼のレベルを低下させる深刻な挑発行為だ。我々にはこう問う権利がある――この拡大はどの国に対抗してのものなのか？　ワルシャワ条約機構の解体後に西側各国がした約束はどうなったのか？　あの宣言は今どこに行ったのか？」。Vladimir Putin, "Speech and the Following Discussion at the Munich Conference on Security Policy," February 10, 2007, en.kremlin.ru/events/president/transcripts/24034.

6 Francis Fukuyama, "The End of History?," *National Interest* (Summer 1989).

7 Samuel P. Huntington, "The Clash of Civilizations?," *Foreign Affairs* (Summer 1993). サミュエル・P・ハンチントン「文明の衝突――再現した『西欧』対『反西欧』の対立構図」『フォーリン・アフェアーズ・リポート』1993年8月号（フォーリン・アフェアーズ・ジャパン、1993年）

8 私の著書で、この場面を詳細に振り返っている。*War of Necessity, War of Choice* (New York: Simon & Schuster, 2009), 60–72.

9 George H. W. Bush, "Remarks and an Exchange with Reporters on the Iraqi Invasion of Kuwait," August 5, 1990, bushlibrary.tamu.edu/research/papers/1990/90080502.html.

10 United Nations, "Report of the Independent Inquiry into the Actions of the United Nations During the 1994 Genocide in Rwanda," December 15, 1999, 3, www.securitycouncilreport.org/atf/cf/%7B65BFCF9B-6D27-4E9C-8CD3-CF6E4FF96FF9%7D/POC%20S199912257.pdf.

11 ルワンダ虐殺の詳細と、こうした虐殺がアメリカの政策立案者につきつけた難問の検証には、次の資料を参照。Samantha Power, "*A Problem from Hell: America and the Age of Genocide*" (New York: Harper Perennial, 2007). サマンサ・パワー『集団人間破壊の時代　平和維持活動の現実と市民の役割』(星野尚美訳、ミネルヴァ書房、２０１０年)

12 ロシア大統領ウラジーミル・プーチンは、ＮＡＴＯ軍は「国連安保理決議を侵害した。リビア上空に、いわゆる飛行禁止区域を設定するよりも、空爆を選んでいる」と主張した。ロシア外務大臣セルゲイ・ラブロフも、こうした状況を受けて「リビアと同様のことを（シリアに対して）国連安保理が承認することを、（ロシアは）決して許容しない」と述べている。Alan J. Kuperman, "Obama's Libya Debacle: How a Well-Meaning Intervention Ended in Failure," *Foreign Affairs*, March/April 2015. アラン・J・クーパーマン「人道的介入で破綻国家と化したリビア　なぜアメリカは判断を間違えたのか」『フォーリン・アフェアーズ・リポート』２０１５年４月号（フォーリン・アフェアーズ・ジャパン、２０１５年）

13 リビア介入の判断と、この介入が他の問題、主にシリアにおよぼした波及効果に関する優れた議論は、オバマ政権下でアメリカ合衆国国連大使を務めたサマンサ・パワーに対するジャーナリストのエバン・オスノスの評に見られる。オスノスは、オバマ政権の某高官が述べた次の台詞を引用している。「政府関係者の多くにとって――大統領も含め――リビアはうまくいかなかった。リビアが大成功を収めていたら、シリアに関する議論も、より弾みがついていたことだろう。しかし、そうはならなかった」。Evan Osnos, "In the Land of the Possible: Samantha Power Has the President's Ear. To What End?," *New Yorker*, December 15, 2014.

14 同時多発テロ事件の背景について、より深く学びたいなら、次の資料を参照。Lawrence Wright, *The Looming Tower: Al-Qaeda and the Road to 9/11* (New York: Alfred A. Knopf, 2006). ローレンス・ライト『倒壊する巨塔――アルカイダと「９・１１」への道』（平賀秀明訳、白水社、２００９年）

15 金融危機をもたらした原因に関するわかりやすい解説としては、次の資料を参照。Michael Lewis, *The Big Short: Inside the Doomsday Machine* (New York: W. W. Norton, 2010). マイケル・ルイス『世紀の空売り　世界経済の破綻に賭けた男たち』(東江一紀訳、文藝春秋、2013年)。この危機の長期的で、現在でも感じられる影響に関する考察は、次の資料を参照。Adam Tooze, *Crashed: How a Decade of Financial Crises Changed the World* (New York: Penguin Books, 2018). アダム・トゥーズ『暴落　金融危機は世界をどう変えたのか』(江口泰子／月沢李歌子訳、みすず書房、2020年)

16 冷戦の終わりから2013年までの米ロ関係の概観については、次の資料を参照。Angela Stent, *The Limits of Partnership: U.S.-Russian Relations in the Twenty-first Century* (Princeton, N.J.: Princeton University Press, 2014). 近年の米ロ関係と今後の課題についての考察は、次の資料を参照。Andrew Monaghan, *Dealing with the Russians* (Cambridge, U.K.: Polity Press, 2019).

17 国家情報長官室（ODNI）が公開している「インテリジェンス・コミュニティ・アセスメント」によれば、アメリカ情報機関は強い確信をもって「ロシアのウラジーミル・プーチン大統領が、2016年のアメリカ大統領選に影響をおよぼすことを指示した」と判断している。さらに同レポートは、次のように指摘している。「ロシアの諜報機関が、2016年アメリカ大統領選に関連した標的へのサイバー作戦を実施した。アメリカの双方の政党が標的となっていた」。Office of the Director of National Intelligence, "Assessing Russian Activities and Intentions in Recent US Elections," January 6, 2017, www.dni.gov/files/documents/ICA_2017_01.pdf.

18 Council on Foreign Relations, *Innovation and National Security: Keeping Our Edge* (New York: Council on Foreign Relations, 2019).

19 Jane Perlez, "Tribunal Rejects Beijing's Claims in South China Sea," *New York Times*, July 12, 2016.

20 Niall Ferguson, "The New Cold War? It's With China, and It Has Already Begun," *New York Times*, December 2, 2019; Odd Arne Westad, "The Sources of Chinese Conduct: Are Washington and Beijing Fighting a New Cold War?," *Foreign Affairs*, September/October 2019. オッド・アルネ・ウェスタッド「中国対外行動の源泉——米中冷戦と米ソ対立の教訓」『フォーリン・アフェアーズ・リポート』2019年9月号（フォーリン・アフェアーズ・ジャパン、2019年）

21 Stewart Patrick and Kyle L. Evanoff, "The Right Way to Achieve Security in Space: The U.S. Needs to Champion International Cooperation," ForeignAffairs.com, September 17, 2018, www.foreignaffairs.com/articles/space/2018-09-17/right-way-to-achieve-security-space.

22 ２０１９年6月現在で、国連難民高等弁務官事務所（ＵＮＨＣＲ）によれば、ベネズエラからの難民と移民の数は推定４００万人に達していた。UNHCR, "Refugees and Migrants from Venezuela Top 4 Million," June 7, 2019.

23 この現象を1冊まるごと割いて検証した資料は、次の通り。Larry Diamond, *Ill Winds: Saving Democracy from Russian Rage, Chinese Ambition, and American Complacency* (New York: Penguin Press, 2019). 国際ＮＧＯフリーダム・ハウスは、自由度についてまとめた２０１８年のレポートの副題を「民主主義は危機的状況」とした。同レポートの冒頭では次のように述べている。「世界の政治的権利と人権のレベルは、２０１７年に過去10年間以上で最低に悪化した。強引な独裁者、苦境に陥った民主主義国家、そして人間の自由を求める世界の戦いにおけるリーダーシップから遠ざかるアメリカという特徴をもつ時代が拡大している」。さらに続けて、こう指摘した。「12年連続で（……）民主主義の後退が起きた国の数が、新たに民主主義の確立が進んだ国の数を上回った」。Freedom House, *Freedom in the World 2018: Democracy in Crisis*, 1.

24 国内における所得不平等は拡大している一方で、一部の推定によれば、国家間の所得不平等は縮小している。開発途上国と先進国の所得が収斂している（つまり、途上国が先進国よりも急速に成長している）からだ。相対的な世界の不平等は過去20年ほどで軽減した。ジニ係数は１９７５年に0・74だったが、２０１０年には0・63になっている。しかし絶対的な不平等は、１９７０年代半ば以降に劇的に拡大している。２０００年以降で見れば、世界の富における増加の50％は、世界人口における最も裕福な1％だけに恩恵を与えていた。世界の最も貧しい50％は、その増加の1％しか享受していない。２０００年には世界で最も裕福な1％が、世界の富の32％を保有していた。２０１０年には46％を保有していた。United Nations Development Programme, *Human Development Report 2016: Human Development for Everyone*, 30-31.

25 学者は国内紛争と内戦を区別して定義し、多種多様な基準値を使って、暴力がデータとしてカウントされるべき基準値に達したかどうかを判断している。つまり人によって引用するデータが異なるのだ。私としては、ウプサラ紛争データプログラム（ＵＣＤＰ）の表、チャート、グラフを使用することを推奨したい。ＵＣＤＰプロジェクトに加わっている学者2名が、次のように述べている。「非国家紛争［どちらも国家政府ではない、組織化された2つのグループ、たとえば反乱組織や民族集団間での武力の使用］も増えている。２０１７年には過去最高記録として、82件の非国家紛争が実際に行われていた。死者数も増加している」。２０１７年に実際に行われていた国家紛争（少なくとも片側が国家政府である場合、すなわち2国間に生じた暴力や、国家政府と反乱組織の間に生じた暴力）の数は49件で、１９４６年－２０１７年で最高記録だった２０１６年の53件からは減少している。２０１７年の49件のうち、国家間紛争は1件のみで、残りは政府が反乱組織と戦う紛争だった。Therése Pettersson and Kristine Eck, "Organized Violence, 1989–2017," *Journal of Peace Research* 55, no. 4 (2018) : 535–47.

26 国連難民高等弁務官事務所（ＵＮＨＣＲ）は強制移民と難民の数を追跡し、世界的傾向について述べる年次報告書で次のように指摘した。「強制的に移住させられた人の数は２０１８年に全世界で２３０万人増加した。同年末の時点では世界各地でおよそ７０８０万人が、迫害、紛争、暴力、人権侵害が原因で、移住を強いられていた。その結果として全世界の強制移民の数は最多記録を更新した」。United Nations High Commissioner for Refugees, *Global Trends: Forced Displacement in 2018*, 2.

27 Steven Pinker, *The Better Angels of Our Nature: Why Violence Has Declined* (New York: Penguin Books, 2011). スティーブン・ピンカー『暴力の人類史』（幾島幸子／塩原通緒訳、青土社、２０１５年）

28 Richard Haass, *A World in Disarray: American Foreign Policy and the Crisis of the Old Order* (New York: Penguin Press, 2017).

第2部　世界の地域

1 Gardiner Harris, "Borrowed Time on Disappearing Land," *New York Times*, March 28, 2014.

2 Pew Research Center, "The Changing Global Religious Landscape" (April 2017), 8–10.

3 United Nations Population Division, "2019 Revision of World Population Prospects." グラフと地図は次のサイトで閲覧可能。　population.un.org/wpp/.

4　少数言語研究組織エスノローグによれば、世界で英語を喋っているのは11億３２００万人。次のサイトを参照。www.ethnologue.com/language/eng 世界銀行によれば世界人口は推定75億９４００万人なので、世界で６・７人に１人が英語を話している。11億１６００万人は北京語を話しており、そのうち10億８２００万人（97％）が中国に住んでいる。次のサイトを参照。www.ethnologue.com/language/cmn.

ヨーロッパ

1　ヨーロッパ地域に含まれる諸国を合わせて、生産高（ＧＤＰ）は２０１８年におよそ22・7兆ドル。アメリカのＧＤＰは同時期に20・5兆ドルだった。世界ＧＤＰが84・7兆ドルなので、ヨーロッパは世界全体の生産高における26・8％を占める。次の資料を参照。International Monetary Fund, "World Economic Outlook Database" (April 2019).

2　この章の趣旨に沿って、ヨーロッパは次の50カ国としている。アルバニア、アンドラ、アルメニア、オーストリア、アゼルバイジャン、ベラルーシ、ベルギー、ボスニア・ヘルツェゴビナ、ブルガリア、クロアチア、キプロス、チェコ共和国、デンマーク、エストニア、フィンランド、フランス、ジョージア、ドイツ、ギリシャ、バチカン、ハンガリー、アイスランド、アイルランド、イタリア、コソボ、ラトビア、リヒテンシュタイン、リトアニア、ルクセンブルク、マケドニア、マルタ、モルドバ、モナコ、モンテネグロ、オランダ、ノルウェー、ポーランド、ポルトガル、ルーマニア、ロシア、サンマリノ、セルビア、スロバキア、スロベニア、スペイン、スウェーデン、スイス、トルコ、ウクライナ、イギリス。

3　この時期のヨーロッパ史に関心があるなら、次の資料を参照。James Joll, *Europe Since 1870: An International History* (New York: Penguin, 1973)、ジェイムズ・ジョル『ヨーロッパ１００年史』（池田清訳、みすず書房、１９７６年）; L. C. B. Seaman, *From Vienna to Versailles* (New York: Harper & Row, 1955)；およびA. J. P. Taylor, *The Struggle for Mastery in Europe, 1848–1918* (Oxford: Oxford University Press, 1971).

4　第二次世界大戦後のヨーロッパ史に関心があるなら、次の資料を参照。Tony Judt, *Postwar: A History of Europe Since 1945* (New York: Penguin Books, 2005). トニー・ジャット『ヨーロッパ戦後史』（上：森本醇訳／長部重康解説、下：浅沼澄訳、みすず書房、２００８年）

5 NATO初代事務総長、ヘイスティングス・ライオネル・イスメイ男爵が、政治キャリアの初期にこの発言をした。人物像については次のサイトを参照。www.nato.int/cps/en/natohq/declassified_137930.htm.

6 Steil, *Marshall Plan*. スティル『マーシャル・プラン』

7 Merriman, *Modern Europe*, 1123.

8 設立当初の加盟国は、アルバニア、ブルガリア、チェコスロバキア、東ドイツ、ハンガリー、ポーランド、ルーマニア、ソ連。

9 国連安全保障理事会は1999年に、コソボに国際文民派遣団を設置することを承認した——これが国連コソボ暫定行政ミッション（UNMIK）である。2019年3月現在、このミッションの一環でコソボに配置された人数は合計351人。UNMIK Fact Sheet, peacekeeping.un.org/en/mission/unmik.

10 マーストリヒト条約は、正式にはヨーロッパ連合条約と呼ばれ、「共通外交・安全保障政策をここに設立する」と宣言している。ヨーロッパ連合条約第5章「共通外交および安全保障政策に関する規定」。全文は次のサイトで参照可能。europa.eu/european-union/sites/europaeu/files/docs/body/treaty_on_european_union_en.pdf.

11 EU設立時点の加盟国12カ国は、ベルギー、デンマーク、フランス、ドイツ、ギリシャ、アイルランド、イタリア、ルクセンブルク、オランダ、ポルトガル、スペイン、イギリス。1995年にオーストリア、フィンランド、スウェーデンが加わった。2004年にキプロス、チェコ共和国、エストニア、ハンガリー、ラトビア、リトアニア、マルタ、ポーランド、スロバキア、スロベニアが加わった。2007年にブルガリアとルーマニアが加わり、2013年にクロアチアが加わった。

12 Elaine Sciolino, "French Voters Soundly Reject European Union Constitution," *New York Times*, May 30, 2005; Marlise Simons, "Dutch Voters Solidly Reject New European Constitution," *New York Times*, June 2, 2005.

13 有権者の52%がEU離脱を支持し、48%が残留を支持した。Steven Erlanger, "Britain Votes to Leave E.U.; Cameron Plans to Step Down," *New York Times*, June 23, 2016.

14 次に挙げる国々がユーロ圏に加わっており、自国通貨としてユーロを使っている。オーストリア、ベルギー、キプロス、エストニア、フィンランド、フランス、ドイツ、ギリシャ、アイルランド、イタリア、ラトビア、リトアニア、ルクセンブルク、マルタ、オランダ、ポルトガル、スロバキア、スロベニア、スペイン。

15 この点を含め、ユーロの欠点に関する詳細な議論は、次の資料を参照。Matthias Matthijs and Mark Blyth, eds., *The Future of the Euro* (Oxford: Oxford University Press, 2015).

16 全ＥＵ加盟国で65歳以上の人口割合が増大している。Eurostat, "Population Structure and Ageing," July 2019, ec.europa.eu/eurostat/statistics-explained/index.php/Population_structure_and_ageing.

17 ロシアと、その政治システムと、ロシアの世界観について、詳しくは次の資料を参照。Dmitri Trenin, *Russia* (Cambridge, U.K.: Polity Press, 2019); Angela Stent, *Putin's World: Russia Against the West and with the Rest* (New York: Twelve, 2019); Steven Lee Myers, *The New Tsar: The Rise and Reign of Vladimir Putin* (New York: Alfred A. Knopf, 2015); Fiona Hill and Clifford G. Gaddy, *Mr. Putin: Operative in the Kremlin* (Washington, D.C.: Brookings Institution Press, 2015). フィオナ・ヒル／クリフォード・Ｇ・ガディ『プーチンの世界――「皇帝」になった工作員』（濱野大道／千葉敏生訳、畔蒜泰助監修、新潮社、２０１６年）; Shaun Walker, *The Long Hangover: Putin's New Russia and the Ghosts of the Past* (New York: Oxford University Press, 2018); Nina Khrushcheva and Jeffrey Tayler, *In Putin's Footsteps: Searching for the Soul of an Empire Across Russia's Eleven Time Zones* (New York: St. Martin's Press, 2019).

18 ロシア経済について、詳しくは次の資料を参照。Anders Aslund, *Russia's Crony Capitalism: The Path from Market Economy to Kleptocracy* (New Haven, Conn.: Yale University Press, 2019).

19 ＩＭＦによれば、２０１８年のロシア経済は推定１・63兆ドル。韓国は１・62兆ドル、カナダは１・71兆ドル、ブラジルは１・87兆ドル、イタリアは２・１兆ドルである。次の資料を参照。International Monetary Fund, "World Economic Outlook Database" (April 2019).

20 ロシア財務省によれば、２０１８年には石油および天然ガスによる収入がロシアの連邦予算における総歳入の46％を占めていた。Ministry of Finance of the Russian Federation, "Annual Report on Execution of the Federal Budget," July 11, 2019, www.minfin.ru/en/statistics/fedbud/. ＩＭＦによれば、２０１７年現在でロシアの石油および天然ガスの輸出が、同国全輸出額の54％を占めていた。International Monetary Fund, "Russian Federation: Staff Report for the 2018 Article IV Consultation," July 17, 2018, 31.

21 １９９２年のロシア人口は１億４８７０万人で、そこから減少が始まり、２００８年には１億４２７０万人と底を打った。最近では回復傾向にあり、２０１７年には1億４４５０万人に届いたが、２０１８年にはふたたび減少していた。World Bank Database, data.worldbank.org/indicator/SP.POP.TOTL?locations=RU.

22 World Bank Database, data.worldbank.org/indicator/SP.DYN.LE00.MA.IN?locations=RU.

23 ウラジーミル・プーチンは次の発言をしたことが有名である。「第一に、そして何よりも、ソ連崩壊は20世紀最大の地政学的大惨事であったことを認めるべきである。ロシア国民にとって、それはまさしく悲劇に他ならないものだった」。“Putin: Soviet Collapse a ‘Genuine Tragedy,’” Associated Press, April 25, 2005. 冷戦終結に対するプーチンの見解について、さらなる証拠を知りたいなら、特に２０１４年にバルダイ国際討論クラブで行った演説に注目されたい。Vladimir Putin, “Meeting of the Valdai International Discussion Club,” October 24, 2014, en.kremlin.ru/events/president/news/46860.

24 プーチンは２００７年のミュンヘン安全保障会議における演説で、ＮＡＴＯ拡大は「相互信頼のレベルを低下させる深刻な挑発行為」と言った。Putin, “Speech and the Following Discussion at the Munich Conference on Security Policy.”

25 アメリカ主導のリベラルな世界秩序について、プーチンは修辞学的な言い方で、こう問いかけている。「考えてみよう。これに対して我々はどの程度心地よくいられるのか。どの程度安全なのか。この世界で生きていくことはどの程度幸せなのか。この世界はどの程度公正で理性的になったのか。もしかしたら、我々が不安を感じ、主張し、おかしな質問をすべき理由はないのだろうか。もしかしたら、アメリカの例外的な立場と、アメリカのリーダーシップ遂行のやり方は、本当は我々全員にとっての恩恵なのだろうか。世界中の出来事に対するアメリカの余計なおせっかいは、平和、繁栄、進歩、成長、民主主義をもたらすものなのだろうか。我々はただ安心してどれもこれも享受していればそれでいいのだろうか。私に言わせれば、その問いに対する答えは否だ。絶対的に否だ」。Putin, “Meeting of the Valdai International Discussion Club,” October 24, 2014.

26 “Putin Admits Russian Forces Were Deployed to Crimea,” Reuters, April 17, 2014.

27 当時、オバマ大統領が次のように述べた。「クリミアの住民投票は、ウクライナ憲法および国際法に明らかに違反していた。国際コミュニティはこの住民投票の結果を認めない」。White House Office of the Press Secretary, “Statement by the President on Ukraine,” March 17, 2014. ２０１８年7月25日には、マイケル・ポンペオ国務長官がアメリカのスタンスを繰り返し強調し、次のように述べた。「アメリカは、ロシアによるクリミア併合の試みを認めない。ウクライナの領土保全が回復されるまで、この方針を維持すると約束する」。Michael R. Pompeo, "Crimea Declaration," July 25, 2018.

28 Office of the United Nations High Commissioner for Human Rights, "Report on the Human Rights Situation in Ukraine, 16 November 2018 to 15 February 2019," 6, www.ohchr.org/_layouts/15/WopiFrame.aspx?sourcedoc=/Documents/Countries/UA/ReportUkraine16Nov2018-15Feb2019.pdf.

29 Office of the Director of National Intelligence, "Assessing Russian Activities and Intentions in Recent US Elections"; European Commission, "A Europe That Protects: EU Reports on Progress in Fighting Disinformation Ahead of European Council," June 14, 2019.

30 David D. Kirkpatrick, "Signs of Russian Meddling in Brexit Referendum," *New York Times*, November 15, 2017.

31 BBC News, "Russia-Ukraine Tensions Rise After Kerch Strait Ship Capture," November 26, 2018.

32 Fukuyama, "End of History?" フクヤマの論文に対する反論として、次の資料も参照。Samuel P. Huntington, "No Exit: The Errors of Endism," *National Interest* (Fall 1989).

33 私は国際ＮＰＯプロジェクト・シンジケートに寄せた２０１８年12月のコラムで、同様の主張を打ち出している。Richard N. Haass, "Europe in Disarray," *Project Syndicate*, December 13, 2018, https://www.project-syndicate.org/commentary/growing-threats-to-europe-democracy-security-by-richard-n--haass-2018-12.

東アジア太平洋地域

1 この章の趣旨に沿って、東アジア太平洋地域は次の国々および地域としている。オーストラリア、ブルネイ、カンボジア、中国、フィジー、インドネシア、日本、キリバス、北朝鮮、韓国、ラオス、マレーシア、マーシャル諸島、ミクロネシア連邦、モンゴル、ミャンマー（ビルマ）、ナウル、ニュージーランド、パラオ、パプアニューギニア、フィリピン、サモア、シンガポール、ソロモン諸島、台湾、タイ、東チモール、トンガ、ツバル、バヌアツ、ベトナム。

2 World Bank Database, data.worldbank.org/indicator/SP.POP.TOTL?locations= CN.

3 World Bank Database, data.worldbank.org/indicator/SP.POP.TOTL?locations= NR.

4 次の資料を参照。International Monetary Fund, "World Economic Outlook Database" (April 2019).

5 M. Taylor Fravel, "Territorial and Maritime Boundary Disputes in Asia," in *Oxford Handbook of the International Relations in Asia*, ed. Saadia M. Pekkanen, John Ravenhill, and Rosemary Foot (New York: Oxford University Press, 2014).

6 この地域全体の２０１８年の生産高（ＧＤＰ）は25・6兆ドルで、世界全体の生産高84・7兆ドルの30%を占めていた。次の資料を参照。International Monetary Fund, "World Economic Outlook Database" (April 2019).

7 ＡＳＥＡＮ加盟国は次の通り。ブルネイ、カンボジア、インドネシア、ラオス、マレーシア、ミャンマー（ビルマ）、フィリピン、シンガポール、タイ、ベトナム。

8 ＡＰＥＣ加盟国は次の通り。オーストラリア、ブルネイ、カナダ、チリ、中国、香港、インドネシア、日本、マレーシア、メキシコ、ニュージーランド、パプアニューギニア、ペルー、フィリピン、ロシア、シンガポール、韓国、台湾、タイ、アメリカ、ベトナム。

9 インドネシア、マレーシア、フィリピン、シンガポール、タイ、ベトナムを合わせて、２０１８年の人口が5億７１００万人だった。アメリカは3億２７００万人。次の資料を参照。International Monetary Fund, "World Economic Outlook Database" (April 2019).

10 インドネシア、マレーシア、フィリピン、シンガポール、タイ、ベトナムを合わせて２０１８年のＧＤＰが2・8兆ドルだった。フランスは2・78兆ドル、インドは2・72兆ドル、イギリスは2・83兆ドル。次の資料を参照。International Monetary Fund, "World Economic Outlook Database" (April 2019).

11 朝鮮戦争の経緯については、次の資料を参照。Halberstam, *Coldest Winter*. ハルバースタム『ザ・コールデスト・ウインター』

12 中国が軍事介入をする判断をした経緯について、最も優れた説明としては、次の資料を参照。Chen Jian, *China's Road to the Korean War: The Making of the Sino-American Confrontation* (New York: Columbia University Press, 1994).

13 公式の死者数は3万６５７４人。DeBruyne, "American War and Military Operations Casualties," 2.

14 Westad, *Cold War*, 182. ウェスタッド『冷戦』

15 この戦争の経緯について1冊にまとまっている文献で最も優れているのは次の資料。Karnow, *Vietnam*；および Logevall, *Embers of War*. 次に挙げる資料もぜひ読まれたい。David Halberstam, *The Best and the Brightest* (New York: Ballantine Books, 1969). デイヴィッド・ハルバースタム『ベスト&ブライテスト』（浅野輔訳、朝日新聞出版、１９９９年）；およびLeslie H. Gelb and Richard K. Betts, *The Irony of Vietnam: The System Worked* (Washington, D.C.: Brookings Institution Press, 1979). 他にも次に挙げる資料は一読の価値がある。Graham Greene, *The Quiet American* (New York: Penguin Classics, 1991). グレアム・グリーン『おとなしいアメリカ人』（田中西二郎訳、早川書房、２００４年）；Tim O'Brien, *The Things They Carried* (New York: Houghton Mifflin, 1990). ティム・オブライエン『本当の戦争の話をしよう』（村上春樹訳、文藝春秋、１９９８年）；および Karl Marlantes, *Matterhorn: A Novel of the Vietnam War* (New York: Atlantic Monthly Press, 2010). 最後に、映画監督ケン・バーンズによる全10話のドキュメンタリー番組『ベトナム戦争の記録』と、エロール・モリスによるドキュメンタリー『フォッグ・オブ・ウォー　マクナマラ元米国防長官の告白』（２００３年）も、ぜひ時間を作って見ていただきたい。

16 公式の死者数は5万８２２０人。DeBruyne, "American War and Military Operations Casualties," 2.

17 Westad, *Cold War*, 331-32 ウェスタッド『冷戦』

18 Stephen Daggett, "Costs of Major U.S. Wars," Congressional Research Service, June 29, 2010, 2.

19 World Bank Database, data.worldbank.org/indicator/SP.DYN.LE00.IN?locations=Z4.

20 Michael Sarel, "Growth in East Asia: What We Can and What We Cannot Infer" (Washington, D.C.: International Monetary Fund, 1996), 2.

21 World Bank Database, data.worldbank.org/indicator/NY.GDP.PCAP.KD?locations=Z4.

22 World Bank East Asia and Pacific Regional Report, "Growing Smarter: Learning and Equitable Development in East Asia and Pacific," 2018.

23 Dower, *Embracing Defeat*. ジョン・ダワー『敗北を抱きしめて』

24 日本の経済転換に関する代表的研究2冊として、次の資料を参照。Hugh T. Patrick and Henry Rosovsky, eds., *Asia's New Giant: How the Japanese Economy Works* (Washington, D.C.: Brookings Institution Press, 1976)；および

Chalmers A. Johnson, *MITI and the Japanese Miracle: The Growth of Industrial Policy, 1925–1975* (Stanford, Calif.: Stanford University Press, 1982). チャーマーズ・A・ジョンソン『通産省と日本の奇跡　産業政策の発展１９２５－１９７５』（佐々田博教訳、勁草書房、２０１８年）

25 フランク・ディケーターが、この飢饉に関する最も権威のある歴史書を書いており、飢饉による死者は最低でも４５００万人だったと推定している。Frank Dikötter, *Mao's Great Famine: The History of China's Most Devastating Catastrophe, 1958–1962* (London: Bloomsbury, 2010). フランク・ディケーター『毛沢東の大飢饉　史上最も悲惨で破壊的な人災１９５８－１９６２』（中川治子訳、草思社、２０１１年）; Yang Jisheng, *Tombstone: The Great Chinese Famine, 1958–1962* (New York: Farrar, Straus and Giroux, 2012).

26 Roderick MacFarquhar, *Mao's Last Revolution* (Cambridge, Mass.: Harvard University Press, 2006). ロデリック・マクファーカー／マイケル・シェーンハルス『毛沢東　最後の革命』（朝倉和子訳、青灯社、２０１０年）

27 中国台頭に対する日本の見解に関する文献としては、次の資料を参照。Sheila A. Smith, *Intimate Rivals: Japanese Domestic Politics and a Rising China* (New York: Columbia University Press, 2016). シーラ・A・スミス『日中 親愛なる宿敵　変容する日本政治と対中政策』（伏見岳人／佐藤悠子／玉置敦彦訳、東京大学出版会、２０１８年）。日本の戦略的視点については、次の資料を参照。Kenneth Pyle, *Japan Rising: The Resurgence of Japanese Power and Purpose* (New York: PublicAffairs, 2007). 韓国の外交政策について、詳しくは次の資料を参照。Scott A. Snyder, *South Korea at the Crossroads: Autonomy and Alliance in an Era of Rival Powers* (New York: Columbia University Press, 2018).

28 オバマ大統領は、日米安全保障条約が尖閣諸島を含むことを認めた。これは、もし中国が尖閣諸島を攻撃した場合、アメリカは日本の防衛に向かう義務があることを意味している。The White House Office of the Press Secretary, "Remarks by President Obama and Prime Minister Abe of Japan in Joint Press Conference," April 28, 2015. トランプ大統領もこの公約に再度言及した。White House, "Joint Statement from President Donald J. Trump and Prime Minister Shinzo Abe," February 10, 2017.

29 John Garver, "India, China, the United States, Tibet, and the Origins of the 1962 War," *India Review* 3, no. 2 (2004): 9–20.

30 これはきわめて複雑な問題だが、次に示す2冊の書籍は一読の価値がある。Richard C. Bush, *Unchartered Strait: The Future of China-Taiwan Relations* (Washington, D.C.: Brookings Institution, 2013) および Nancy Bernkopf Tucker, *Strait Talk: United States–Taiwan Relations and the Crisis with China* (Cambridge, Mass.: Harvard University Press, 2009).

31 私はウォール・ストリート・ジャーナル紙に寄稿した論稿で、この4フェーズについて、より詳細に記述した。Richard Haass, "The Crisis in U.S.-China Relations," *Wall Street Journal*, October 19, 2018.

32 World Bank Group, "Live Long and Prosper: Aging in East Asia and Pacific" (2016), xv.

南アジア

1 この地域に含まれる8カ国は次の通り。アフガニスタン、バングラデシュ、ブータン、インド、モルディブ、ネパール、パキスタン、スリランカ。

2 約18・2億人——世界人口75・9億人の24%——がこの地域に住んでいる。World Bank Database, data.worldbank.org/indicator/SP.POP.TOTL.

3 World Bank Database, data.worldbank.org/indicator/AG.SRF.TOTL.K2?display=graph.

4 この8カ国全体の２０１８年の生産高（ＧＤＰ）は３・５兆ドルで、世界の全生産高84・7兆ドルのおよそ４％を占める。International Monetary Fund, "World Economic Outlook Database" (April 2019).

5 Pew Research Center, "The Future of World Religions: Population Growth Projections, 2010–2050," April 2, 2015, 74.

6 Pew Research Center, "Future of World Religions," 95.

7 Sanjay Kathuria, ed., "A Glass Half Full: The Promise of Regional Trade in South Asia" (Washington, D.C.: World Bank Group, 2018), 7–9.

8 たとえばアメリカ合衆国国務省には、南・中央アジア局があり、その上級職員が南アジアと中央アジアの両方を監督している。

9 インドに関するより詳細な議論は、次の資料を参照。Stephen P. Cohen, *India: Emerging Power* (Washington, D.C.: Brookings Institution Press, 2001). スティーヴン・P・コーエン『アメリカはなぜインドに注目するのか　台頭す

る大国インド』（堀本武功訳、明石書店、２００３年）；およびRamachandra Guha, *India After Gandhi: The History of the World's Largest Democracy*, 2nd ed. (New York: Ecco, 2019). ラーマチャンドラ・グハ『インド現代史　１９４７－２００７』（佐藤宏訳、明石書店、２０１２年）。インドの外交政策について、詳しくは次の資料を参照。Alyssa Ayres, *Our Time Has Come: How India Is Making Its Place in the World* (New York: Oxford University Press, 2018).

10　ＩＭＦによれば、インド経済は２０１４年に７・４％成長していた。２０１５年は８％、２０１６年は８・２％、２０１７年は７・２％、２０１８年は７％。International Monetary Fund, "World Economic Outlook Database" (April 2019).

11　２０１８年の中国のＧＤＰは13・４兆ドルで、インドの２・７兆ドルの5倍だった。International Monetary Fund, "World Economic Outlook Database" (April 2019).

12　１９６９年のインドのＧＤＰは５８４億ドルで、中国は７９７億ドルだった。中国で経済改革プログラムが始まった１９７８年には、インド経済が１３７３億ドル、中国が１４９５億ドルだった。World Bank Database, data.worldbank.org/indicator/NY.GDP.MKTP.CD?end=1979&locations=IN-CN&start=1960.

13　"Fighting Corruption in India: A Bad Boom," *Economist*, March 15, 2014.

14　Sheoli Pargal and Sudeshna Ghosh Banerjee, *More Power to India: The Challenge of Electricity Distribution* (Washington, D.C.: World Bank, 2014).

15　"The Constant Tinkerer: Narendra Modi Is a Fine Administrator, but Not Much of a Reformer," *Economist*, June 24, 2017.

16　ＩＭＦの報告では、インドの一人当たりＧＤＰは２０１８年に２０３６ドルで、世界１４７位だった。ナイジェリア、サントメ・プリンシペ、ジブチ、ニカラグア、ガーナよりも低い。International Monetary Fund, "World Economic Outlook Database" (April 2019).

17　Preetika Rana and Joanna Sugden, "India's Record Since Independence," *Wall Street Journal*, August 15, 2013.

18　Rana and Sugden, "India's Record Since Independence."

19　Organisation for Economic Co-operation and Development, "Promoting Strong and Inclusive Growth in India," 2017.

20 アメリカエネルギー情報局によれば、２０１３年にはインド全人口のうち19%（２・４億人）が、電気の基本的なアクセスを得ていなかった。U.S. Energy Information Administration, "Country Analysis Brief: India," June 14, 2016, 2.

21 WaterAid, "Out of Order: The State of the World's Toilets 2017," 9. ２０１４年に、ナレンドラ・モディ首相は２０１９年10月までに全インド国民に衛生設備が行き渡るようにすると公約し、その一環として２００億ドルを投じたトイレ建設キャンペーンを立ち上げた。P. R. Sanjai, "World's Biggest Toilet-Building Spree Is Under Way in India," *Bloomberg*, July 30, 2018.

22 Ashutosh Varshney, "India's Democracy at 70: Growth, Inequality, and Nationalism," *Journal of Democracy* 28, no. 3 (July 2017) : 41–51; Christophe Jaffrelot, "India's Democracy at 70: Toward a Hindu State?," *Journal of Democracy* 28, no. 3 (July 2017) : 52–63; Eswaran Sridharan, "India's Democracy at 70: The Shifting Party Balance," *Journal of Democracy* 28, no. 3 (July 2017) : 76–85.

23 パキスタンの経済的・政治的発展について、より深く掘り下げてみたいなら、次の資料を参照。Anatol Lieven, *Pakistan: A Hard Country* (New York: PublicAffairs, 2011) ; Omar Noman, *Pakistan: A Political and Economic History Since 1947* (London: Kegan Paul, 1990) ; Stephen P. Cohen, *The Idea of Pakistan* (Washington, D.C.: Brookings Institution, 2004) ; および Ian Talbot, *Pakistan: A New History*, rev. ed. (London: Oxford University Press, 2015).

24 ２０１８年のパキスタンのＧＤＰは３１２６億ドル。インドは２・７１７兆ドルだったので、インド経済はパキスタンのおよそ9倍。International Monetary Fund, "World Economic Outlook Database" (April 2019).

25 ＩＭＦの報告によれば、パキスタンの一人当たりのＧＤＰは２０１８年に１５５５ドルだった。International Monetary Fund, "World Economic Outlook Database" (April 2019).

26 C. Christine Fair, "Why the Pakistan Army Is Here to Stay: Prospects for Civil Governance," *International Affairs* 87, no. 3 (May 2011) : 571–88; Cohen, *Idea of Pakistan*; Husain Haqqani, *Pakistan: Between Mosque and Military* (Washington, D.C.: Carnegie Endowment, 2005).

27 Refayet Ullah Mirdha, "Bangladesh Remains the Second Biggest Apparel Exporter," *Daily Star* (Bangladesh), August 2,

2018.

28 U.S. Census Bureau, "U.S. Trade in Goods and Services: Annual Revision," June 6, 2019.

29 バングラデシュについて、詳しくは次の資料を参照。Ali Riaz, *Bangladesh: A Political History Since Independence* (London: I. B. Tauris, 2016).

30 この地域の歴史に関する最も優れた文献は、次の通り。John Keay, *India: A History: From the Earliest Civilisations to the Boom of the Twenty-first Century*, 2nd ed. (London: HarperPress, 2010)；Ian Talbot, *A History of Modern South Asia: Politics, States, Diasporas* (New Haven, Conn.: Yale University Press, 2016)；および Sugata Bose and Ayesha Jalal, *Modern South Asia: History, Culture, Political Economy*, 4th ed. (London: Routledge, 2018).

31 Yasmin Khan, *The Great Partition: The Making of India and Pakistan*, 2nd ed. (New Haven, Conn.: Yale University Press, 2017). この分離に関するその他の注目すべき研究は、次の通り。Patrick French, *Liberty or Death: India's Journey to Independence and Division* (London: HarperCollins, 1997)；および Nisid Hajari, *Midnight's Furies: The Deadly Legacy of India's Partition* (Boston: Houghton Mifflin Harcourt, 2015).

32 インド・パキスタンの紛争については、次の文献を読まれることをお勧めする。Myra MacDonald, *Defeat Is an Orphan: How Pakistan Lost the Great South Asian War* (London: Hurst, 2016).

33 この紛争について、詳しくは次の資料を参照。Stephen P. Cohen, "India, Pakistan, and Kashmir," *Journal of Strategic Studies* 25, no. 4 (2002)：32–60; International Crisis Group, "Steps Towards Peace: Putting Kashmiris First," June 3, 2010.

34 この戦争と、バングラデシュ建国について、詳しくは次の資料を参照。Warren Bass, *The Blood Telegram: Nixon, Kissinger, and a Forgotten Genocide* (New York: Alfred A. Knopf, 2013), および Philip Oldenburg, "'A Place Insufficiently Imagined': Language, Belief, and the Pakistan Crisis of 1971," *Journal of Asian Studies* 44, no. 4 (August 1985)：711–33.

35 Herring, *From Colony to Superpower*, 713.

36 インドの核開発プログラムについて、詳しくは次の資料を参照。George Perkovich, *India's Nuclear Bomb: The Impact on Global Proliferation* (Berkeley: University of California Press, 1999).

37 Gregory D. Koblentz, *Strategic Stability in the Second Nuclear Age* (New York: Council on Foreign Relations, 2014), 14–18.

38 アフガニスタンについて、詳しくは次の資料を参照。Ahmed Rashid, *Descent into Chaos: The U.S. and the Disaster in Pakistan, Afghanistan, and Central Asia* (New York: Viking, 2008)；および Ahmed Rashid, *Pakistan on the Brink: The Future of America, Pakistan, and Afghanistan* (New York: Viking, 2012). ２００１年９月11日の同時多発テロにつながっていくこの時期の経緯を、より詳しく理解するには、次の資料を参照。Steve Coll, *Ghost Wars: The Secret History of the CIA, Afghanistan, and bin Laden, from the Soviet Invasion to September 10, 2001* (New York: Penguin Books, 2004). スティーブ・コール『アフガン諜報戦争　ＣＩＡの見えざる闘い　ソ連侵攻から９・11前夜まで』（木村一浩／伊藤力司／坂井定雄訳、白水社、２０１１年）

39 アメリカ国防総省が２０１９年６月１日に発行したレポート（"Indo-Pacific Strategy Report"）に示されているほか、アメリカ太平洋軍がアメリカインド太平洋軍に改名されたことも、その証拠である。

40 ２０１８年のインドの軍事予算は６６５億ドルで、世界第４位だった。３位はサウジアラビア（６７６億ドル）、２位は中国（２５００億ドル）、１位はアメリカ（６４９０億ドル）。Stockholm International Peace Research Institute, "SIPRI Military Expenditure Database, 1949–2018."

中東

1 この章では、次に挙げる国々を中東に含めた。アルジェリア、バーレーン、エジプト、イラン、イラク、イスラエル、ヨルダン、クウェート、レバノン、リビア、モロッコ、オマーン、パレスチナ自治区、カタール、サウジアラビア、シリア、チュニジア、アラブ首長国連邦、イエメン。

2 世界銀行の記録では、この地域に含まれる国々の２０１８年の人口を、合計４億４９００万人としている。World Bank Database, data.worldbank.org/indicator/SP.POP.TOTL?locations=ZQ.

3 International Monetary Fund, "World Economic Outlook Database" (April 2019).

4 世界銀行によれば、「石油以外の工業品輸出の中で、ＭＥＮＡ［中東および北アフリカ］が占める割合は約14％で、世界最下位である。燃料輸出では最大の割合を押さえており、60％から80％の間である」。World Bank Group,

"MENA Economic Monitor: Economic Transformation" (April 2018), 11.

5 世界銀行によれば、中東および北アフリカにおける燃料輸出は、商品輸出の56%以上を占める。世界平均は12%未満。World Bank Database, data.worldbank.org/indicator/TX.VAL.FUEL.ZS.UN?locations=ZQ-1W&view=chart.

6 United Nations Development Programme, "Arab Human Development Report 2016: Youth and the Prospects for Human Development in a Changing Reality," 74–85.

7 国連開発計画（ＵＮＤＰ）によれば、「若者における高失業率は、アラブの労働市場の最も顕著な特徴の一つである。１９９０年代初期以降、世界の他の地域と比べれば、最大で2倍にもなっている。（……）若者の失業率は今後も上昇し、２０１９年には中東で29・1%、北アフリカで30・7%に達すると見られる。世界の他の地域ではピークでも18%を超えないだろう」。United Nations Development Programme, "Arab Human Development Report 2016: Youth and the Prospects for Human Development in a Changing Reality," 80.

8 ＯＥＣＤによれば、「女性の教育は向上しているにもかかわらず、女性の労働市場への参加はいまだにきわめて低く、わずか22%である。ＯＥＣＤ諸国では50%を超える」。Organisation for Economic Co-operation and Development, *The Pursuit of Gender Equality: An Uphill Battle* (Paris: OECD Publishing, 2017), 238. ＯＥＣＤ編著『図表でみる男女格差　ＯＥＣＤジェンダー白書2　今なお蔓延る不平等に終止符を！』（濱田久美子訳、明石書店、２０１８年）

9 国際ＮＧＯフリーダム・ハウスによれば、中東および北アフリカの人口のうち、「自由」と分類される国（イスラエルとチュニジア）に住んでいるのは、わずか5%。「部分的自由」の国に住んでいるのは12%で、残りの83%は「不自由」国で暮らしている。この地域の18カ国のうち、フリーダム・ハウスが「自由」と分類しているのは2カ国のみで、12カ国を「不自由」、4カ国を「部分的自由」と分類している。Freedom House, *Freedom in the World 2018: Democracy in Crisis*, 16–17.

10 世界に現存している君主制国家10カ国のうち、8カ国が、この地域にある。バーレーン、ヨルダン、クウェート、モロッコ、オマーン、カタール、サウジアラビア、アラブ首長国連邦。

11 Bernard Lewis, *Islam and the West* (Oxford: Oxford University Press, 1994); Edward W. Said, *Orientalism* (New York: Pantheon Books, 1978). エドワード・W・サイード『オリエンタリズム』（今沢紀子訳、板垣雄三／杉田英明

監修、平凡社、1993年）

12 中東は、世界の石油確認埋蔵量全体のうち51・4%、世界の石油生産量全体のうち37・5%、世界の天然ガス確認埋蔵量全体のうち44・7%を有している。British Petroleum, "Statistical Review of World Energy" (2018).

13 国連開発計画（UNDP）によれば、「2014年だけで、中東は世界各地で起きた全テロ攻撃のうちほぼ45%に関係していた」。United Nations Development Programme, "Arab Human Development Report 2016: Youth and the Prospects for Human Development in a Changing Reality," 174.

14 イスラエル・パレスチナ間の紛争について、優れた入門書として、次の資料を推薦する。1冊は回顧録。Ari Shavit, *My Promised Land: The Triumph and Tragedy of Israel* (New York: Spiegel & Grau, 2013) および Thomas Friedman, *From Beirut to Jerusalem* (New York: Farrar, Straus and Giroux, 1989) トーマス・L・フリードマン『ベイルートからエルサレムへ　NYタイムズ記者の中東報告』（鈴木敏／鈴木百合子訳、朝日新聞社、1993年）およびDavid K. Shipler, *Arab and Jew: Wounded Spirits in a Promised Land* (New York: Broadway Books, 2015). デイヴィッド・K・シプラー『アラブ人とユダヤ人　「約束の地」はだれのものか』（千本健一郎訳、朝日新聞社、1990年）

15 オスマン帝国に関心があるなら、次の資料を推薦する。Bernard Lewis, *The Emergence of Modern Turkey*, 3rd ed. (New York: Oxford University Press, 2002)；および Feroz Ahmad, *The Making of Modern Turkey* (London: Routledge, 1993).

16 六日戦争の経緯については、次の資料を参照。Michael Oren, *Six Days of War: June 1967 and the Making of the Modern Middle East* (New York: Presidio Press, 2003). マイケル・オレン『第三次中東戦争全史』（滝川義人訳、原書房、2012年）

17 1993年の「オスロ合意I」は、次のサイトで参照可能。ecf.org.il/issues/issue/184. 1995年の「オスロ合意II」は、次のサイトで参照可能。ecf.org.il/media_items/624.

18 Stephen Kinzer, *All the Shah's Men: An American Coup and the Roots of Middle East Terror* (Hoboken, N.J.: John Wiley & Sons, 2003). この件に関する修正主義的見解は、次の資料を参照。Ray Takeyh, "What Really Happened in Iran: The CIA, the Ouster of Mosaddeq, and the Restoration of the Shah," *Foreign Affairs*, July/August 2014.

19 イラン革命について、詳しくは次の資料を参照。James Buchan, *Days of God: The Revolution in Iran and Its Consequences* (New York: Simon & Schuster, 2012).

20 現代のイランの政治について、詳しくは次の資料を参照。Ray Takeyh, *Guardians of the Revolution: Iran and the World in the Age of the Ayatollahs* (Oxford: Oxford University Press, 2009).

21 Westad, *Cold War*, 565. ウェスタッド『冷戦』

22 湾岸戦争について、詳しくは次の資料を参照。Rick Atkinson, *Crusade: The Untold Story of the Persian Gulf War* (New York: Houghton Mifflin, 1993) ; および Michael R. Gordon, *The Generals' War: The Inside Story of the Conflict in the Gulf* (New York: Little, Brown, 1995).

23 Haass, *War of Necessity, War of Choice*; Michael J. Mazarr, *Leap of Faith: Hubris, Negligence, and America's Greatest Foreign Policy Tragedy* (New York: PublicAffairs, 2019).

24 イラク戦争とアフガニスタン紛争については、次の資料を参照。Dexter Filkins, *The Forever War* (New York: Alfred A. Knopf, 2008). デクスター・フィルキンス『そして戦争は終わらない 「テロとの戦い」の現場から』(有沢善樹訳、ＮＨＫ出版、２００９年)

25 Haass, *War of Necessity, War of Choice*, 278.

26 これらの抗議活動と民主主義運動について、詳しくは次の資料を参照。Steven A. Cook, *False Dawn: Protest, Democracy, and Violence in the New Middle East* (New York: Oxford University Press, 2017).

27 Megan Specia, "How Syria's Death Toll Is Lost in the Fog of War," *New York Times*, April 13, 2018.

28 全文は次のサイトで参照可能。2009-2017.state.gov/e/eb/tfs/spi/iran/jcpoa/.

アフリカ

1 この章の趣旨に沿って、次に挙げる国々をまとめて「アフリカ」、または、より正確には「サブサハラ・アフリカ」とグループ化している。アンゴラ、ベナン、ボツワナ、ブルキナファソ、ブルンジ、カーボベルデ、カメルーン、中央アフリカ共和国、チャド、コモロ、コンゴ民主共和国、コンゴ共和国、コートジボワール、ジブチ、赤道ギニア、エリトリア、エスワティニ、エチオピア、ガボン、ガンビア、ガーナ、ギニア、ギニアビサウ、ケニア、レソト、リベリア、マダガスカル、マラウィ、マリ、モーリタニア、モーリシャス、モザンビーク、ナミビア、ニジェール、ナイジェリア、ルワンダ、サントメ・プリンシペ、セネガル、セーシェル、シエラレオネ、ソマリア、南アフリカ、南スーダン、スーダン、タンザニア、トーゴ、ウガンダ、ザンビア、ジンバブエ。

2 この地域の全体的な解説は、次の資料を参照。Richard Dowden, *Africa: Altered States, Ordinary Miracles* (New York: PublicAffairs, 2009)；S. N. Sangmpam, *Ethnicities and Tribes in Sub-Saharan Africa: Opening Old Wounds* (New York: Palgrave Macmillan, 2017)；および Jean-François Bayart, *The State in Africa: The Politics of the Belly*, 2nd ed. (New York: Polity, 2009).

3 植民地時代以前のアフリカ史について、詳しくは次の資料を参照。Cheikh Anta Diop, *Precolonial Black Africa* (New York: Lawrence Hill Books, 1987).

4 Martin Evans, *Algeria: France's Undeclared War* (Oxford: Oxford University Press, 2012).

5 Crawford Young, *The Postcolonial State in Africa: Fifty Years of Independence, 1960–2010* (Madison: University of Wisconsin Press, 2012).

6 アパルトヘイト時代について、詳しくは次の資料を参照。Nancy L. Clark and William H. Worger, *South Africa: The Rise and Fall of Apartheid*, 3rd ed. (New York: Routledge, 2016)；Allister Sparks, *The Mind of South Africa* (New York: Alfred A. Knopf, 1990)；およびJoseph Lelyveld, *Move Your Shadow: South Africa, Black and White* (New York: Penguin Books, 1986). ジョーゼフ・リリーヴェルド『おまえの影を消せ　南アフリカ 時の動きの中で』（越智道雄／藤田みどり／川合あさ子訳、伊藤正孝監修、朝日新聞社、１９８７年）。次の資料も推薦する。Alan Paton, *Cry, the Beloved Country* (New York: Scribner, 1948), 歴史書と同じくらい多くを学べる小説。アラン・ペイトン『叫べ、愛する国よ』（村岡花子訳、聖文舎、１９６２年）

7 アパルトヘイト反対運動について、詳しくは次の資料を参照。Stephen R. Davis, *The ANC's War Against Apartheid: Umkhonto we Sizwe and the Liberation of South Africa* (Bloomington: Indiana University Press, 2018).

8 南アフリカのこの時期の経緯についての解説は、マンデラの自伝を推薦する。Nelson Mandela, *Long Walk to Freedom: The Autobiography of Nelson Mandela* (Boston: Back Bay Books, 1995). ネルソン・マンデラ『自由への長い道　ネルソン・マンデラ自伝』（東江一紀訳、ＮＨＫ出版、１９９６年）

9 Richard N. Haass, *Conflicts Unending: The United States and Regional Disputes* (New Haven, Conn.: Yale University Press, 1990).

10 この地域全体の生産高（GDP）は2018年に1・58兆ドルだった。世界GDPが84・7兆ドルなので、1・9%に相当する。次の資料を参照。International Monetary Fund, "World Economic Outlook Database" (April 2019).

11 世界銀行の推定によれば、極度の貧困で暮らすアフリカ人の割合は1990年が57%、2012年が43%と減少しているが、アフリカで極度の貧困で暮らす人数で見ると、1990年から2012年にかけて1億人以上増えている。Kathleen Beegle et al., "Poverty in a Rising Africa" (Washington, D.C.: World Bank Group, 2016), xi.

12 世界銀行によれば、2012年には3億8900万のアフリカ人が、1日1・90ドル未満の暮らしをしていた。Beegle et al., "Poverty in a Rising Africa," 4.

13 世界銀行によると、世界で電気にアクセスを持たない人11億人のうち、ほぼ6億人がサブサハラ・アフリカにいる。World Bank Group, *Africa's Pulse* 17 (April 2018) : 59.

14 McKinsey Global Institute, "Lions on the Move II: Realizing the Potential of Africa's Economies" (September 2016), 103–12.

15 Thomas Isbell, "Efficacy for Fighting Corruption: Evidence from 36 African Countries," Afrobarometer Policy Paper No. 41, July 2017.

16 Beegle et al., "Poverty in a Rising Africa," 86–88.

17 最近のレポートでは、2017年におけるアフリカの域内輸出額は、アフリカの輸出総額の16・6%だった。ヨーロッパは68・1%、アジアは59・4%、アメリカは55・0%。United Nations Conference on Trade and Development, *Economic Development in Africa Report 2019* (Geneva: United Nations, 2019), 19.

18 アフリカから世界への輸出全体のうち、鉱産物（石油、鉱石など）が50%を占める。工業品はわずか20%。United Nations Conference on Trade and Development, *Economic Development in Africa Report 2019*, 23.

19 最近のレポートによれば、「現在のアフリカの道路は30年前よりも短い。物資輸送のコストは世界で最も高い」。United Nations Conference on Trade and Development, *Economic Development in Africa Report 2019*, 6.

20 McKinsey Global Institute, "Global Flows in a Digital Age: How Trade, Finance, People, and Data Connect the World Economy," April 2014.

21 アフリカ大陸にある国の半分以上が、アフリカ人の入国に査証（ビザ）を義務づけている。McKinsey Global Institute, "Lions on the Move II," 123.

22 世界銀行のレポートによれば、サブサハラ・アフリカの平均寿命は60・8歳。World Bank Database, data.worldbank.org/indicator/SP.DYN.LE00.IN?locations=ZG.

23 Beegle et al., "Poverty in a Rising Africa," 91–92. 世界銀行によれば、サブサハラ・アフリカにおける妊産婦死亡率は１９９０年には生児出生10万人に対して９８７人だったが、２０１５年には５４７人に減少していた。World Bank Database, data.worldbank.org/indicator/SH.STA.MMRT?locations=ZG. 同様に、サブサハラ・アフリカにおける乳児死亡率は、１９９０年には生児出生１０００人に対して１０８人だったが、２０１７年には52人に減少していた。World Bank Database, data.worldbank.org/indicator/SP.DYN.IMRT.IN?locations=ZG.

24 Beegle et al., "Poverty in a Rising Africa," 91–93.

25 Mitchell E. Daniels Jr. and Thomas E. Donilon, *The Emerging Global Health Crisis: Noncommunicable Diseases in Low- and Middle-Income Countries* (New York: Council on Foreign Relations, 2014).

26 United Nations, Department of Economic and Social Affairs, Population Division, "World Population Prospects 2019: Highlights" (2019).

27 United Nations, Department of Economic and Social Affairs, Population Division, "World Population Prospects 2019: Highlights."

28 Somik Vinay Lall et al., *Africa's Cities: Opening Doors to the World* (Washington, D.C.: World Bank, 2017).

29 アフリカ大陸における民主主義に関する包括的な解説は、次の資料を参照。Nic Cheeseman, *Democracy in Africa: Successes, Failures, and the Struggle for Political Reform* (New York: Cambridge University Press, 2015).

30 Freedom House, *Freedom in the World 2018: Democracy in Crisis*, 17–19.

31 "The March of Democracy Slows," *Economist*, August 20, 2016; Larry Diamond, "Facing Up to the Democratic Recession," *Journal of Democracy* 26, no. 1 (2015) : 141–55.

32 United Nations, "Report of the Independent Inquiry into the Actions of the United Nations During the 1994 Genocide in Rwanda," December 15, 1999, 3, www.securitycouncilreport.org/atf/cf/%7B65BFCF9B-6D27-4E9C-8CD3-CF6E4FF96FF9%7D/POC%20S19991257.pdf.

33 ナイジェリアの人口は1億9600万人。南アフリカは5800万人。この2国を合わせて、アフリカの全人口10億7800万人に対して23・6％を占める。World Bank Database, data.worldbank.org/indicator/SP.POP.TOTL?locations=ZG-NG-ZA.

34 IMFによれば、南アフリカのGDPは2018年に3680億ドル、ナイジェリアは3970億ドル。サブサハラ・アフリカの全生産高は1兆6430億ドルと報告されているので、この2経済圏を合わせて、46・6％を占める。次の資料を参照。International Monetary Fund, "World Economic Outlook Database" (April 2019).

35 アパルトヘイト後の南アフリカについて、詳しくは次の資料を参照。John Campbell, *Morning in South Africa* (Lanham, Md.: Rowman & Littlefield, 2016).

36 ナイジェリアについて、詳しくは次の資料を参照。John Campbell, *Nigeria: Dancing on the Brink*, updated ed. (Lanham, Md.: Rowman & Littlefield, 2013) ; John Campbell and Matthew T. Page, *Nigeria: What Everyone Needs to Know* (New York: Oxford University Press, 2018) ; および Stephen Ellis, *This Present Darkness: A History of Nigerian Organized Crime* (New York: Oxford University Press, 2016).

アメリカ大陸

1 この章の趣旨に沿って、アメリカ大陸に含まれる国は次の38カ国としている。アンティグア・バーブーダ、アルゼンチン、アルバ、バハマ、バルバドス、ベリーズ、ボリビア、ブラジル、カナダ、チリ、コロンビア、コスタリカ、キューバ、キュラソー、ドミニカ、ドミニカ共和国、エクアドル、エルサルバドル、グレナダ、グアテマラ、ガイアナ、ハイチ、ホンジュラス、ジャマイカ、メキシコ、ニカラグア、パナマ、パラグアイ、ペルー、セントクリストファー・ネイビス、セントルシア、セントマーチン、セントビンセントおよびグレナディーン諸島、スリナム、トリニダード・トバゴ、アメリカ、ウルグアイ、ベネズエラ。

2 IMFのレポートによれば、アメリカの2018年のGDPは20・49兆ドル。アメリカ大陸における他の国々の

GDPは合わせて6・96兆ドルなので、アメリカがアメリカ大陸の経済生産高の75%を占めている。International Monetary Fund, "World Economic Outlook Database" (April 2019).

3 British Petroleum, "Statistical Review of World Energy" (2018).

4 この地域に対する中国の投資について掘り下げた優れた資料は、シンクタンク「インターアメリカン・ダイアログ」のChina–Latin America Finance Databaseである。次のサイトで参照可能。www.thedialogue.org/map_list/

5 この紛争について、詳しくは次の資料を参照。Lawrence D. Freedman, "Reconsiderations: The War of the Falkland Islands, 1982," *Foreign Affairs* (Fall 1982).

6 この地域が直面している課題について把握したいなら、読むべき資料は次の通り。Michael Reid, *Forgotten Continent: The Battle for Latin America's Soul* (New Haven, Conn.: Yale University Press, 2009).

7 アメリカエネルギー情報局(EIA)によれば、2019年4月、ベネズエラの原油生産量は、全国的なストライキが起き国営石油会社の操業が停止した2003年1月以来の最低量となった。U.S. EIA, "Venezuelan Crude Oil Production Falls to Lowest Level Since January 2003," May 20, 2019.

8 IMFのレポートによれば、ベネズエラのインフレ率は100万%。International Monetary Fund, "World Economic Outlook Database" (April 2019).

9 国連難民高等弁務官事務所(UNHCR)によれば、ベネズエラ人400万人が同国を脱出した。2018年11月以降の7カ月で、さらに100万人が国を離れた。UNHCR, "Refugees and Migrants from Venezuela Top 4 Million."

10 国連難民高等弁務官事務所(UNHCR)によれば、コロンビアはベネズエラ難民およそ130万人を受け入れている。UNHCR, "Refugees and Migrants from Venezuela Top 4 Million."

11 Luigi Manzetti, "Accountability and Corruption in Argentina During the Kirchners' Era," *Latin America Research Review* 49, no. 2 (2014): 173–95.

12 International Crisis Group, "Mafia of the Poor: Gang Violence and Extortion in Central America," April 6, 2017.

13 最近のレポートによれば、「身の安全に対する懸念が、個人が移住する動機を抱く中心的役割を果たしている」。北部三角地帯に住む成人のおよそ30%が、命の危険を理由に、昨年1年間に移住を検討していた。Ben Raderstorf et

al., "Beneath the Violence: How Insecurity Shapes Daily Life and Emigration in Central America," *Dialogue*, October 2017, 8.

第3部　グローバル時代

グローバル化

1 グローバル化擁護論として、次の資料を参照。Martin Wolf, *Why Globalization Works* (New Haven, Conn.: Yale University Press, 2004)；およびJagdish Bhagwati, *In Defense of Globalization* (Oxford: Oxford University Press, 2007). ジャグディシュ・バグワティ『グローバリゼーションを擁護する』（鈴木主税／桃井緑美子訳、日本経済新聞出版、２００５年）。より懐疑的な見解としては、次の資料を参照。Joseph Stiglitz, *Globalization and Its Discontents Revisited: Anti-globalization in the Era of Trump* (New York: W. W. Norton, 2018).

2 World Bank Database, data.worldbank.org/indicator/ST.INT.DPRT.

3 国連難民高等弁務官事務所（ＵＮＨＣＲ）によれば、２０１９年６月の時点で、全世界の難民は２５９０万人。次の資料を参照。www.unhcr.org/en-us/figures-at-a-glance.html.

4 Organisation for Economic Co-operation and Development, "OECD International Direct Investment Statistics 2018" (Paris: OECD Publishing, 2019).

5 World Trade Organization, *World Trade Statistical Review 2019*, 8.

6 世界貿易機関（ＷＴＯ）の推定によれば、商品貿易は１９８７年が総額２・５兆ドル、１９８８年が２・９兆ドルで、現在のおおむね７分の１。次の資料を参照。www.data.wto.org.

7 世界貿易機関（ＷＴＯ）の推定によれば、商品貿易は１９６７年が総額２１８０億ドル、１９６８,年が２４２０億ドルで、現在のおおむね80分の１。次の資料を参照。www.data.wto.org.

8 アメリカの人口は約３億３０００万人。世界人口は７・６億人なので、約４・３％に相当する。

テロと対テロ作戦

1 テロについて、より深く学びたいなら、このテーマの代表的な文献は次の通り。Bruce Hoffman, *Inside Terrorism*, 3rd ed.（New York: Columbia University Press, 2017）. ブルース・ホフマン『テロリズム　正義という名の邪悪な殺戮』（上野元美訳、原書房、１９９９年）

2 北アイルランドのテロについて関心があるなら、次の資料を参照。Richard English, *Armed Struggle: The History of the IRA*（Oxford: Oxford University Press, 2003）.

3 パレスチナのテロ行為について関心があるなら、次の資料を参照。Barry Rubin, *Revolution Until Victory?: The Politics and History of the PLO*（Cambridge, Mass.: Harvard University Press, 1996）.

4 アルカイダとＩＳＩＳについては膨大な資料があるが、ここでお勧めする数冊は次の通り。Wright, *Looming Tower.* ライト『倒壊する巨塔』；Daniel Byman, *Al Qaeda, the Islamic State, and the Global Jihadist Movement: What Everyone Needs to Know*（Oxford: Oxford University Press, 2015）；および Joby Warrick, *Black Flags: The Rise of ISIS*（New York: Anchor Books, 2016）. ジョビー・ウォリック『ブラック・フラッグス　「イスラム国」台頭の軌跡』（伊藤真訳、白水社、２０１７年）

5 メリーランド大学が運営するグローバル・テロリズム・データベースは、１９７０年以降に世界各地で起きたテロ行為を記録しており、18万件以上の攻撃に関する情報が含まれている。National Consortium for the Study of Terrorism and Responses to Terrorism（START）, Global Terrorism Database, www.start.umd.edu/gtd.

6 Erin Miller, "Global Terrorism in 2017"（College Park, Md.: START, 2018）, www.start.umd.edu/pubs/START_GTD_Overview2017_July2018.pdf.

7 National Consortium for the Study of Terrorism and Responses to Terrorism, Global Terrorism Database, www.start.umd.edu/gtd.

8 反テロ活動（カウンターテロリズム）と、アメリカの反テロ活動方針について、詳しくは次の資料を参照。Paul R. Pillar, *Terrorism and U.S. Foreign Policy*（Washington, D.C.: Brookings Institution, 2001）；および Peter L. Bergen, *The Longest War: The Enduring Conflict Between America and Al-Qaeda*（New York: Free Press, 2011）.

核拡散

1　この見解の有名な提唱者はケネス・ウォルツである。より多くの国が核兵器を保有すれば、世界はより安定すると主張している。国家が互いを攻撃して核による報復を招くリスクを避けるようになるから、というのがその理由だ。ウォルツは「核保有国が多くなれば、未来は安泰になる」と書いた。Kenneth Waltz, "The Spread of Nuclear Weapons: More May Better," *Adelphi Papers*, no. 171 (London: International Institute for Strategic Studies, 1981). この意見に関する議論については、次の資料を参照。Scott D. Sagan and Kenneth N. Waltz, *The Spread of Nuclear Weapons: A Debate* (New York: W. W. Norton, 1995). ケネス・ウォルツ「核保有国が増えるのはおそらく好都合」『スコット・セーガン／ケネス・ウォルツ『核兵器の拡散　終わりなき論争』（川上高司監訳、斎藤剛訳、勁草書房、２０１７年）

2　この説を提唱する学者は、キューバ危機のような前例を引き合いに出すことが多い。キューバ危機の際は、フィデル・カストロがソ連に対し、核兵器でアメリカを攻撃することを求めていた。キューバが破壊される可能性を受け入れ、共産主義を推進するためにはその代償を受け入れるという考えだった。James G. Blight and Janet M. Lang, "How Castro Held the World Hostage," *New York Times*, October 25, 2012. 毛沢東はインド首相ジャワハルラール・ネルーに対し、次のように語ったと報じられている。「最悪の事態［核戦争］になり、人類の半分が死に絶えたとしても、残りの半分は生き残り、帝国主義が崩壊して世界全体が社会主義になるだろう」。毛沢東にとって、核戦争は社会主義への転換を早める道だった。Margaret MacMillan, *Nixon and Mao: The Week That Changed the World* (New York: Random House, 2007), 132.

3　核兵器不拡散条約第1条は、次のように宣言している。「本条約締結国である核保有国は、核兵器またはその他の核爆発装置、あるいはそうした兵器または爆発装置に対する管理を、直接的または間接的を問わず、いかなる国にも移譲しないこと、また、いかなる形においても他の非核保有国が核兵器またはその他の核爆発装置、あるいはそうした兵器または爆発装置に対する管理を、製造、もしくは何らかの形で取得することを支援、奨励、誘導しないことに同意する」。核兵器不拡散条約の本文は次のサイトで参照可能。www.un.org/disarmament/wmd/nuclear/npt/text/

4　核兵器不拡散条約第6条は、次のように宣言している。「本条約締結国は、核軍備競争の早期の停止と核軍縮にかかわる効果的な方策のため、また厳密かつ効果的な国際管理のもとで全般的かつ完全な軍縮についての条約のため、誠実な交渉を行っていくことに同意する」

5 最も有名なのは、アメリカとイスラエルがイランの核開発プログラムの進行を遅延させるために行ったサイバー攻撃である。David E. Sanger, *Confront and Conceal: Obama's Secret Wars and Surprising Use of American Power* (New York: Crown, 2012), 141–225.

6 この覚書は次のように宣言している。「ロシア連邦、グレートブリテン及び北アイルランド連合王国、アメリカ合衆国は、ウクライナの領土保全または政治的独立を阻む武力行使または武力行使の脅迫を控えるという義務について、また、3国いずれが所有する武器も、自衛または国際連合憲章に沿った目的を除き、ウクライナに対して決して行使されないことについて、再度合意する」。全文は次のサイトで参照可能。www.securitycouncilreport.org/atf/cf/%7B65BFCF9B-6D27-4E9C-8CD3-CF6E4FF96FF9%7D/s_1994_1399.pdf.

7 抑止理論と核戦略は一つの下位学問分野となっているが、それが1冊にまとまっている文献で最も優れているのは次の資料。Lawrence Freedman, *The Evolution of Nuclear Strategy*, 3rd ed. (New York: Palgrave Macmillan, 2003).

8 1960年、ジョン・F・ケネディとリチャード・M・ニクソンによる第3回大統領候補討論会において、ケネディは次のように宣言した。「新たな介入のせいで、大統領任期が終わる1964年までに、10カ国、15カ国、あるいは20カ国が核能力をもつようになる可能性がある。そこには共産国である中国も含まれる」。Commission on Presidential Debates, "October 13, 1960 Debate Transcript," https://www.debates.org/voter-education/debate-transcripts/october-13-1960-debate-transcript/.

気候変動

1 気候変動について、より深く学びたいなら、手始めに読むべき資料は次の通り。Elizabeth Kolbert, *Field Notes from a Catastrophe: Man, Nature, and Climate Change* (New York: Bloomsbury, 2015). エリザベス・コルバート『地球温暖化の現場から』(仙名紀訳、オープンナレッジ、2007年)。気候変動の科学的考察について、詳しくは次の資料を参照。Jeffrey Bennett, *A Global Warming Primer: Answering Your Questions About Science, the Consequences, and the Solutions* (Boulder, Colo.: Big Kid Science, 2016).

2 1901年以降、地球表面は1世紀ごとに平均で摂氏0・7－0・9度上昇している。しかし、この上昇率が1975年以降は倍になり、1世紀ごとに摂氏1・5－1・8度の上昇となっている。Jessica Blunden, Derek S. Arndt, and Gail Hartfield, eds., “State of the Climate in 2017,” *Bulletin of the American Meteorological Society* 99, no. 8 (2018) : 12.

3 最近の研究で、海水温は気候変動に関する政府間パネル（IPCC）による5年前の推定よりも40％早く上昇が進んでいることが明らかになった。Kendra Pierre-Louis, “Ocean Warming Is Accelerating Faster Than Thought, New Research Finds,” *New York Times*, January 10, 2019.

4 John Schwartz and Henry Fountain, “Warming in Arctic Raises Fears of a ‘Rapid Unraveling’ of the Region,” *New York Times*, December 11, 2018.

5 2017年の平均海水位は1993年の平均海水位から3インチ〔約7・5センチ〕上昇していた——衛星による観測を始めてから（1993年から現在）平均としては最も高い。海水位が前年より高くなるのは6年連続で、過去24年間で21回。Rebecca Lindsey, “Climate Change: Global Sea Level,” Climate.gov, August 1, 2018.

6 たとえば現在の二酸化炭素濃度は、少なくとも過去80万年で最も高い。この上昇は、人間がエネルギー確保のために燃焼する化石燃料が原因である。Rebecca Lindsey, “Climate Change: Atmospheric Carbon Dioxide,” Climate.gov, August 1, 2018.

7 Henry Fountain and Nadja Popovich, “2019 Was the Second-Hottest Year Ever, Closing Out the Warmest Decade,” *New York Times*, January 15, 2020.

8 Lindsey, “Climate Change: Global Sea Level.”

9 Amy M. Jaffe, “UN Climate Report Highlights Extreme Risk to Many Regions,” cfr.org, October 12, 2018.

10 この見解について、非常に読みやすくまとめた1冊として、次の資料を参照。David Wallace-Wells, *The Uninhabitable Earth: Life After Warming* (New York: Tim Duggan Books, 2019). デイビッド・ウォレス・ウェルズ『地球に住めなくなる日「気候崩壊」の避けられない真実』（藤井留美訳、NHK出版、2020年）

11 気温が摂氏1・5度以上上昇すれば、今世紀半ばまでに、バングラデシュで5000万人以上が自国を離れざるをえなくなる。Amy M. Jaffe, “UN Climate Report Highlights Extreme Risk to Many Regions.”

12 Christopher Flavelle, "Climate Change Threatens the World's Food Supply, United Nations Warns," *New York Times*, August 8, 2019. 国連の報告書概要は次のサイトで閲覧可能。www.ipcc.ch/site/assets/uploads/2019/08/4.-SPM_Approved_Microsite_FINAL.pdf.

13 バラク・オバマ大統領は２０１５年に発表した国家安全保障戦略（ＮＳＳ）で、アメリカの国益に対する戦略的リスクの上位に気候変動を挙げた。ＮＳＳは次のように書かれている。「気候変動は我が国の安全保障に対する喫緊かつ増大しつつある脅威であり、自然災害、難民流入、食糧や水など基本的資源をめぐる紛争の増加につながる」。President Barack Obama, "National Security Strategy of the United States of America," February 2015, obamawhitehouse.archives.gov/sites/default/files/docs/2015_national_security_strategy_2.pdf.

14 British Petroleum, "BP Energy Outlook: 2019 Edition," 79.

15 British Petroleum, "BP Energy Outlook: 2019 Edition," 67.

16 British Petroleum, "BP Energy Outlook: 2019 Edition," 29.

17 British Petroleum, "BP Energy Outlook: 2019 Edition," 79.

18 Frances Seymour, "Deforestation Is Accelerating, Despite Mounting Efforts to Protect Tropical Forests. What Are We Doing Wrong?," *World Resources Institute*, June 26, 2018, www.wri.org/blog/2018/06/deforestation-accelerating-despite-mounting-efforts-protect-tropical-forests.
具体的な推算値にはズレがあるものの、森林破壊による炭素量増大問題そのものは、広く同意されている。

19 Intergovernmental Panel on Climate Change, *Climate Change 2007—Mitigation of Climate Change: Working Group III Contribution to the Fourth Assessment Report of the IPCC* (Cambridge: Cambridge University Press, 2007). 産業革命前よりも気温が１・５℃上昇した際の影響について、気候変動に関する政府間パネル（ＩＰＣＣ）がまとめた特別報告は、２５００件の科学的レビューへの参照を含んでおり、一定のコンセンサスがとれている。

20 Intergovernmental Panel on Climate Change, *Global Warming of 1.5℃: An IPCC Special Report on the Impacts of Global Warming of 1.5℃ Above Pre-industrial Levels and Related Global Greenhouse Gas Emission Pathways, in the Context of Strengthening the Global Response to the Threat of Climate Change, Sustainable Development, and Efforts to Eradicate Poverty* (Geneva: World Meteorological Organization, 2018). 報告書全文は次のサイトで参照可

能。www.ipcc.ch/sr15/.

21 たとえば、引退したＭＩＴ教授リチャード・リンゼンは、気候変動に対する疑念を公に表明しており、２０１７年にドナルド・トランプ大統領に送った公開書簡で、次のように主張した。「２００９年以降、アメリカおよび諸外国政府は、科学的に正当性のない気候変動を尊重した行動をとっている」。Zahra Hirji, "Climate Contrarian Gets Fact-Checked by MIT Colleagues in Open Letter to Trump," *Inside Climate News*, March 6, 2017.

22 British Petroleum, "BP Energy Outlook: 2019 Edition," 15.

23 国際エネルギー機関（ＩＥＡ）によれば、「石炭燃焼によるＣＯ２排出は、世界の地表面平均温度が産業前から１℃の上昇するうちの０・３℃以上に寄与している。石炭は世界気温上昇の最大の原因となっている」。IEA, "Global Energy & CO_2 Status Report: The Latest Trends in Energy and Emissions in 2018," www.iea.org/geco/emissions/.

24 British Petroleum, "BP Energy Outlook: 2019 Edition," 103.

25 British Petroleum, "BP Energy Outlook: 2019 Edition," 79.

26 適応策について、詳しくは次の資料を参照。Alice C. Hill and Leonardo Martinez-Diaz, *Building a Resilient Tomorrow* (New York: Oxford University Press, 2019).

27 気候工学について、詳しくは次の資料を参照。Oliver Morton, *The Planet Remade: How Geoengineering Could Change the World* (Princeton, N.J.: Princeton University Press, 2016).

28 正式には、「環境改変技術の軍事的使用その他の敵対的使用の禁止に関する条約」。全文は次のサイトで参照可能。treaties.un.org/doc/Treaties/1978/10/19781005%2000-39%20AM/Ch_XXVI_01p.pdf.

移民・難民問題

1 United Nations International Organization for Migration, "Who is a Migrant?," https://www.iom.int/who-is-a-migrant.

2 United Nations Educational, Scientific and Cultural Organization, "Information Kit: United Nations Convention on Migrants' Rights" (2005), unesdoc.unesco.org/ark:/48223/pf0000143557.

3 国連によれば、「全世界の国際移民の数は、近年急速に増加が続いており、２０１７年に2億５８００万人に達した。２０１０年は2億２０００万人、２０００年は1億７３００万人だった」。United Nations, Department of

Economic and Social Affairs, Population Division, *International Migration Report 2017: Highlights*, www.un.org/en/development/desa/population/migration/publications/migrationreport/docs/MigrationReport2017_Highlights.pdf.

4　２０１６年末の時点で、世界には２５９０万人の難民と亡命希望者がいた。全国際移民の10・１％に相当する。United Nations, Department of Economic and Social Affairs, Population Division, *International Migration Report 2017: Highlights*, 7.

5　高所得諸国は、全国際移民のおよそ3分の2を受け入れており、２０００年から２０１７年の間に全世界で増えた移民８５００万人のうち、６４００万人を受け入れた。United Nations, Department of Economic and Social Affairs, Population Division, *International Migration Report 2017: Highlights*, 4.

6　United Nations, Department of Economic and Social Affairs, Population Division, *International Migration Report 2017: Highlights*, 6.

7　国連難民高等弁務官事務所（ＵＮＨＣＲ）によれば、２０１９年6月現在で、全世界の強制移民の数は７０８０万人だった。次の資料を参照。www.unhcr.org/en-us/figures-at-a-glance.html.

8　難民２５９０万人のうち、５５０万人はパレスチナ難民に分類される。残りの２０４０万人は、その他の地域から生じている。次の資料を参照。www.unhcr.org/en-us/figures-at-a-glance.html.

9　アメリカの移民政策の歴史に関心があるなら、次の資料を参照。Daniel J. Tichenor, *Dividing Lines: The Politics of Immigration Control in America* (Princeton, N.J.: Princeton University Press, 2002)；および Susan F. Martin, *A Nation of Immigrants* (Cambridge: Cambridge University Press, 2011).

10　アメリカは５０００万人の移民を受け入れている。全世界の移民全体の19％に相当し、どの国よりも多い。United Nations, Department of Economic and Social Affairs, Population Division, *International Migration Report 2017: Highlights*, 6.

11　アメリカは２０１７年に、１１３万人に合法的な永住資格を与えた（57万８０００人は新規入国者、54万９０００人はそれまでの在留資格の変更による）。２０１６年は１１８万人、２０１５年は１０５万人だった。２００１年から２０１７年の17年の中の14年において、少なくとも年間１００万人がアメリカの合法的永住資格を得た。U.S. Department of Homeland Security, Office of Immigration Statistics, *2017 Yearbook of Immigration Statistics*, 5.

12 ２０１７年に合法的にアメリカの永住資格を得た１１３万人のうち、51万６５００人は、近い親戚がアメリカ国民であることを理由に資格を与えられた。残りのうち23万２２００人は、家族がスポンサーとなることで、資格を与えられた。U.S. Department of Homeland Security, Office of Immigration Statistics, 2017 *Yearbook of Immigration Statistics*, 18.

13 独立国が1年度に国民の7%を超える数で査証（ビザ）を発行することはなく、2%を超える数で家族滞在ビザを発行することもないようだ。次の資料を参照。www.uscis.gov/tools/glossary/country-limit. 現在のアメリカの移民政策については、次の資料を参照。William A. Kandel, "A Primer on U.S. Immigration Policy," Congressional Research Service, June 22, 2018, fas.org/sgp/crs/homesec/R45020.pdf.

14 ２０１７年には、優先就業者、高度専門職、雇用創出（投資家など）のように、雇用を根拠とした条件により13万７９００人が合法的な永住資格を得た。U.S. Department of Homeland Security, Office of Immigration Statistics, *2017 Yearbook of Immigration Statistics*, 18.

15 ２０１７年には98万７０００人が国籍取得を申請した。U.S. Department of Homeland Security, Office of Immigration Statistics, *2017 Yearbook of Immigration Statistics*, 52.

16 Jennifer Hunt and Marjolaine Gauthier-Loiselle, "How Much Does Immigration Boost Innovation?," National Bureau of Economic Research, NBER Working Paper 14312, September 2008; J. David Brown et al., "Immigrant Entrepreneurs and Innovation in the U.S. High-Tech Sector," IZA Institute of Labor Economics Discussion Paper No. 12190, February 2019.

17 New American Economy Research Fund, "New American Fortune 500 in 2019: Top American Companies and Their Immigrant Roots," July 22, 2019.

18 この見解の最も優れた提示は、次の資料に見られる。George J. Borjas, *We Wanted Workers: Unraveling the Immigration Narrative* (New York: W. W. Norton, 2016). ジョージ・ボージャス『移民の政治経済学』（岩本正明訳、白水社、２０１７年）

19 United Nations High Commissioner for Refugees, *Global Trends: Forced Displacement in 2018*, www.unhcr.org/5d08d7ee7.pdf.

20 強制移民の数は２００８年には全世界で４２００万人だったが、２０１８年には７０８０万人に増えていた。難民人口——パレスチナ難民を除く——は２０１２年以降でほぼ倍増しており、１０５０万人から２０４０万人になっている。United Nations High Commissioner for Refugees, *Global Trends: Forced Displacement in 2018*; United Nations High Commissioner for Refugees, *2008 Global Trends: Refugees, Asylum- Seekers, Returnees, Internally Displaced and Stateless Persons*, www.unhcr.org/4a375c426.pdf.

21 United Nations High Commissioner for Refugees, *Global Trends: Forced Displacement in 2018*, 18.

22 パレスチナ難民を除き、世界各地の難民２０４０万人のうち、６７０万人がシリア、２７０万人がアフガニスタン、２３０万人は南スーダンで発生していた。United Nations High Commissioner for Refugees, *Global Trends: Forced Displacement in 2018*, 3.

23 １９５１年難民の地位に関する条約A条第２項。

24 ２０１８年にトルコは３７０万人の難民を受け入れた。パキスタンは１４０万人、ウガンダは１２０万人、スーダンは１１０万人。United Nations High Commissioner for Refugees, *Global Trends: Forced Displacement in 2018*, 3.

25 Francis M. Deng, "Report of the Representative of the Secretary-General Mr. Francis M. Deng, Submitted Pursuant to Commission Resolution 1997/39, February 11, 1998," https://digitallibrary.un.org/record/251017.

インターネット、サイバースペース、サイバーセキュリティ

1 Radicati Group, "Email Statistics Report, 2019–2023," February 2019.

2 通信機器メーカーであるエリクソンの推定によれば、２０２２年にはインターネットに接続するデバイスの数がおよそ２９０億台になる。そのうち１８０億台は、いわゆる「モノのインターネット（ＩｏＴ）」関連。Ericsson, "Internet of Things Forecast," www.ericsson.com/en/mobility-report/internet-of-things-forecast.

3 ２０１６年に国連人権委員会が、「人間がオフラインで有する権利と同じ権利、特に表現の自由は、オンラインでも守られるべきであることを認める」という決議を通過させた。全文は次のサイトで参照可能。undocs.org/A/HRC/32/L.20.

4 ホワイトハウスが発表した当該の宣言の全文は次の通り。「米中は、いずれの国家政府も、企業または商業セクタ

ーに競争優位をもたらすことを意図し、貿易機密やビジネスの機密情報を含めた知的財産に対してインターネットを利用した窃盗の実行または故意的な援助をしないと合意する」。White House, "Fact Sheet: President Xi Jinping's State Visit to the United States," September 25, 2015.

5 Dustin Volz, "China Violated Obama-Era Cybertheft Pact, U.S. Official Says," *Wall Street Journal*, November 8, 2018; David E. Sanger and Steven Lee Myers, "After a Hiatus, China Accelerates Cyberspying Efforts to Obtain U.S. Technology," *New York Times*, November 29, 2018; Ken Dilanian, "China's Hackers Are Stealing Secrets from U.S. Firms Again, Experts Say," NBC News, October 9, 2018.

6 White House, "International Strategy for Cyberspace: Prosperity, Security, and Openness in Networked World," May 2011, 8, https://obamawhitehouse.archives.gov/sites/default/files/rss_viewer/internationalstrategy_cyberspace.pdf.

7 Adam Segal, "When China Rules the Web: Technology in Service of the State," *Foreign Affairs*, September/October 2018. アダム・シーガル「次なるサイバー超大国　中国――主導権はアメリカから中国へ」『フォーリン・アフェアーズ・リポート』２０１８年10月号（フォーリン・アフェアーズ・ジャパン、２０１８年）

8 インターネットの細分化と、複数の異なるインターネットの形成について、詳しくは次の資料を参照。Scott Malcomson, *Splinternet: How Geopolitics and Commerce Are Fragmenting the World Wide Web* (New York: OR Books, 2016)；"Lost in the Splinternet," *Economist*, November 5, 2016.

9 Max Fisher, "Sri Lanka Blocks Social Media, Fearing More Violence," *New York Times*, April 21, 2019.

10 サイバー脅威が政策立案者につきつける課題や、そうした脅威への対応のアプローチについて関心があるなら、次の資料を参照。Richard A. Clarke and Robert K. Knake, *The Fifth Domain: Defending Our Country, Our Companies, and Ourselves in the Age of Cyber Threats* (New York: Penguin Press, 2019).

11 Sanger, *Confront and Conceal*, 141–225.

12 David E. Sanger and William J. Broad, "Trump Inherits a Secret Cyberwar Against North Korean Missiles," *New York Times*, March 4, 2017.

13 David E. Sanger, David D. Kirkpatrick, and Nicole Perlroth, "The World Once Laughed at North Korean Cyberpower. No More," *New York Times*, October 15, 2017.

14 フランスのエマニュエル・マクロン大統領は、２０１８年11月に「サイバー空間における信頼と安全のためのパリ・コール」を宣言した。サイバースペースの安全保障のための共通原則の開発を呼びかける内容。これまでに66カ国が署名したが、中国、ロシア、アメリカは署名していない。

15 グローバルなルール形成の試みについて、詳しくは次の資料を参照。Adam Segal, *The Hacked World Order: How Nations Fight, Trade, Maneuver, and Manipulate in the Digital Age* (New York: PublicAffairs, 2017).

16 Laurens Cerulus and Mark Scott, "Europe Seeks to Lead a New World Order on Data," *Politico*, June 7, 2019.

17 サイバー攻撃、サイバー戦争、また、そうした攻撃の抑止もしくは対応の難しさについての議論は、次の資料を参照。David E. Sanger, *The Perfect Weapon: War, Sabotage, and Fear in the Cyber Age* (New York: Crown, 2018) デービッド・E・サンガー『サイバー完全兵器　世界の覇権が一気に変わる』（高取芳彦訳、朝日新聞出版、２０１９年）; Fred Kaplan, *Dark Territory: The Secret History of Cyber War* (New York: Simon & Schuster, 2016)；および Jason Healey, ed., *A Fierce Domain: Conflict in Cyberspace, 1986–2012* (Washington, D.C.: Cyber Conflict Studies Association, 2013).

グローバルヘルス

1 国際保健（グローバルヘルス）について、より深く学びたいなら、次の資料を推薦する。Randall M. Packard, *A History of Global Health: Interventions into the Lives of Other Peoples* (Baltimore: Johns Hopkins University Press, 2016)；および Angus Deaton, *The Great Escape: Health, Wealth, and the Origins of Inequality* (Princeton, N.J.: Princeton University Press, 2013). アンガス・ディートン『大脱出　健康、お金、格差の起原』（松本裕、みすず書房、２０１４年）。

2 Daniels and Donilon, *Emerging Global Health Crisis*, 15.

3 全世界の医療支出は２０１６年に8兆ドルに到達した。世界経済の８・６%に相当する。Global Burden of Disease Health Financing Collaborator Network, "Past, Present, and Future of Global Health Financing: A Review of Development Assistance, Government, Out-of-Pocket, and Other Private Spending on Health for 195 Countries, 1995–2050," *Lancet*, April 24, 2019.

4 アメリカ・メディケア・メディケイドサービスセンター（ＣＭＳ）のレポートによれば、アメリカの２０１７年の医療支出は３・５兆ドルに到達し、ＧＤＰの１７・９%を占めた。Centers for Medicare & Medicaid Services, "National Health Expenditures 2017 Highlights," www.cms.gov/Research-Statistics-Data-and-Systems/Statistics-Trends-and-Reports/NationalHealthExpendData/Downloads/highlights.pdf.

5 世界人口で見れば、出生時の平均余命〔訳注：平均余命とは現在の年齢から死亡までの年数のこと。出生時から起算するならば、それは平均寿命のことを指す。訳では「平均寿命」に統一している〕は２０１９年に72・６歳に到達した。United Nations, Department of Economic and Social Affairs, Population Division, "World Population Prospects 2019: Highlights," 2.

6 たとえば、次に挙げる国での平均寿命は80歳を超える。チリ、コスタリカ、スロベニア、ポルトガル、ドイツ、ギリシャ、フィンランド、ベルギー、デンマーク、オーストリア、イギリス、フランス、韓国、カナダ、ルクセンブルク、オランダ、ニュージーランド、アイルランド、オーストラリア、イスラエル、スペイン、イタリア、スウェーデン、ノルウェー、アイスランド、日本、スイス。ちなみにアメリカは78・６歳どまり。OECD Health Statistics, "Life Expectancy at Birth," data.oecd.org/healthstat/life-expectancy-at-birth.htm.

7 James C. Riley, "Estimates of Regional and Global Life Expectancy, 1800–2001," *Population and Development Review* 31, no. 3 (September 2005) : 537–43.

8 現在の女性の平均寿命は推定75歳、男性は70・２歳。United Nations, Department of Economic and Social Affairs, Population Division, "World Population Prospects 2019: Highlights," 29.

9 World Bank, *Levels and Trends in Child Mortality: Estimates Developed by the UN Inter-agency Group for Child Mortality Estimation* (IGME) —*Report 2015* (Washington, D.C.: World Bank Group, 2015).

10 ポリオの発症数は、１９８８年に推定35万件だったが、２０１８年に報告された件数は33件で、99%減少した。世界保健機関（ＷＨＯ）の推定では、この激減の結果として、昔だったら身体麻痺が生じていたであろう１８００万人以上が歩行できている。World Health Organization, "Fact Sheet: Poliomyelitis," July 22, 2019, www.who.int/en/news-room/fact-sheets/detail/poliomyelitis.

11 UNAIDS, "Global HIV & AIDS Statistics—2019 Fact Sheet," www.unaids.org/en/resources/fact-sheet.

12 Institute for Health Metrics and Evaluation, *Financing Global Health 2016: Development Assistance, Public and Private Health Spending for the Pursuit of Universal Health Coverage* (Seattle: IHME, 2017), 39.

13 次に挙げる国での平均寿命は55歳未満。シエラレオネ、中央アフリカ共和国、チャド、ナイジェリア、コートジボワール。World Bank Database, data.worldbank.org/indicator/SP.DYN.LE00.IN.

14 サブサハラ・アフリカの平均寿命は全体では61・1歳で、世界平均の72・6歳を10歳以上も下回る。United Nations, Department of Economic and Social Affairs, Population Division, "World Population Prospects 2019: Highlights," 29.

15 この地域の１９６０年の平均寿命は40歳をわずかに超える程度だった。World Bank Database, data.worldbank.org/indicator/SP.DYN.LE00.IN?locations=ZG.

16 Lance Saker et al., *Globalization and Infectious Diseases: A Review of the Linkages* (Geneva: UNICEF/UNDP/World Bank/WHO Special Program for Research and Training in Tropical Diseases, 2004) ; Tong Wu et al., "Economic Growth, Urbanization, Globalization, and the Risks of Emerging Infectious Diseases in China: A Review," *Ambio* 46 (2017) : 18–29; Douglas W. MacPherson et al., "Population Mobility, Globalization, and Antimicrobial Drug Resistance," *Emerging Infectious Diseases* 15, no. 11 (2009) : 1727–32.

17 たとえば、イエメンにおける現在も進行中の戦争と、イエメン人口の避難が原因で、国連によれば２０１９年上半期に同国においてコレラが50万件近く発症した。United Nations Office for the Coordination of Humanitarian Affairs, "Yemen: Over 460K Cases of Cholera Registered to Date This Year," July 8, 2019.

18 U.S. Department of Health and Human Services, Centers for Disease Control and Prevention, "Antibiotic Resistance Threats in the United States, 2013," www.cdc.gov/drugresistance/threat-report-2013/pdf/ar-threats-2013-508.pdf.

19 Douglas Jordan, "The Deadliest Flu: The Complete Story of the Discovery and Reconstruction of the 1918 Pandemic Virus," U.S. Centers for Disease Control and Prevention, www.cdc.gov/flu/pandemic-resources/reconstruction-1918-virus.html.

20 ＮＣＤについて、詳しくは次の資料を参照。Thomas J. Bollyky, *Plagues and the Paradox of Progress: Why the World Is Getting Healthier in Worrisome Ways* (Cambridge, Mass.: MIT Press, 2018) ; Daniels and Donilon, *Emerging*

Global Health Crisis.

21 Institute for Health Metrics and Evaluation, *Rethinking Development and Health: Findings from the Global Burden of Disease Study* (Seattle: IHME, 2016), 29.

22 World Health Organization, *Global Status Report on Noncommunicable Diseases 2014* (Geneva: World Health Organization, 2014), xi.

23 United Nations, "Report to the Secretary-General: Prevention and Control of Non- communicable Diseases," May 19, 2011.

24 この問題に関する概観は、次の資料を参照。David P. Fidler, "The Challenges of Global Health Governance," Council on Foreign Relations Working Paper, May 2010, www.cfr.org/report/challenges-global-health-governance.

25 ＷＨＯの欠点について、詳しくは次の資料を参照。Laurie Garrett, "Ebola's Lessons: How the WHO Mishandled the Crisis," *Foreign Affairs*, September/October 2015 ローリー・ギャレット「エボラ危機対策の教訓（上）・（下）　なぜＷＨＯは危機対策を間違えたか」『フォーリン・アフェアーズ・リポート』２０１５年11・12月号（フォーリン・アフェアーズ・ジャパン、２０１５年）; Suerie Moon et al., "Will Ebola Change the Game? Ten Essential Reforms Before the Next Pandemic. The Report of the Harvard-LSHTM Independent Panel on the Global Response to Ebola," *Lancet* 386, no. 10009 (2015).

26 World Health Organization, "Constitution of the World Health Organization," Chapter 1, Article 1, apps.who.int/gb/bd/PDF/bd47/EN/constitution-en.pdf?ua=1.

27 ２０１８年には、ＮＣＤが世界的な疾病負荷の62・１％に相当していたにもかかわらず、医療のための開発支援のうちＮＣＤ対策に充当されたのは、わずか２％（７億７８３０万ドル）だった。Institute for Health Metrics and Evaluation, *Financing Global Health 2018: Countries and Programs in Transition* (Seattle: IHME, 2019), 86.

28 Institute for Health Metrics and Evaluation, Global Burden of Disease Database (2017), ghdx.healthdata.org/gbd-results-tool.

貿易と投資

1 貿易の歴史については、次の資料を参照。William J. Bernstein, *A Splendid Exchange: How Trade Shaped the World* (New York: Atlantic Monthly Press, 2008). ウィリアム・バーンスタイン『華麗なる交易　貿易は世界をどう変えたか』(鬼澤忍訳、日本経済新聞出版、２０１０年)。貿易に関する幅広い議論は、次の資料を参照。Wolf, *Why Globalization Works.* アメリカの貿易政策に関するわかりやすい議論は、次の資料を参照。Douglas A. Irwin, *Clashing over Commerce: A History of US Trade Policy* (Chicago: University of Chicago Press, 2019) ; および Craig VanGrasstek, *Trade and American Leadership: The Paradoxes of Power and Wealth from Alexander Hamilton to Donald Trump* (Cambridge, U.K.: Cambridge University Press, 2019).

2 わかりやすく説得力のある貿易擁護論としては、次の資料を参照。Jason Furman, "Trade, Innovation, and Economic Growth" (remarks at the Brookings Institution, April 8, 2015) ; U.S. Council of Economic Advisers, "The Economic Benefits of U.S. Trade," May 2015.

3 Andrew B. Bernard et al., "Firms in International Trade," *Journal of Economic Perspectives* 21, no. 3 (2007) : 105–30; David Riker, "Do Jobs in Export Industries Still Pay More? And Why?," *Manufacturing and Services Economics Brief*, no. 2 (International Trade Administration, U.S. Department of Commerce, 2010).

4 グローバル・サプライチェーンまたはグローバル・バリューチェーンが貿易を再形成するしくみについて、詳しくは次の資料を参照。Organisation for Economic Co-operation and Development, "Trade Policy Implications of Global Value Chains," November 2015; Organisation for Economic Co-operation and Development, "Making Trade Work for All," OECD Trade Policy Papers, no. 202 (Paris: OECD Publishing, 2017).

5 Organisation for Economic Co-operation and Development, "Making Trade Work for All," 9.

6 Chuin-Wei Yap et al., "Huawei's Yearslong Rise Is Littered with Accusation of Theft and Dubious Ethics," *Wall Street Journal*, May 25, 2019; Aruna Viswanatha, Kate O'Keeffe, and Dustin Volz, "U.S. Accuses Chinese Firm, Partner of Stealing Trade Secrets from Micron," *Wall Street Journal*, November 21, 2018; Eric Rosenbaum, "1 in 5 Corporations Say China Has Stolen Their IP Within the Last Year: CNBC CFO Survey," CNBC, March 1, 2019; Office of the U.S. Trade Representative, "Findings of the Investigation into China's Acts, Policies, and Practices Related to Technology

Transfer, Intellectual Property, and Innovation Under Section 301 of the Trade Act of 1974," March 22, 2018.

7 最近の論文の推定によれば、１９４７年の第１回世界貿易会議のときの平均関税は22％前後だった。Chad P. Brown and Douglas A. Irwin, "The GATT's Starting Point: Tariff Levels Circa 1947," NBER Working Paper 21782, December 2015. ＷＴＯの報告によれば、２０１８年の平均関税率は９％だった。World Trade Organization, *World Trade Statistical Review 2019*（Geneva: World Trade Organization, 2019), 73.

8 ドーハ交渉に関する議論は、次の資料を参照。Will Martin and Aaditya Mattoo, eds., *Unfinished Business? The WTO's Doha Agenda*（Washington, D.C.: World Bank, 2011).

9 World Bank Database, data.worldbank.org/topic/trade.

10 World Bank Database, data.worldbank.org/indicator/TG.VAL.TOTL.GD.ZS.

11 World Trade Organization, *World Trade Statistical Review 2019*, 8.

12 World Trade Organization, "Regional Trade Agreements Database," rtais.wto.org/ UI/ PublicMaintainRTAHome.aspx.

13 ＮＡＦＴＡの包括的な解説として、次の資料を参照。M. Angeles Villarreal and Ian F. Fergusson, "The North American Free Trade Agreement（NAFTA)," Congressional Research Service, May 24, 2017, fas.org/sgp/crs/row/R42965.pdf.

14 ＮＡＦＴＡの最初の20年間と、それがアメリカ、カナダ、メキシコにもたらした恩恵についての振り返りとして、次の資料を参照。Carla A. Hills, "NAFTA's Economic Upsides: The View from the United States," *Foreign Affairs*, January/February 2014.

15 ＣＰＴＰＰの加盟11カ国は次の通り。オーストラリア、ブルネイ、カナダ、チリ、日本、マレーシア、メキシコ、ニュージーランド、ペルー、シンガポール、ベトナム。

16 新しいテクノロジーが雇用の状況を今後いかに変えていくか、詳しくは次の資料を参照。Edward Alden and Laura Taylor-Kale, *The Work Ahead: Machines, Skills, and U.S. Leadership in the Twenty-First Century*（New York: Council on Foreign Relations, 2018).

17 Philip R. Lane and Gian Maria Milesi-Feretti, "International Financial Integration in the Aftermath of the Global Financial Crisis," IMF Working Paper No. 17/115, May 10, 2017.

18 外国直接投資フローは１９７０年に１３２・６億ドルだったが、２０１８年には１・３兆ドルに伸びていた。United Nations Conference on Trade and Development STAT, unctadstat.unctad.org/wds/TableViewer/tableView.aspx.

通貨と金融政策

1 教科書を片手に、さまざまな方程式や専門的関連性について学習しなければ、金融政策について真に理解するのは難しい。世界の主要な中央銀行が世界金融危機の時期に下した金融政策の判断について、優れた概要として、次の資料を推薦する。Neil Irwin, *The Alchemists: Three Central Bankers and a World on Fire* (New York: New American Library, 2014). ニール・アーウィン『マネーの支配者　経済危機に立ち向かう中央銀行総裁たちの闘い』（関美和訳、早川書房、２０１４年）。世界経済が直面する問題の幅広い概要としては、次の資料を推薦する。Martin Wolf, *The Shifts and the Shocks: What We've Learned—and Have Still to Learn—from the Financial Crisis* (New York: Penguin Books, 2015). マーティン・ウルフ『シフト&ショック　次なる金融危機をいかに防ぐか』（遠藤真美訳、早川書房、２０１５年）。金融政策が間違っていると何が起きるかという議論は、世界恐慌について論じた次の資料を参照。Liaquat Ahamed, *Lords of Finance: The Bankers Who Broke the World* (New York: Penguin Press, 2009). ライアカット・アハメド『世界恐慌　経済を破綻させた４人の中央銀行総裁』（吉田利子訳、筑摩書房、２０１３年）。

2 ＩＭＦの根底にある発想について簡潔にまとめた次の資料を参照。James M. Boughton, "The IMF and the Force of History: Ten Events and Ten Ideas That Have Shaped the Institution," IMF Working Paper, May 2004.

3 第二次世界大戦後の経済秩序を形成した、この重要な会議と、この会議で行われた討論について関心があるなら、次の資料を参照。Benn Steil, *The Battle of Bretton Woods: John Maynard Keynes, Harry Dexter White, and the Making of a New World Order* (Princeton, N.J.: Princeton University Press, 2013). ベン・ステイル『ブレトンウッズの闘い　ケインズ、ホワイトと新世界秩序の創造』（小坂恵理訳、日本経済新聞出版、２０１４年）

4 世界経済におけるドルの役割に関する文献は膨大にあるが、手始めに読むべき資料は次の通り。Richard N. Cooper, "The Future of the Dollar," Peterson Institute for International Economics, September 2009; および Barry

Eichengreen, "The Dollar Dilemma: The World's Top Currency Faces Competition," *Foreign Affairs*, September/October 2009. バリー・エイケングリーン「脅かされる基軸準備通貨、ドルのジレンマ　ユーロ、ＳＤＲ、人民元の台頭」『フォーリン・アフェアーズ・リポート』２０１０年９月号（フォーリン・アフェアーズ・ジャパン、２０１０年）

5 IMF Data, "Currency Composition of Official Foreign Exchange Reserves (COFER)," latest update on June 28, 2019.

6 ある研究は、世界の準備通貨であることの費用および便益の定量化を試みた。その結論では、ドルが世界の準備通貨というステイタスである結果として、アメリカは年間に４００億ドルから７００億ドル——アメリカのＧＤＰの約０・３％から０・５％——の得をしていると指摘している。McKinsey Global Institute, "An Exorbitant Privilege? Implications of Reserve Currencies for Competitiveness," December 2009.

7 Mark Carney, "The Growing Challenges for Monetary Policy in the Current International Monetary and Financial System" (speech given at the Jackson Hole Symposium, August 23, 2019), www.bankofengland.co.uk/speech/2019/mark-carney-speech-at-jackson-hole-economic-symposium-wyoming.

8 中国の通貨である元（人民元）が国際的通貨に選ばれる存在としてアメリカドルと入れ替わることが可能か、この先入れ替わるのかという問いは、学者のあいだでも折に触れ議論されている。この見込みに関して読むべきいくつかの資料は、次の通り。Sebastian Mallaby and Olin Wethington, "The Future of the Yuan: China's Struggle to Internationalize Its Currency," *Foreign Affairs*, January/February 2012, セバスチャン・マラビー、オリン・ウェシントン「人民元の国際化路線を検証する　中国のドル・ジレンマと経済モデル改革論争」『フォーリン・アフェアーズ・リポート』２０１２年２月号（フォーリン・アフェアーズ・ジャパン、２０１２年）; Financial Times Special Report, "The Future of the Renminbi," *Financial Times*, November 29, 2015; Benn Steil and Emma Smith, "The Retreat of the Renminbi," *Project Syndicate*, June 22, 2017.

9 "Europe Struggles to Protect Iran Trade as US Reimposes Sanctions," *Financial Times*, November 5, 2018; "European Companies Will Struggle to Defy America on Iran," *Economist*, November 8, 2018.

開発・発展

1 世界の開発に関する楽観的な見解として、次の資料を参照。Charles Kenny, *Getting Better: Why Global Development Is Succeeding—and How We Can Improve the World Even More* (New York: Basic Books, 2011). より懐疑的な見解としては、次の資料を参照。William Easterly, *The White Man's Burden: Why the West's Efforts to Aid the Rest Have Done So Much Ill and So Little Good* (Oxford: Oxford University Press, 2006). ウィリアム・イースタリー『傲慢な援助』（小浜裕久／織井啓介／冨田陽子訳、東洋経済新報社、２００９年）。開発に関する別の概観として、次の資料を参照。Paul Collier, *The Bottom Billion: Why the Poorest Countries Are Failing and What Can Be Done About It* (Oxford: Oxford University Press, 2007). ポール・コリアー『最底辺の10億人　最も貧しい国々のために本当になすべきことは何か？』（中谷和男訳、日経ＢＰ、２００８年）

2 世界銀行は２０１６年の『世界開発指標レポート』でこの決断を示し、developing world/developing countriesという用語の使用を段階的に廃止している。World Bank, *World Development Indicators 2016* (Washington, D.C.: World Bank, 2016), iii.

3 低所得経済圏とは、２０１４年の一人当たり国民総所得（ＧＮＩ）が１０４５ドル以下だった国を指す。低中所得経済圏は１０４６ドルから４１２５ドル、高中所得経済圏は４１２６ドルから1万２７３５ドル、高所得経済圏は1万２７３６ドル以上の国家を指す。World Bank, *World Development Indicators 2016*, xiii.

4 World Bank Database, data.worldbank.org/indicator/NY.GDP.PCAP.CD.

5 ＧＤＰを開発の主たる評価基準とする発想を離れ、「能力（ケイパビリティ）」に着目すべきと論じた重要な資料は、次の通り。Amartya Sen, *Development as Freedom* (New York: Anchor Books, 1999). アマルティア・セン『自由と経済開発』（石塚雅彦訳、日本経済新聞出版、２０００年）。国連開発計画（ＵＮＤＰ）は次のように表現している。「人間開発とは、すべての人間が自分の重視する選択を追求できる自由を拡大することである。そうした自由には二つの側面がある――機能と能力が発揮されるという形での福祉としての自由と、発言権と自主裁量があるという形での主体としての自由である」。United Nations Development Programme, *Human Development Report 2016: Human Development for Everyone* (New York: United Nations, 2016), 1.

6 United Nations Development Programme, *Human Development Indices and Indicators: 2018 Statistical Update* (New

York: United Nations, 2018).

7 World Bank, *Poverty and Shared Prosperity 2018: Piecing Together the Poverty Puzzle* (Washington, D.C.: World Bank, 2018), 1–2.

8 World Bank Poverty & Equity Data Portal: povertydata.worldbank.org/poverty/country/CHN.

9 Jan Luiten van Zanden et al., eds., *How Was Life? Global Well-Being Since 1820* (OECD Publishing, 2014), 20.

10 UNESCO Institute for Statistics Data, data.uis.unesco.org/index.aspx?queryid=166&lang=en.

11 Riley, "Estimates of Regional and Global Life Expectancy, 1800–2001."

12 １９５０年から２０１０年で、開発途上世界に住む平均的な人が受ける教育年数は、２・０年から７・２年に伸びた。World Bank, *World Development Report 2018: Learning to Realize Education's Promise* (Washington, D.C.: World Bank, 2018), 4–5.

13 United Nations Development Programme, *Human Development Report 2016: Human Development for Everyone*, 3.

14 International Telecommunication Union, 2018 Global and Regional Information and Communication Technologies (ICTs) Dataset, www.itu.int/en/ITU-D/Statistics/Pages/stat/default.aspx.

15 International Telecommunication Union, "ITU Releases 2018 Global and Regional ICT Estimates: For the First Time, More than Half of the World's Population Is Using the Internet," December 7, 2018; International Telecommunication Union, 2018 Global and Regional Information and Communication Technologies (ICTs) Dataset.

16 Beegle et al., "Poverty in a Rising Africa," 86.

17 World Health Organization and the United Nations Children's Fund, *Progress on Drinking Water, Sanitation, and Hygiene: 2017 Update and SDG Baselines* (Geneva: World Health Organization and the United Nations Children's Fund, 2017), 4.

18 United Nations Development Programme, *Human Development Indices and Indicators: 2018 Statistical Update* (New York: United Nations, 2018).

19 Kathleen Elkins, "How Much Money You Need to Be Among the Richest 10 percent of People Worldwide," CNBC.com, November 7, 2018.

20 Nicholas D. Kristof, "Aid: Can It Work?," *New York Review of Books*, October 5, 2006.

21 適切な制度構築を重視する理論は、開発に対する制度主義的アプローチと言われる。このアプローチに関する最も優れた解説――あらゆる地域の開発に関する最良の文献の1冊でもある――は、次の通り。Daron Acemoglu and James Robinson, *Why Nations Fail: The Origins of Power, Prosperity, and Poverty* (New York: Crown Business, 2012). ダロン・アセモグル／ジェイムズ・A・ロビンソン『国家はなぜ衰退するのか　権力・繁栄・貧困の起源』(鬼澤忍訳、早川書房、２０１３年)

22 United Nations, "The Millennium Development Goals Report 2015," 次のサイトで参照可能。https://www.un.org/millenniumgoals/2015_MDG_Report/pdf/MDG%202015%20rev%20(July%201).pdf.

第4部　秩序と無秩序

1 Hedley Bull, *The Anarchical Society: A Study of Order in World Politics*, 4th ed. (New York: Columbia University Press, 2012). ヘドリー・ブル『国際社会論　アナーキカル・ソサイエティ』(臼杵英一訳、岩波書店、２０００年)

主権、民族自決、勢力均衡

1 主権の概念に関する、より完全な説明として、次の資料を参照。Robert Jackson, *Sovereignty: The Evolution of an Idea* (Cambridge, U.K.: Polity Press, 2007); および Stephen D. Krasner, *Sovereignty: Organized Hypocrisy* (Princeton, N.J.: Princeton University Press, 1999). 建国以来のアメリカにおける主権に関する議論と、それらが複数の政治領域でどのように展開されてきたかという経緯について、次の資料が論じている。Stewart Patrick, *The Sovereignty Wars: Reconciling America with the World* (Washington, D.C.: Brookings Institution, 2018).

2 １９４８年に成立した「集団殺害罪の防止および処罰に関する条約」〔訳注：通称「ジェノサイド条約」〕の第2条では、大量虐殺(ジェノサイド)を次のように定義している。「国民、民族、人種、宗教による集団の全体または一部を破壊する意図をもって行われる次の行為のいずれをも意味する。(a) 集団の構成員の殺害、(b) 集団の構成員の身体または精神に重大な危害を与えること、(c) 全体または一部の身体的破壊をもたらすことを計算して、集団の生活に意図的な条件を課すこと、(d) 集団内での出産を阻止することを意図した方策をとること、(e) 集団内の子どもを他の集団に強制的に移すこと」。ジェノサイド条約の内容は次のサイトで参照可能。https://www.un.org/en/genocideprevention/documents/atrocity-crimes/Doc.1_Convention%20on%20the%20Prevention%20and%20Punishment%20of%20the%20Crime%20of%20Genocide.pdf.

3 この議論——争点はもっぱら保護の責任である——については、次の資料を参照。Power, *Problem from Hell*. パワー『集団人間破壊の時代』; および Kofi Annan, "Two Concepts of Sovereignty," *Economist*, September 16, 1999.

4 United Nations General Assembly, "Resolution Adopted by the General Assembly on 16 September 2005" (A/RES/60/1), undocs.org/A/RES/60/1.

5 Specia, "How Syria's Death Toll Is Lost in the Fog of War."

6 Office of the Director of National Intelligence, "Assessing Russian Activities and Intentions in Recent US Elections."

7 民族自決の概念についての素晴らしい解説は、次の資料を参照。Margaret Moore, ed., *National Self-Determination and Secession* (Oxford: Oxford University Press, 1998); および Alfred Cobban, *The Nation State and National Self-Determination* (New York: Crowell, 1970). 第1次世界大戦後の民族自決に関する議論について、次の資料が見事に提示している。Margaret MacMillan, *Paris 1919: Six Months That Changed the World* (New York: Random House, 2002).

8 憲章の全文は次のサイトで参照可能。www.un.org/en/sections/un-charter/un-charter-full-text/.

9 全文は次のサイトで参照可能。avalon.law.yale.edu/20th_century/campdav.asp.

同盟と連合

1 同盟に関する解説は、次の資料を参照。Stephen M. Walt, *The Origins of Alliances* (Ithaca, N.Y.: Cornell University Press, 1987).

2 チャーチルは、1945年4月1日にチェッカーズ〔訳注：イギリス首相が使う別邸〕で、この発言をした。winstonchurchill.org/uncategorised/quotes-slider/2014-11-3-16-25-06/.

3 Bouverie, *Appeasement.*

4 アメリカのアジアにおける同盟体制形成について、詳しくは次の資料を参照。Victor D. Cha, *Powerplay: The Origins of the American Alliance System in Asia* (Princeton, N.J.: Princeton University Press, 2016).

5 Drew Middleton, "The de Gaulle Nuclear Doctrine Is Alive in Paris," *New York Times*, May 6, 1981.

6 北大西洋条約の第5条は、次のように書かれている。「締結国は、ヨーロッパまたは北アメリカにおける締結国1カ国または2カ国以上に対する武力攻撃を全締結国に対する攻撃とみなすことに同意する。したがって、そうした武力攻撃が起きた際には、各締結国が個別もしくは他の締結国と協調して、国連憲章第51条で認められた個別もしくは集団的自衛権を行使し、北大西洋地域の安全を回復・維持するという目的のために武力行使を含めて必要とみなされる行動をすみやかに実行し、攻撃を受けた締結国または締結諸国を支援することに同意する」

国際社会

1 Freedom House, *Freedom in the World 2018: Democracy in Crisis*, 2.

2 Michael E. Brown, Sean M. Lynn-Jones, and Steven E. Miller, eds., *Debating the Democratic Peace* (Cambridge, Mass.: MIT Press, 1996).

3 Fareed Zakaria, *The Future of Freedom: Illiberal Democracy at Home and Abroad*, rev. ed. (New York: W. W. Norton, 2007). ファリード・ザカリア『民主主義の未来　リベラリズムか独裁か拝金主義か』(中谷和男訳、阪急コミュニケーションズ、2004年)

4 第一次世界大戦の直前に、ノーマン・エンジェルが著書においてこの説を書き、有名にした。Norman Angell, *The Great Illusion: A Study of the Relation of Military Power to National Advantage* (New York: G.P. Putnam's Sons, 1910). ノルマン・エンセル『現代戦争論』

5 チャーチルの伝記を書いた歴史家マーティン・ギルバート卿の記述によれば、チャーチルは1954年の訪米時に、ソ連をまじえた首脳会談の開催をアメリカ議会に説得させようと試みていた際に、この発言をした。International Churchill Society, *Finest Hour 122* (Spring 2004), 12, https://winstonchurchill.org/publications/finest-hour/finest-hour-122/around-and-about-26/.

6 国際法と武力行使については、次の資料を参照。Louis Henkin et al., *Right v. Might* (New York: Council on Foreign Relations Press, 1991).

7 正戦論については、次の資料を参照。Michael Walzer, *Just and Unjust Wars* (New York: Basic Books, 1977). マイケル・ウォルツァー『正しい戦争と不正な戦争』(萩原能久監訳、風行社、２００８年)

8 Gary J. Bass, 'Jus Post Bellum,' *Philosophy and Public Affairs* 32, no. 4 (Autumn 2004) : 384–412.

国家間の戦争

1 Thucydides, *The Peloponnesian War* (Rex Warner, trans.), (New York: Penguin Books, 1954), 49. トゥキュディデス『歴史』ちくま学芸文庫（小西晴雄訳、筑摩書房、２０１３年）

2 Graham Allison, *Destined for War: Can America and China Escape Thucydides's Trap?* (New York: Houghton Mifflin Harcourt, 2017). グレアム・アリソン『米中戦争前夜　新旧大国を衝突させる歴史の法則と回避のシナリオ』(藤原朝子訳、ダイヤモンド社、２０１７年)

3 たとえば、戦争に関するデータを収集している「戦争相関プロジェクト（ＣＯＷ）」は、この判断基準を採用している。データは次のサイトで参照可能。www.correlatesofwar.org/data-sets.

4 Merriman, *History of Modern Europe*, 923, 1102.

5 Carl von Clausewitz, *On War*, ed. and trans. Michael Howard and Peter Paret (Princeton, N.J.: Princeton University Press, 1976). クラウゼヴィッツ『[新訳] 戦争論』(兵頭二十八訳、ＰＨＰ研究所、２０１１年)

6 Bryan A. Frederick, Paul R. Hensel, and Christopher Macaulay, "The Issue Correlates of War Territorial Claims Data, 1816–2001," *Journal of Peace Research* 54, no. 1 (2017) : 99–108; Monica Duffy Toft, "Territory and War," *Journal of Peace Research* 51, no. 2 (2014) : 185–98.

7 Specia, "How Syria's Death Toll Is Lost in the Fog of War."

8 Stockholm International Peace Research Institute, "SIPRI Military Expenditure Database 2019," www.sipri.org/databases/milex.

9 この問題に関する議論は、次の資料を参照。Nils Petter Gleditsch et al., "The Decline of War," *International Studies*

Review 15, no. 3 (2013) : 396–419.

10 Steven Pinker, "Violence Vanquished," *Wall Street Journal*, September 24, 2011.

11 ピンカーの主張に対する、より長い反論として、次の資料を参照。Lawrence Freedman, "Stephen Pinker and the Long Peace: Alliance, Deterrence, and Decline," *Cold War History* 14, no. 4 (2014) : 657–72.

国内情勢不安と国内紛争

1 David Armitage, *Civil Wars: A History of Ideas* (New York: Alfred A. Knopf, 2017). デイヴィッド・アーミテイジ『〈内戦〉の世界史』(平田雅博/阪本浩/細川道久訳、岩波書店、２０１９年)

2 OECD, *International Engagement in Fragile States: Can't We Do Better?* (Paris: OECD Publishing, 2011), doi.org/10.1787/9789264086128-en.

3 Gerald B. Helman and Steven R. Ratner, "Saving Failed States," *Foreign Policy* (Winter 1992–1993) : 3–20.

4 この主張に関する詳細な説明は、次の資料を参照。Acemoglu and Robinson, *Why Nations Fail*. アセモグル、ロビンソン『国家はなぜ衰退するのか』

5 Jeffrey Dixon, "What Causes Civil Wars? Integrating Quantitative Research Findings," *International Studies Review* 11, no. 4 (December 2009) : 707–35.

6 Dixon, "What Causes Civil Wars?"

7 Monica Duffy Toft, "Ending Civil Wars: A Case for Rebel Victory?," *International Security* 34, no. 4 (Spring 2010) : 7–36.

8 Edward N. Luttwak, "Give War a Chance," *Foreign Affairs*, July/August 1999, 36–44. エドワード・ルトワック「紛争不介入の奨め」『フォーリン・アフェアーズ・リポート』１９９９年８月号(フォーリン・アフェアーズ・ジャパン、１９９９年)

リベラルな世界秩序

1 リベラルな世界秩序の擁護論としては、次の資料を参照。Daniel Deudney and G. John Ikenberry, "Liberal World:

"The Resilient Order," *Foreign Affairs*, July/August 2018. ダニエル・デュードニー／ジョン・アイケンベリー「リベラル・ワールド　リベラルな秩序が今後も続く理由」『フォーリン・アフェアーズ・リポート』２０１８年７月号（フォーリン・アフェアーズ・ジャパン、２０１８年）；および G. John Ikenberry, *Liberal Leviathan: The Origins, Crisis, and Transformation of the American World Order* (Princeton, N.J.: Princeton University Press, 2011). より懐疑的な見解としては、次の資料を参照。Graham Allison, "The Myth of the Liberal Order: From Historical Accident to Conventional Wisdom," *Foreign Affairs*, July/August 2018. グレアム・アリソン「多様性を受け入れる秩序へ　リベラルな国際秩序という幻」『フォーリン・アフェアーズ・リポート』２０１８年８月号（フォーリン・アフェアーズ・ジャパン、２０１８年）。この最後の章は、次に挙げる私の論文から引いている。"How a World Order Ends: And What Comes in Its Wake," *Foreign Affairs*, January/February 2019. リチャード・ハース「戦後秩序は衰退から終焉へ　壊滅的シナリオを回避するには」『フォーリン・アフェアーズ・リポート』２０１９年１月号（フォーリン・アフェアーズ・ジャパン、２０１９年）

2 私はこの点について自著で詳しく記している。*Foreign Policy Begins at Home: The Case for Putting America's House in Order* (New York: Basic Books, 2013).

3 ストックホルム国際平和研究所（ＳＩＰＲＩ）は、１９４９年から現在に至るまで、ＧＤＰ比としての軍事費を記録し続けている。冷戦中（１９４９年－１９９１年）のアメリカの防衛予算は平均でＧＤＰ比がおよそ７・３％だった。１９５２年と１９５３年の防衛支出はアメリカのＧＤＰの13％に達した。２０１８年は３・２％で、冷戦中の平均の半分以下。次の資料を参照。SIPRI, "SIPRI Military Expenditure Database," https://www.sipri.org/databases/milex.

著者

リチャード・ハース

Richard Haass

外交問題評議会会長

外交官、外交政策担当としての豊富な経験をもつ。ジョージ・H・W・ブッシュ政権で大統領上級顧問（中東政策担当）、コリン・パウエル国務長官のもとで政策企画局長を務める。また、キプロスおよび北アイルランド特使も務める。ベストセラーとなった*A World in Disarray*ほか多数の著作がある。

訳者

上原裕美子

Yumiko Uehara

翻訳者

ザカリア『パンデミック後の世界　10の教訓』、ヴォーゲル『日本経済のマーケットデザイン』（以上、日本経済新聞出版）、カリス他『なぜ、脱成長なのか』（NHK出版、共訳）、ローリー『みんなにお金を配ったら』（みすず書房）、オルター『僕らはそれに抵抗できない』（ダイヤモンド社）など。

The World［ザ・ワールド］
世界のしくみ

2021年10月15日　1版1刷
2022年 4 月26日　　5刷

著者　リチャード・ハース
訳者　上原裕美子

発行者　國分正哉
発行　株式会社日経BP
日本経済新聞出版
発売　株式会社日経BPマーケティング
〒105-8308　東京都港区虎ノ門4-3-12

ブックデザイン　新井大輔（装幀新井）
本文DTP　マーリンクレイン
印刷・製本　中央精版印刷株式会社

ISBN978-4-532-17712-6　Printed in Japan

本書の無断複写・複製（コピー等）は
著作権法上の例外を除き、禁じられています。
購入者以外の第三者による電子データ化および電子書籍化は、
私的使用を含め一切認められておりません。
本書籍に関するお問い合わせ、ご連絡は下記にて承ります。
https://nkbp.jp/booksQA